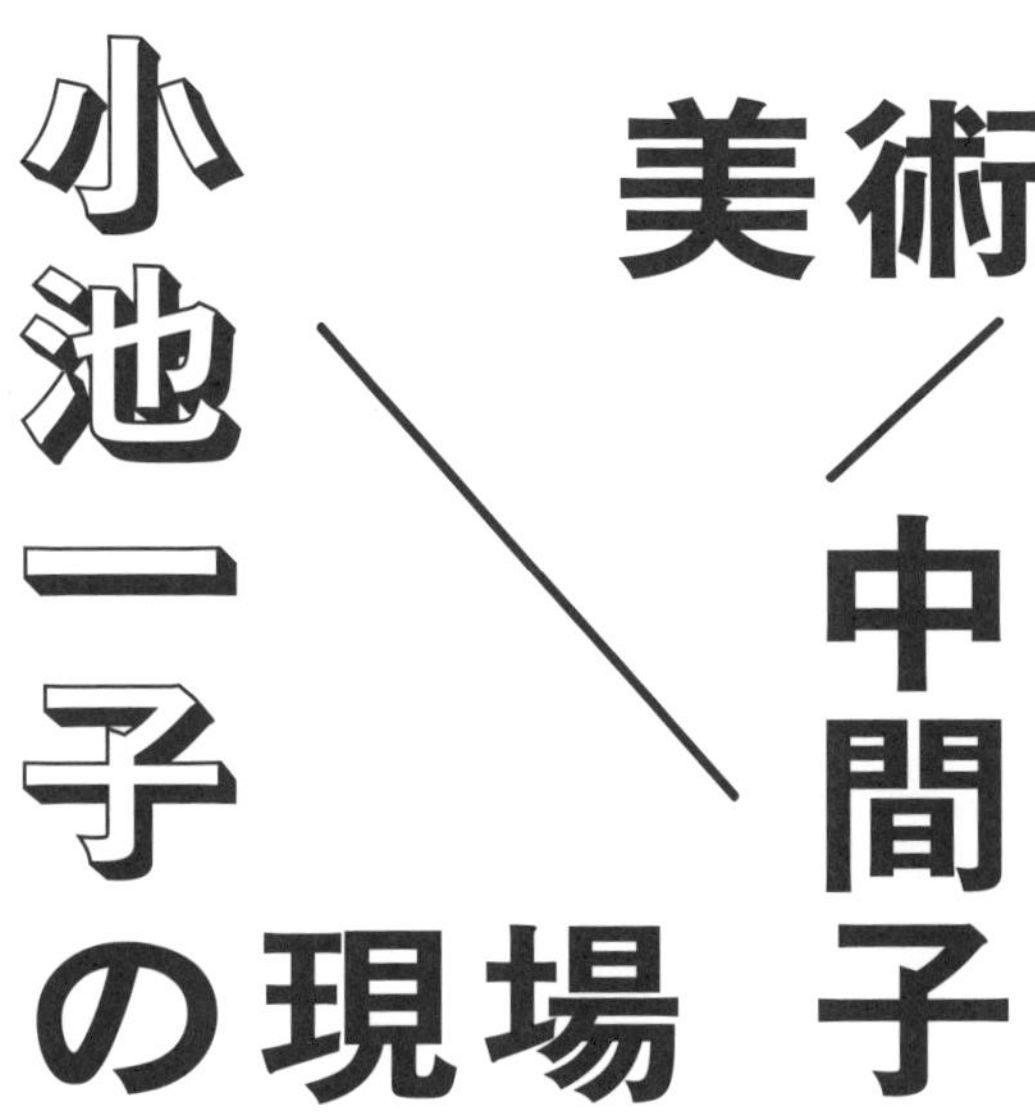

小池一子

平凡社

美術／中間子　小池一子の現場　目次

デザイン　有山達也
執筆　保田園佳

美術／中間子

小池一子の現場

1

2016年

すべては現場にはじまる

澄みわたる青空のもと、下校途中と思われる黄色い帽子の小学生がひとり、大きなガラス張りのキューブの中をのぞきこんでいる。そこへもうひとりがランドセルをふるわせて走り寄り、追いかけっこがはじまった。

見あげるほど大きな女の人をかたどった彫刻作品、ロン・ミュエクの《スタンディング・ウーマン》をはじめ、現代美術の作品を一作家ごとに配して中をのぞき見ることができるこのキューブは、青森県にある十和田市現代美術館[*1]の展示室である。アーティストの小屋のようなキューブはごろんと転がるようにいくつも配置されていて、美術館の庭や向かいに位置するアート広場まで、作品をめぐりながら、おにごっこやかくれんぼができる格好の場所でもある。

*1 **十和田市現代美術館**
青森県十和田市が未来へ向けた新しい街づくりの一環として取り組む「Arts Towada」の中心を担う施設として、2008年に開館。草間彌生、ロン・ミュエクなど世界で活躍する33組のアーティストによるコミッションワークを常設。建築家・西沢立衛により、美術館が位置する十和田市官庁街通り全体との連動も意識された建物は、独立した展示室がガラスの通路でつながり、それ自体がひとつの街のような風情を持つ。

2016年『家庭画報』の取材で館長である小池のもとを作家・原田マハが訪ねる。十和田市現代美術館の常設作品の目玉でもある、ロン・ミュエク《スタンディング・ウーマン》を見上げて。
写真提供：世界文化社　撮影：小野祐次

十和田市現代美術館の外観。展示室をつなげるガラスの通路が気持ち良い。立体作品はチェ・ジョンファ《フラワー・ホース》。
写真提供：十和田市現代美術館

高さ約10メートルある壁面をキャンバスに見立て制作された奈良美智《夜露死苦（よろしく）ガール2012》。ロン・ミュエクや草間彌生のほか、ジム・ランビー、スゥ・ドーホー、マイケル・リン、椿昇など国内外のアーティストの常設作品が迎えてくれる。
撮影：小山田邦哉

ランドセルの少年は黄色い帽子を追いかけて、草間彌生のオブジェ群《愛はとこしえ十和田でうたう》がにぎやかに並ぶアート広場へ駆け込んでいった。二人の笑い声がはじけてこだましている様子からすると、草間の黄色いカボチャの中で追いついたのだろう。

「ドイツのデッサウにあるバウハウスの建物に、『互いに見合う窓』というコンセプトがありました。建物内で作品を囲むマエストロや学生の様子を、街の人々がうかがっている風景を想像して感動したのです。ここ十和田でも、何かそういうことが日常的な風景になってほしい」

誰もが中をのぞき見ることができるような開放的な場所。十和田市現代美術館の開館準備から携わり、2016年から2020年3月まで館長を務めた小池一子が当初から望んでいた光景は、こうしてふだんの生活の中で繰り広げられていた。

大自然を抱く青森は生物のエネルギーが息づく興味深い土地である。ブナやトチノキなどの樹林とシダや菌類で覆われた奥入瀬（おいらせ）渓谷は太古からの自然を彷彿させ、八甲田山系から延びる丘陵地の先には三内丸山遺跡をはじめとする縄文遺跡群があり、大自然を神とする縄文人の信仰を身近に感じることができる。そして十和田は、新しい息吹が輝く土地である。

小池が青森県の十和田とかかわるきっかけは2005年、アートをとりいれた町の活性化プロジェクトのメンバーとして、十和田市現代美術館創設事業に携わったことから。「歴史的背景の色濃い地域に隣接しながら、19世紀後半に開拓民によってつくられた新しい町である十和田市は、現代美術の舞台にふさわしいはず」という小池の直感どおり、コンテンポラリー・アートは市民の暮らしの中に迎えいれられた。

西沢立衛が建築を手掛けて２００８年に開館を果たすと、十和田という地域全体が現代美術の街として色づきはじめる。以来、この地にアトリエを構える作家や、新たなアート・スペースづくりに着手する米国人、カフェをはじめる若者などもあらわれて町の様子はにぎわい、アートがごく自然に日常の一部となっていった。新しい物事を理解して敬う気持ちと純真さは、町の人々と同様に小池の資質でもあったから、純粋にアートを想う小池の心が十和田の小学生たちとも感応しあったのである。

「美術館から広がっていく感性の波は、地域の魅力をつくることにもつながります」

四年のあいだ、十和田市現代美術館の館長を担った小池は、地域と現代美術の出合いの場をかさねながら、現代美術の意欲的な作品を十和田に揃えていることを国内外に知らせて、東北の地に注目を集めることに成功する。横尾忠則展、ヨーガン レール展など、彼らの作家活動を初期から知る小池ならではの意気を含んだ企画展には、海外や国内の遠方からもさらなる鑑賞者が訪れることになった。

小池一子のこれまでを知る人にしたら、小池が公立の現代美術館の館長を務めることを、アートの世界の新たな潮流として頼もしく感じたことだろう。

小池が現代美術とかかわったのは、80年代のアートやデザインをめぐる状況の中で、これからのアーティストが活躍できる自由な場が見あたらず、ならば自分でつくってしまおう、とたったひとりで動き出したことにはじまる。商業的なギャラリーではなく、美術館でもなく、これまでになかった、〝もうひとつの〟場所を求めて、「佐賀町エキジビット・スペース」（３章）をつくりあげた。表現者が自由に活動するための場を提供し、非営利で運営を行う、日本ではじめての〝オルタナティブ・スペース〟である。

アーティストとともに歩み、日本の現代美術が生まれ育つ環境をととのえながら、佐賀町エキジビット・スペースでは、森村泰昌、大竹伸朗、内藤礼をはじめ、日本を飛び超え世界を舞台に活動を続ける何人ものアーティストを生みだしていった。

小池が世の中に向けて行動を起こすきっかけには、学生時代に出合った演劇（4章）があった。物語の世界では、大きな視点で社会を俯瞰することもあれば、生活の一場面で揺れ動く心の機微をとらえてみせることもある。多様な視点から世界をみつめる演劇への興味は、言語やファッションから文化人類学まで、世界を構成するさまざまな要因への目配りをうながして、それはやがて「世界をまるごととらえて、その世界に貢献できるような仕事がしたい」という思いとなる。活動する舞台を自ら組み立てて、小池はそれを実現させていくのである。

テクノロジーの発達はもちろん、政治、経済の動向に翻弄される世界の中で、それを踏まえてなお、より根源的な思想を持って、「こうあったらいいな」を小池は提案してきた。自らが、そして社会が必要とするからという理由で、思い立ったら行動をはじめる。それは広告、編集、ファッション、デザインの分野（2章、5章）から、無印良品（6章）という新たなライフスタイルの提案を経て現代美術にいたるまで、反骨精神を抱いてのぞみ、日本のものづくりの創世記を築いてきた。周囲を支え起こしたい、という献身の思いは今もすべての根幹にあり、小池のエネルギーの源でもある。

そんな小池の姿を見て、おもしろいと感じることを一緒に楽しむ仲間たち、たとえば、三宅一生、田中一光、石岡瑛子をはじめ、海外のアーティストから小学生まで、さまざまな人々が自然に集まり、気がつけばたくさんのひとを巻きこんでいた。それはやがて大きな動きとなり、日本のはじめてをいくつも生んで、ともに時代をつくっていったのである。

欧米の美術作家らからも注目される日本の禅の教えからひもといてみると、道元による言葉、「只管打坐（しかんたざ）」では、〃ただひたすら一つのことに専念すること〃を説いている。そしてその継続が周囲を動かしていくことを小池が示した。小池がものごとに打ちこむ姿に人々が集まり、やがて現場が動きはじめる。そして集まる人々の中に見込みある〃表現者〃をみつけると、その人を生かそうとさらに奮闘して思いやる。汗を流して微笑む小池のもとにまた人々は集まり、周囲の空気さえ味方にして、感動を生み育てる。この連鎖は増幅を続けていく。それは〃今〃も継続中である。

同じものを見ている　小池一子

東北の遅い春の夜に奥入瀬渓流の蔦（つた）温泉へ向かった。朝早く蔦沼への道を歩き始めて、かつて感じたことのない自然からの誘惑に全身がふるえそうになる。なぜって大地は見たことのない色を揃（そろ）えて、ほら、知らなかったろうと言わんばかりなのだ。地元の十和田市現代美術館で仕事をするようになって奥入瀬の四季は一応体験したはずだったが、その朝のその時間の色彩を忘れることはないだろうと思った。

主役は羊歯（シダ）の群れで、春の到来にいち早く開いた葉は緑のさまざまな色合いで黄から深い緑へのグラデーションを見せている。注目したのは金色と茶色の色合いで、わらびやぜんまいの芽が動物の生まれたばかりの子供たちのようにやわらかなファーやうぶ毛に包まれて朝露の中、黄金に輝いているのだ。

これは古代からの姿とふと思った。羊歯はなにしろ4億1千万年以上前に地球上に現れたと解説書などに書かれている。

青森市の三内丸山遺跡縄文時遊館や八戸市の是川縄文館などで基本的な知識をいただくなどして私の〝縄文詣で〟は少し深まってきたところである。そこで常に頭に浮かぶ疑問、「彼らは何を見ていたか」への答えの一つが羊歯の新芽にあるように思えた。特に十和田市の川原遺跡で発掘されたという壺形の土器など丸い文様がくっきりと浮かぶものがあり、それはとっさに羊歯！と口に出してしまったほど明快な植物の図案と思われた。縄文の造形美は自然観察に基があると想像してきたが、それをこの朝の散策は実証してくれたようで心が満たされた。時空を超えた共感で縄文人に「あなたたちと同じものを見ている」とつぶやいた私。

その後、種差海岸をドライブしたが雨交じりの風がどんどんひどくなっていく。海岸線の豪快な光景を見ながらもう一つの質問が浮かぶ。「彼らは何を感じていたか」。立っていられないほどの雨風を太平洋の荒波の際で受けながら、そのあたりの遺跡にいた人たちへ問いかける。「身体を持っていかれそうなこんな風をあなたたちも感じました？」と。縄文時代晩期の地形は今とあまり変わらないそうです。

「めぐる――時間・空間・私」
『朝日新聞』２０１７年７月１日　朝刊

アートが育む小学生　小池一子

子供たちの原風景に美術館が入ることを願っている私に、うれしい知らせが届いた。十和田市内の三本木小学校の児童たちが作った歌を聴きにきませんかという招待の文面だ。ふるさとの魅力を実感するという先生方の指導で全校生が一つの歌を作った。「たからもの」という歌で〝美術館〟〝アート広場〟などの言葉が歌詞にあり、ＣＤも同封されている。

歌を全校児童が合唱するがその前に、小さな講演をというお誘いだ。学校に出かけた朝は青空が広がり、堂々とした校舎が陽に当たって眩しかった。講堂では左から一年生、右に行くほど学年が高くなり右側には六年生が並んで待ち受けていてくれた。その五百三十人余りのみんながあげた言葉のうち一番多かったのが「美術館」と聞き、画像の用意も美術館展示作品を中心にしたのだが、例えば外観の全景に始まり広場の草間彌生さんの屋外作品まで、画面が出るたびに左の方からワーッ、知ッテル！などの元気な声があがる。一年生たちだ。右側の上級生の方は静かで、記憶や感想を少し確かめているような感じを受ける。

そして斉唱、ふるさとの「たからもの」が歌われる。風、水、さくら道、などの自然環境とともに〝歌詞になった美術館〟は全国でも例がないだろうし、それが自発的に生まれていたことを思うと私は涙を抑えるのが精一杯だった。

同じ頃、市中心街の交流スペースでは別の小学校の展示企画が実現していた。郊外の農村地帯にある松陽小学校の六年生十二人が美術館の企画でワークショップを行い、写真家、池田晶紀さんが指導して展覧会を開いたのだ。三月の卒業式を前にあらためて学校の中で好きな場所を選んで作文と絵をつくり、それらの作品を各スポットに展示するという展覧会がまず学校で開かれた。次いで十二人は美術館を訪れ、アート作品を撮影、現像した写真をもとに物語を作り、衣装も手作りしてフィクションの世界に入る自分を池田さんが撮影するというストーリーの展覧会だ。ここではアート作品を見る子供たちの想像力がすばらしく、笑いを誘われた。

戦時の子供だった私には今が夢の国にいるようでもある。情操教育がしっかり社会に根付くことこそ平和日本の条件とひしひしと思う。

「めぐる――時間・空間・私」

『朝日新聞』2018年1月13日　朝刊

2

1975年

現代衣服の源流へ

「今すぐ、ニューヨークに来てください」

青く澄み渡るロサンジェルスの空を雷鳴が走るがごとく、電話が鳴った。LAのホテルに滞在していた小池一子が手にした受話器の向こうで、興奮した様子の三宅一生[*1]の声が躍っている。

「絶対に、あなたたちが見るべき展覧会があるから、早く」

1973年、ISSEY MIYAKE[*2]のテキスタイル・ディレクター、皆川魔鬼子[*3]とともに西海岸を訪れていた小池は、ギャラリーを回遊しながらビーチでのんびり、ようやくとれた冬休みを満喫する予定だった。もっとも当初は、三宅を含む三人で休暇を過ごすためにカリフォルニアに降り立ったのだけれど。

*1 **三宅一生**（みやけいっせい）（1938年～）
デザイナー。広島県生まれ。多摩美術大学卒業。在学中の1960年、日本ではじめての世界デザイン会議開催の折、衣服デザインの分野がないことへの疑問を問い、その視点が多くの注目を集める。卒業後の1963年に第1回コレクションを発表。1965年渡仏、モードを学ぶ。1970年、三宅デザイン事務所を設立。2016年、フランスのレジオン・ドゥ・ヌール勲章最高位コマンドゥール受章。

広告制作を中心に雑誌や本の編集など、クリエイティブ・ディレクターとしてその舞台をさまざまに展開させていた小池が、ファッションやデザイン界の仲間とともに東京のポップ・カルチャー黎明期の土台をこしらえていた頃のことである。

今回の旅の友である三宅は、１９７０年の「東レ・ニット・エキシビジョン」で、瀟洒なスタイルからパーツに分かれるユニット・ファッションを披露し、鮮烈なデビューを果たしたファッションデザイナーであった。翌71年のニューヨークのジャパン・ソサエティーにおけるファッション・ショーでは、天然素材を活かしつつ新素材に挑んだデザインが注目を集めて世界がわき立った。この伝説的ショーをボランティアとして支えていた小池は、熱狂をまとったフロアを今も鮮明に覚えている。ニューヨークに滞在中だった友人、横尾忠則[*4]も応援に駆けつけ、モデルとして登場したアーティストや当時のセレブリティとともにショーの成功に歓喜していた様子も。

ショーでみせたボディウエアには、追悼の意が込められたタトゥのごとく、急逝したロックスターの姿がプリントされていた。ジミ・ヘンドリックス、ジャニス・ジョプリンを描いたそのドローイングは、ISSEY MIYAKE をはじめとする三宅デザイン事務所のテキスタイルを一手に担っていた皆川魔鬼子の作であり、布の豊かな表情を独創的に打ち出すスタイルを得意とする皆川は、三宅の信を一身に集める存在である。

こうして、小池、三宅、皆川の三人は、時の人として多忙を極めていたものだから、十分に羽根を休め、英気を養う必要があったのだ。

東京を離れ、バカンス先に選んだのはロサンジェルス。小池を現代美術開眼に導いたＬＡの美術商、リコ・ミズノに紹介されたのは、ルソーを模したようなトロピカルな風景が壁に描かれたインテリアのホテルだった。しかし到着するなり三宅は、緩や

*2 **ISSEY MIYAKE**
１９７０年、東京に三宅デザイン事務所が設立され、１９７１年、ニューヨークで ISSEY MIYAKE コレクションを発表。１９７３年よりパリ・コレクションに参加。活動当初から「一枚の布」を基本理念に据え、身体と布の関係を問うた服づくりは一貫している。研究を重ね生まれる革新的な技術や、素材から始まる服づくりは、現在も引き継がれている。

*3 **皆川魔鬼子**
テキスタイル・ディレクター。京都府生まれ。京都市立芸術大学在学中からアトリエを持ち、創作を始める。ISSEY MIYAKE スタート当初からテキスタイルを担当。２０００年よりブランドＨａＴのトータル・ディレクターを務める。毎日デザイン賞など受賞。ボストン美術館などで展覧会も開催する。

*4 **横尾忠則（１９３６年〜）**
美術家、グラフィックデザイナー。兵庫県生まれ。１９６０年代からグラフィックデザイナーとして、多彩な技法と先鋭的な作風で活躍。１９８０年にニューヨーク近代美術館（ＭｏＭＡ）で見た「ピカソ展」をきっかけに、１９８１年より画家に転向。国内外の美術館での個展やグループ展、各国のビエンナーレなどに参加。著書も多数。

かなバカンス・ムードを所在なく感じたのだろうか、小池と皆川をその場に残し、単身ニューヨークへ渡ったところだったのだ。

突然の出奔と雷鳴電話による招集という三宅の狼煙（のろし）。小池と皆川は、「イッセイさんらしい……」と苦笑しつつも、やはり戸惑い迷うところである。ＬＡにはリキテンシュタインら人気作家を扱う版画工房、ジェミナイＧ.Ｅ.Ｌ.など、入り浸るほどお気に入りのギャラリーや工房がいくつもあり、これからゆっくり堪能する予定なのだから。移動をためらう二人に、「それはよっぽどのことだろうから、ニューヨークへ追いかけたほうがいいんじゃない？」とリコが勧め、ジェミナイのギャラリストは小池ら二人分の渡航費を用意して、ニューヨーク行きを後押ししてくれたのだ。

こうして小池と皆川は、ＬＡに未練を残しつつではあったけれど、急遽（きゅうきょ）三宅のもとに向かうこととなった。三宅からのこの一本の電話が、伝説的展覧会開催に至るきっかけになろうとは、このときは知る由もなかったのだが。

20世紀前半のパリで生まれたモードがいかに革新的であったか、それを示していたのが、ニューヨーク、メトロポリタン美術館[*5]で開催された「インヴェンティブ・クローズ」展[*6]である。19世紀までの女性の服装は男性に依存する生活の中でもっぱら観賞の対象であったが、技術革新の20世紀になると都市生活に即したものとなっていった。つまり着飾ることではなく、文化や社会と向き合う関係性からデザインを起こしていた。コルセットを使わないドレスをデザインしたポアレらが先鞭をつけ、地下鉄で通勤する女性のための服をつくるとシャネルが公言してシャネル・スーツが生まれたように、産業の変化に並走する、時代のスタイルを提供していたのである。この展覧会

*5 **メトロポリタン美術館**
The Metropolitan Museum of Art
1870年にアメリカ・ニューヨークに開館した、愛称「The Met」で知られる私立美術館。一般市民が優れた美術品に触れる機会が持てることを目的とし、民間人のグループによって創立された。現在は、基金による購入や、コレクターからの寄贈によって、世界に誇るコレクションを収蔵し、世界三大美術館の一つとも称される。

*6 **「インヴェンティブ・クローズ」展**
原題「The Tens, The Twenties, The Thirties: Inventive Clothes 1909–1939」。会期：1973年12月14日～1974年3月。会場：メトロポリタン美術館。

を観るや、三宅が慌てて連絡してきたのもうなずける、ファッションデザインの本来の役割と純粋さを感じさせるものでもあった。

当時の東京でファッションを巡る状況といえば、ブティックはぽつりぽつりとできはじめてはいたものの、ロンドンの人気ブティックをコピーしたようなデザインがまかり通るばかりのありさまで、60年代のスウィンギング・ロンドンで、現地のリアル・ファッションの洗礼を受けた小池は、この様子に憤りを感じていた。何か画期的なことを仕掛けたいと日頃から三宅に相談していた小池だったから、この展覧会を観て、「本物を観る機会を、日本でつくりましょう」と気炎をあげたのは言うまでもない。

日本における服飾文化の「織り」と「染め」の本拠地といえば、京都である。時を待たず三宅は、「インヴェンティブ・クローズ」展の日本での開催を、京都商工会議所の塚本幸一[*7]に相談する。京都にはファッション産業の後ろ盾となる元気な経営者たちが集っており、その中心人物だったのが、ワコール創業者の塚本であった。塚本は商工会議所でファッション産業特別委員会をつくり、京都のものづくりを活性化しようと企画していた矢先であったから、おおいに賛同してくれた。

塚本という大きな後ろ盾を得た三宅と小池は、当時の京都国立近代美術館の館長であった河北倫明（みちあき）を次に訪ねる。「日本も工芸を大事にしてきた国。近代美術館での開催はふさわしい」と、河北からも歓迎の意を受けて、服飾文化を支える京都の旦那衆の賛同もとりつけた。

もっとも、商工会議所で展覧会の企画内容を説明する段には、ずらり勢揃いした京都産業界の重鎮らを前に、さすがの小池も緊張を隠せず足の震えが治まらなかった。

*7 **塚本幸一（つかもとこういち）（1920年〜1998年）**
実業家。衣料品メーカー「ワコール」創業者。宮城県生まれ。第二次世界大戦の従軍から戻り、本来の日本人女性の美しさを取り戻したいという思いから、１９４６年にアクセサリーで創業する。１９６４年にワコールを株式上場させ、京都の財界の中心人物となる。１９７８年、京都服飾文化研究財団を設立、初代理事長を務める。

しかし、京都のファッション産業を盛り上げたいという双方の思いが合致し、展覧会はめでたく承認を得る。この時の産業界への働きかけが、美術界が経済界とスクラムを組むスポンサーシップの先鞭となったのである。

三宅と塚本の二人から展覧会のプロデュースを任されて、武者震いしつつ京都入りする小池だったが、京都の猛者たちのエネルギーは想像を遥かに超えていた。京都の産業界を率いる彼らの仕事ぶりといえば、意見の相違あれば喧嘩のような議論になるが、会議が終わるとそこからはノーサイド。夜は祇園の馴染みの店で再会し、愉快に杯をかさね合う。仕事も遊びも半端を許さない旦那衆のことだから、京都に家を借りて仕事に通うほど展覧会に情熱を注ぐ小池を、放っておくはずもない。日中の会議を終えると、小池にもまた名料亭へと声が掛かった。

祇園遊びの手ほどきを受けながら、文化を丸ごと愛おしむ経験。同展以降もこの地で展覧会や出版の仕事[*8]にかかわり続ける小池にとって、京都はもはや第二の故郷である。その様子について、グラフィックデザイナーの亀倉雄策[*9]からは、「そういうふうに京都に迎え入れられるというのは、今までのデザインの仕事にはなかったんだよ」と、うるさ型の旦那衆の御眼鏡に適ったことを評された。こうして小池は、経済面に加え、仲間としての信頼を得て、あとは展覧会の準備に邁進するのみである。

小池にはこの展覧会で実現させたい企みがあった。細部のディテールに凝りはするが、展覧会全体に通底する趣旨を示したい。グラフィックから空間デザインまで、各分野のスペシャリストがそれぞれを担うが、ひとりのアートディレクター（ＡＤ）がチーム全体をまとめ、総合的なディレクションをすること。この大仕事を任せることができるのは、アートディレクターとして小池が全幅の信頼を置く田中一光[*10]をおいて

1980 年、京都・祇園に集う「浪漫衣裳」展関係者たち。中央のグレーの背広が塚本氏（小池は中段右から 2 人目）。

*8 **同展以降もこの地で展覧会や出版の仕事**
１９８０年、京都服飾文化研究財団のコレクションから、メトロポリタン美術館のステラ・ブラム監修のもと「浪漫衣裳」展が開催。会期：１９８０年４月５日〜６月１日、会場：京都国立近代美術館。１９８５年には、京都服飾文化研究財団とワコールアートセンター共催「Fortuny」展を開催。会場：スパイラルホール。小池は主に両展のカタログを担当。

*9 **亀倉雄策**（**１９１５年〜１９９７年**）
グラフィックデザイナー。新潟県生まれ。１９３８年、日本工房に入社、１９５１年、日宣美設立。１９６０年、日本デザインセンター創立に参画するも、自身は１９６２年に亀倉デザイン研究所を設立。１９７８年、日本

「現代衣服の源流」展が盛況のなか幕開けした頃。撮影：大石芳野

ダイアナ・ヴリーランドの赤い部屋。1981年に小池が監修・翻訳したヴリーランドの著書『ALLURE アルール 美しく生きて』（パルコ出版）制作の頃。マンハッタンの彼女の自室で。

グラフィックデザイナー協会（ＪＡＧＤＡ）設立に参画。東京１９６４オリンピック、大阪万国博覧会のポスターや、ＮＴＴのシンボルマークなど多数の業績を残す。

ほかにはいない。

田中一光をＡＤに迎え、田中と小池は各分野のプロフェッショナルを選定して、空間デザインは杉本貴志[*11]、シルクスクリーンでの壁紙制作を佐藤晃一[*12]と、技巧たしかなクリエイターをスタッフに据える。マネキンに関しては彫刻家の向井良吉[*13]が監修を手掛け、パリの専門スタジオで制作をする妥協のない仕事ぶりが頼もしい。こうして田中を中心とした手練れのクリエイティブ・チームが展覧会を支え彩っていたのである。

ファッションを時代背景から深く読み込んだこの展覧会、「インヴェンティブ・クローズ」展のキュレーションを手掛けたのは、ダイアナ・ヴリーランド[*14]である。『ハーパース・バザー』、『ヴォーグ』という名立たるモード誌で数々の伝説を生んだファッション・エディターである彼女の手腕と聞けば、誰もが納得するだろう。

20世紀前半のパリを中心に生まれた創造的なクチュリエの仕事をまとめるこの展覧会は、彼女の美意識、彼女の時代意識、彼女のプロフェッショナルな体験、私生活、すべてをつきまぜて燃え上がる溶鉱炉のようであった。このデザイナーの、この時期の、この服、という選択を彼女がする時、その過去の服はそれが着られたサロンで、着た人の身のこなし、その時かかった音楽と一体になって彼女の前に現出する。

そして展覧会にはその1点がどうしても必要なのよ、と彼女が言えばヨーロッパの最も気難しいコレクターも協力せざるを得ない。服と時代を知っている、ということにかけて、そしてそれを表現することにかけて、彼女

*10 **田中一光**（１９３０年〜２００２年）
グラフィックデザイナー。奈良県生まれ。１９５７年、ライトパブリシティに入社。日本デザインセンター創立に参画。１９６３年、田中一光デザイン室を設立。１９７３年より、西武セゾングループの店舗空間、環境デザイン、ＣＩ計画、グラフィック、無印良品のアートディレクションなどに携わる。また、「間」（ＴＯＴＯ）、「ギンザ・グラフィック・ギャラリー」（ＤＮＰ文化振興財団）などの設立、運営にも尽力する。

*11 **杉本貴志**（１９４５年〜２０１８年）
インテリアデザイナー。武蔵野美術大学名誉教授。東京都生まれ。東京藝術大学美術学部工芸科卒業。１９７３年に自身の事務所スーパーポテトを設立。西武百貨店をはじめ、無印良品の各店舗、国内外のハイアットホテルなどを手掛ける。１９７０年代半ばには原宿のバーＲＡＤＩＯをデザイン、１９８６年に「春秋」設立など、飲食空間が文化の核にあることを提示し続けた。

*12 **佐藤晃一**（１９４４年〜２０１６年）
グラフィックデザイナー。多摩美術大学名誉教授。群馬県生まれ。１９６９年、東京藝術大学を卒業後、資生堂宣伝部に入社。１９７１年に独立。ニューヨーク近代美術館（ＭｏＭＡ）ポスターコンペ１席などの国際ポスター展での優勝はじめ、受賞多数。

は世界の頂点に立つ人だ。時代を語る学者、再現する文筆家はいる、服を位置づける歴史家、風俗研究家、美術展デザイナーもいる。だがミセス・ヴリーランドのような総合的な力、である存在は他にない。

「訳者ノート」『ALLURE アルール 美しく生きて』
（ダイアナ・ヴリーランド・著　小池一子・訳　パルコ出版）

当時、ヴリーランドは「メトロポリタン美術館・衣装研究所」の特別顧問として、同展の監修にあたっていた。夕刻を過ぎ、一般の美術館スタッフらが帰ると、ヴリーランドは「さあ！」の掛け声とともにウォッカをキュッとひっかける。ここからが、ヴリーランドと小池の打ち合わせのはじまりだ。

ヴリーランドがインスタレーションの細部にわたり監修し、まとめあげた「インヴエンティブ・クローズ」展は、デザイナーとその時代を象徴する色彩で壁を構成している。それらの色やマネキンの選択など、討議事項は多かった。

「話がまとまらなかったら、ニューヨークの空に身を投げてしまうわ」

無邪気なふりで場を和ませながら、京都国立近代美術館の空間の現実を思い、ADの田中一光の美学を思いやり、日本チームを代表して小池は逞しく奮闘する。

京都において同展を開催することは了承されたものの、メトロポリタン美術館側からは、「展覧会のタイトル、基本構想は貸すが、展示する服の交渉は日本側ですること」という条件があった。メトロポリタン美術館所蔵のコレクションはあるが、パリの各メゾンや遺族らが所有するものは自分たちで手配しなければならない。三宅はパリに2か月ほど滞在してコレクターのもとを訪ねてまわる。そこには三宅を突き動か

*13 **向井良吉**（むかいりょうきち）**（1918年〜2010年）**
彫刻家。京都府生まれ。東京美術学校（現・東京藝術大学）彫刻科塑造部卒業。1946年、マネキン制作会社・七彩工芸（現・七彩）を創業。1972年に発足した日本マネキンディスプレイ商工組合の初代理事長に就任、その業界の発展に尽くす。彫刻家としては、1961年、高村光太郎賞、日本国際美術展優秀賞など受賞する他、国際展にも多数出品。1981年、武蔵野美術大学の教授となり、1988年同校名誉教授となる。

*14 **ダイアナ・ヴリーランド**
Diana Vreeland（1903年〜1989年）
ファッション・エディター。フランス・パリ生まれ。1937年から約25年間アメリカ版『ハーパース・バザー』編集部に在籍。1962年ライバル誌『ヴォーグ』の編集長に抜擢され、1971年まで同職を務める。その後、メトロポリタン美術館の衣装研究所・特別顧問に。情熱的な仕事は多くの伝説を残し、デザイナー、写真家、モデルを世に送り出したことでも知られる。

す一つの言葉があった。

「一生がやるんだったら、協力するわよ」

　ダイアナ・ヴリーランドが京都展へのサポートをはじめに伝えてくれていたのだ。信頼に応えて三宅の二十世紀前半モード探索の旅はいよいよ熱気を増していく。三宅の指示のもと、関係各所へ出品依頼のための手紙を書き、パリ、ニューヨークへと塚本と小池の旅は続き、現地交渉をかさねることから展覧会づくりははじまった。アメリカでさえ衣服の展覧会はまだめずらしい時代であったから、日本ではもちろん、すべてが新しい試みだったのである。

　メトロポリタンから紹介されたシャネルのコレクターに、衣装デザイナーのウンベルト・ティレッリ[*15]がいた。彼はローマで質量ともに誇る価値のある衣装を所有する人物で、ファッションの真髄を愛する者同士ゆえ、小池とはすぐに意気投合した。

「ヴィスコンティの展覧会もできるよ」

『山猫』をはじめ、ヴィスコンティの名作映画に登場する歴史的衣装を数多く提供している彼との交遊が、その後の80年代をにぎわす渋谷カルチャーの舞台へもつながっていくことになる。

　展覧会準備に勤しみながら、小池が次に思案したのは、「インヴェンティブ・クローズ」展の日本での展覧会タイトルをどうするべきか。ヨーロッパの服飾の歴史においては「インヴェンティブ＝革新」ではあるが、着物の歴史を持つ日本でわかりやすく表現するためには、言葉選びを慎重にしたい。京都に戻った折に小池は、京都大学人文科学研究所の吉田光邦[*16]の元を訪れる。

　欧米の服飾研究者の間で今日の衣服を「アーバン・クローズ（都市着）」と呼ぶのは、

*15 **ウンベルト・ティレッリ**
Umberto Tirelli（１９２８年〜１９９２年）
仕立屋、衣装デザイナー、衣装コレクター。イタリア・グアルティエーリ生まれ。ローマにある舞台衣装専門仕立屋（ＳＡＦＡＳ）に勤めていた時分、映画監督ルキノ・ヴィスコンティの『山猫』（１９６３年）の衣装を、ピエトロ・トージのデザインのもと手掛け、一躍注目を浴びる。以降、ヴィスコンティ作品をはじめ、数々の名作を担当。１９６４年にアトリエ「ティレッリ」を設立。アカデミー賞他、近年にわたり数々の名誉ある賞を受けている。

*16 **吉田光邦（よしだみつくに）（１９２１年〜１９９１年）**
東洋科学技術史家、京都大学名誉教授、京都府京都文化博物館館長を歴任。愛知県生まれ。１９４９年京都大学人文科学研究所に助手として入所以降、教授、所長などに就任。また、クラフトにも造詣が深く、文化庁文化財保護審議会専門委員、国立歴史民俗博物館評議員なども務める。伝統と工芸の現在をつなぐ思想を立てて陶、漆などのクラフト振興を指導した。この頃の人脈が小池の京都との交流を深くすることともなった。

民族衣装や歴史的なコスチュームに対し、「現代」都市生活者の衣服、ということを際立たせるためだという。また、時代と衣服の関係を意識したファッションデザインの確立を願う三宅と小池の強い意志がある。その意味を含ませ、展覧会のタイトルは「現代衣服の源流」展[*17]（略・「源流」展）に決定した。

吉田光邦は小池が幾度となく相談を持ち掛ける思想的な師であったが、吉田との縁を遡ると、日本文化を海外に紹介するマツダのヴィジュアルな広報誌『MAZDA BOOKS』があり、同シリーズのアートディレクター、田中一光に紹介されたことにはじまる。吉田の広範な知識に加え、学究肌を持つ田中のデザインから生まれたこの叢書は、小池の最も敬愛する仕事でもあった。

欧米各所を駆けめぐって揃えた貴重な衣装群は、海を渡って京都に集められた。田中一光による空間構成はあざやかな色彩でそれらの舞台を支えている。それは美術館屋外のチケット売り場のグラフィックにも及び、山口はるみ[*18]のシンボルマークが存在感を放っていた。ヴリーランドも京都入りし、展覧会準備もいよいよ大詰めである。

> 京都展のオープン前夜、展示の点検を終った彼女は、私に、ちょっと手袋を持ってきて、と言った。そして彼女はシャネルのコーナーを眺めていたのだが、1分後にはそのうちの1点のドレスを後ろ前、逆にしてしまった。このエピソードに解説はいらないでしょう。
>
> 「訳者ノート」『ALLURE アルール 美しく生きて』

1975年3月25日、「現代衣服の源流」展は華々しく幕を開けた。日本ではじめ

*17 **「現代衣服の源流」展**
主催：京都商工会議所、京都国立近代美術館。会期：1975年3月25日〜5月25日。会場：京都国立近代美術館。ポワレ、キャロ姉妹、ヴィオネ、シャネル、スキャパレリらデザイナーたちのオリジナル作品、絵画作品など、約150点を展示。入場者数は、総数11万人を超える。会員制の寄付金（3万円）により実現した記念豪華図録『現代衣服の源流』は京都商工会議所から刊行された。

*18 **山口はるみ**
イラストレーター。島根県生まれ。東京藝術大学油画科卒業。西武百貨店宣伝部を経てフリーランスに。1964年、灘本唯人、宇野亞喜良、和田誠、横尾忠則らと東京イラストレーターズ・クラブを結成。1969年には、池袋パルコの立ち上げと同時にイラストレーターとして広告制作に参加する。躍動する女性の魅力を女性の視点からリアルに描き、現在は80年代の作品に再評価が高まっている。

て、衣服という領域からモダニズムを展開したこの展覧会は大きな注目を集め、人々が衣服とその時代背景や文化について意識する機会となったのである。丁寧で真摯な仕事を紹介する同展は、ものづくりの現場にいる人々からの反響も大きかった。「展覧会の役割は、今まで人がしてきたことを振り返り、『現在、何を創造できるか』を考える基盤づくりである」という小池の思惑が通じたのだろう。クリエイターたちを高揚させ、何でもあるがゆえに方向を見失っていたような若い世代にも、希望を与える展覧会となったのである。

一般に向けた展覧会のカタログのほかに、スキャパレリのショッキングピンクに染められたクロス貼りの愛蔵版『現代衣服の源流』が刊行され、その美しさが話題を集めた。この本は京都産業界を束ねた塚本が、「源流」展を後世に残すために記念出版をと発案したものであった。賛同者を募り、予約会員制で頒布してはどうかと提案を受けた小池はすぐに田中と相談し、ニューヨークの写真家で日本人のHIDEOKI（英興）による特写を組む。日本で「源流」展を準備していた74年、「インヴェンティブ・クローズ」展はまだメトロポリタン美術館で会期のただ中であったため、展示の撮影は深夜に敢行されたこともあり、静謐（せいひつ）な臨場感が衣服をいっそう美しく際立たせていた。田中一光指揮のもと、「源流」展の意気とダイナミックな展開が、大型の布装本の中に見事に収められたのである。また同展を記念して、「完全復刻による日本の衣装史」が京都国立博物館において企画されたことも特筆に値する。衣装の都・京都の面目が、１９７５年の東山に花ひらいたのである。この「現代衣服の源流」展の経緯から、塚本幸一[*19]は日本における服飾文化を研究する機関として、京都服飾文化研究財団（ＫＣＩ）の発想を得るのである。

*19 **京都服飾文化研究財団（ＫＣＩ）** １９７８年、西欧の服飾、および服飾に関する文献や資料を収集・保存し、研究・公開する機関として、株式会社ワコールの塚本幸一により設立される。そのきっかけは１９７５年開催の「現代衣服の源流」展にある。１９８０年、京都国立近代美術館で開催した「浪漫衣裳」展以降、世界的なファッション研究機関としての活動を続けている。２００９年、公益財団法人京都服飾文化研究財団へ移行。

京都での興奮と評判はいよいよ海を越え、展覧会を見たというリサーチャーが小池のもとを訪ねてきた。

「この展覧会はとても興味深い。こういう展開ができる若い人を推薦してください」

聞けば彼はハワイ大学の東西文化研究所のチューターで、美術館学の研修生を募集しているのだという。小池は思わず言葉を返した。

「私じゃだめですか？」

これまでは主に広告の仕事を生業にしてきた小池だったが、「源流」展で美術展をつくりあげるおもしろさにすっかり目覚めてしまった。40歳を目前に、今後の仕事の展開を模索していた時期でもあり、「源流」展を終え、幾重にも連なるアートの扉を開いてみたいと考えていたまさにその頃、ハワイ行きの話が舞い込んできたのである。当時の小池は、仲間と立ち上げた事務所をすでに退職していたから、フリーの状態で自らにサバティカル休暇を課し、１９７５年の秋、美術館学を学ぶためにハワイへ飛び立った。

ハワイ大学の所属機関「東西文化研究所（East-West Center）」は、環太平洋地域の国々からさまざまな人が招聘されていた。香港から来た英国人ジャーナリスト、台湾の舞踏家、アメリカからは写真を極めたいという女性、韓国の建築家、そのほかインドネシアからはバリとモロッコ島のキュレーターなど、各国から多彩な人材が集い、多文化の熱気が充満していた。

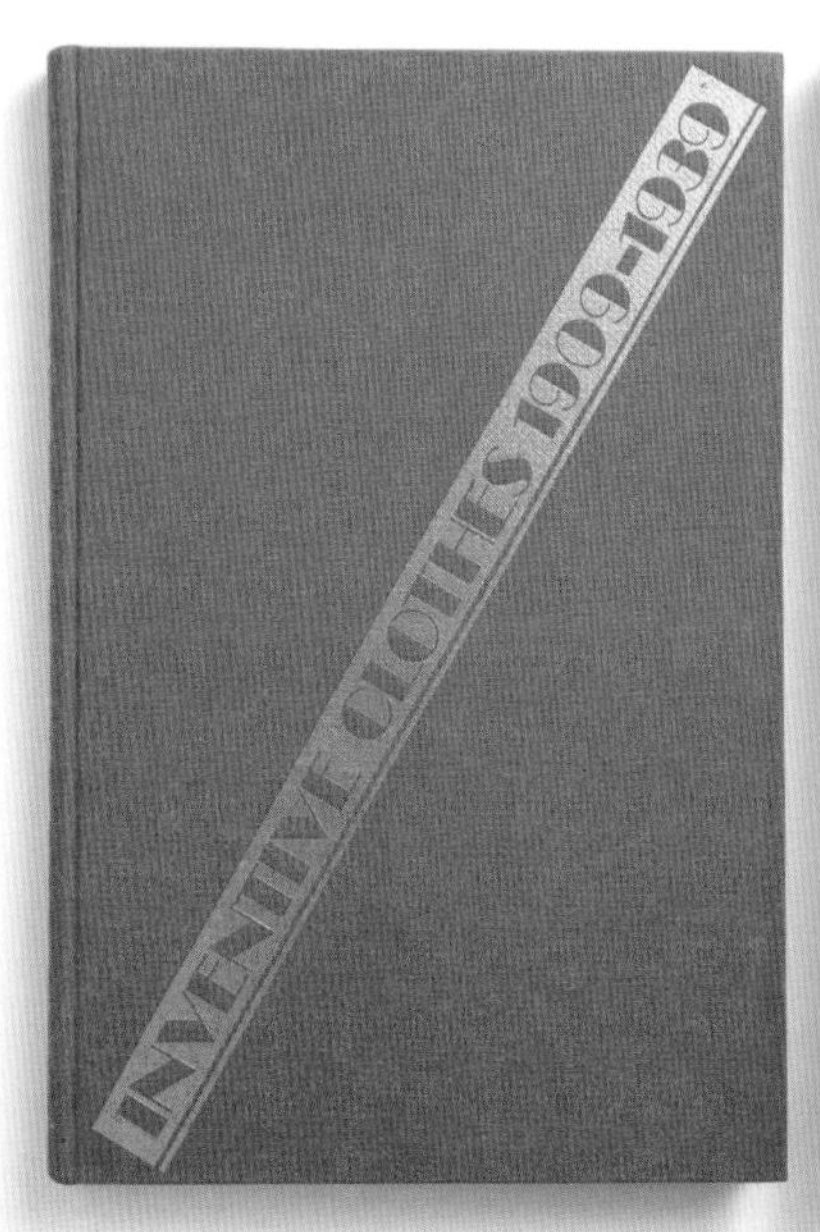

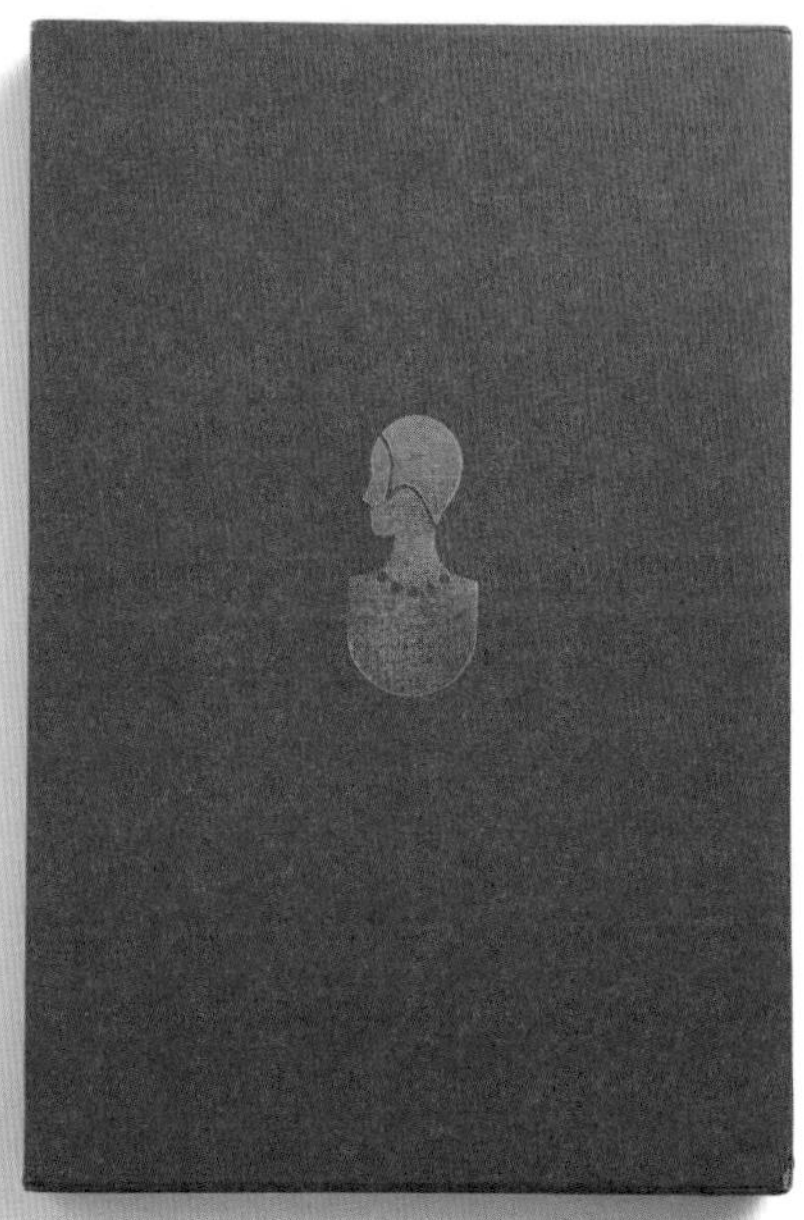

「現代衣服の源流」展は田中一光のアートディレクションで徹底したデザイン・ポリシーを通した。リーフレット、封筒、レターヘッドの色彩計画、山口はるみのアール・デコ系譜のシンボルマーク多用、会員限定記念出版となる豪華カタログはエルサ・スキャパレリのショッキングピンクを特染めした特装クロス貼り。

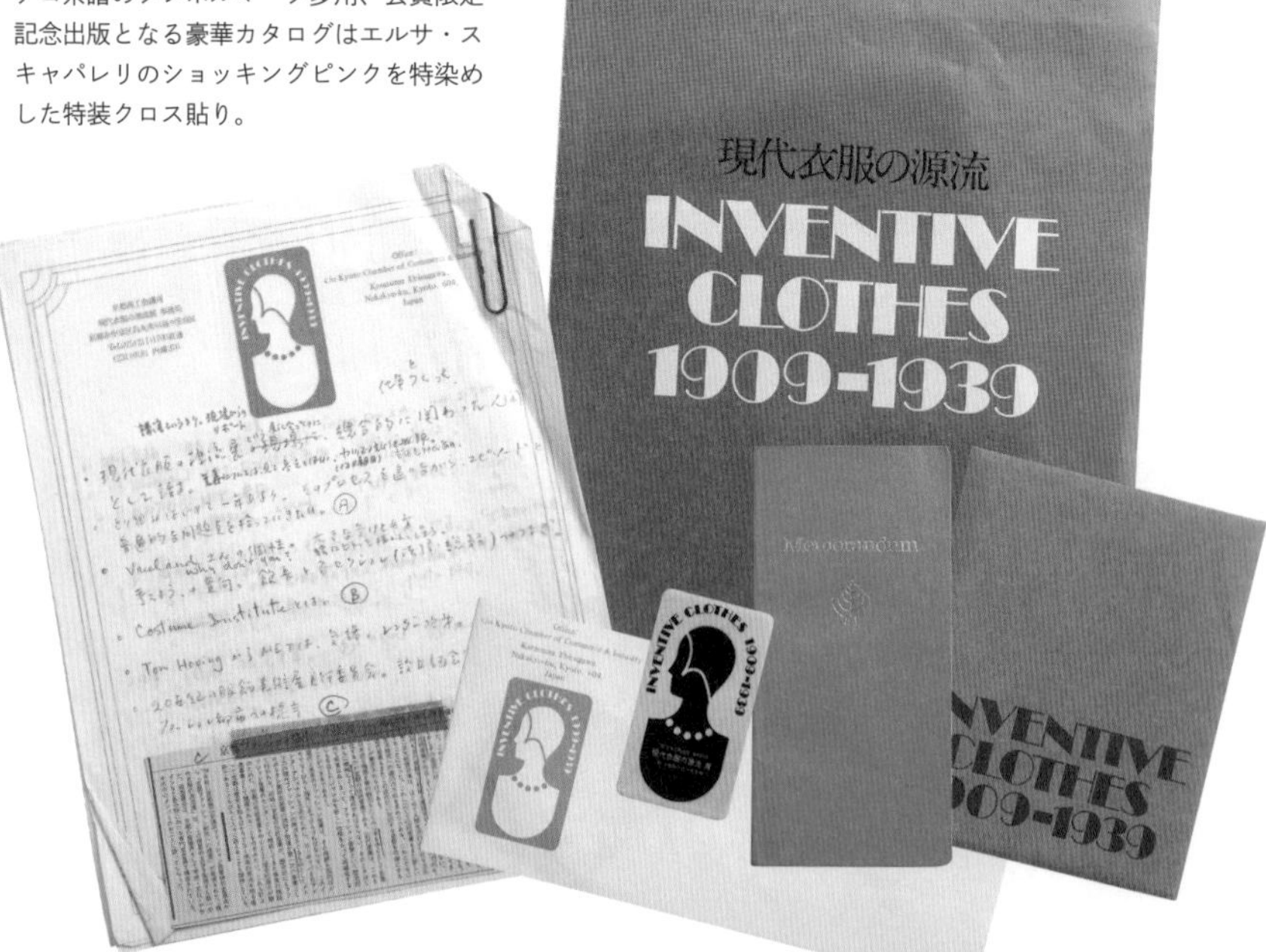

KAZUKO KOIKE

秋の毎日をいかがお過ごしていらっしゃいますか。

私、ハワイのイースト・ウェスト・センターからお招きをいただき、11月より半年ほど研究所生活を送ることとなりました。専攻はミュージアム・マネージメントなどと口幅ったいのですが、大好きな土地で、来し方行末をゆっくり考えることができると思うと胸が弾みます。

仕事を始めて15年あまり、慌しい時間の中でたくさんの方にお会いし、暖い励ましをいただきました。お一人お一人にゆっくりお目にかかってお話しをしたい気持ているこの頃ですが、とりあえず、しばらく行って参ります。

今年は冬が来ないというのは、ふしぎな感じです。

一九七五年十月十日　小池一子

（上／中）留学のお知らせを印刷物にするのも小池らしい。デザイン：長友啓典、写真：小林昭。（下）ハワイ滞在中の小池は、ほんのり黄金色をしている。1975年。

クロスカルチャーの現場では、授業風景も一筋縄ではいかない。たとえば、寝転がっている人がいる。パプアニューギニアからのクラスメートは、授業を受けていても、するするっと椅子から落ちて横になったまま、先生の話を聞いている。小池はもう、カルチャーショックを通り越して、なんだかほがらかな気分になるのだった。

クラスの担当チューターはニュージーランド出身で、彼もまた愉快な人物だった。「ああ、今日はいいお天気ねえ。みんなで海いっちゃお」という具合に。

学生のためのドミトリーはI・M・ペイの設計でこのうえなく快適だし、同室にはミュージシャンがいたり、他のコースの受講者のサモア人らと交流するなど、異文化に驚き、話題に事欠くことはない。好奇心メーターは振れっぱなしの毎日だった……しばらくのあいだは。

大学の講義の中には、キュレーションの経験のない学生に向けたテーマもあり、小池にとってはやや退屈に感じられたのだろう。あの「源流」展を仕上げて間もない頃である。精神的な飢餓感が募った小池はハワイの海辺でひとり黙々と読書に耽（ふけ）った。イザベラ・バードの存在を知ったのもその時で、ハワイ大学の図書館は多文化理解の宝庫と思えた。

読破した中で印象に残っているのは、アメリカ立志伝中の人物、ハワード・ハーストの伝記物、そしてカート・ヴォネガットのもの。彼の作品のなかでは、『スローターハウス５』にもっとも心惹かれていた。この本は、第二次世界大戦下のドイツで、母国アメリカによる空襲で仲間たちの死を目の当たりにした米国人の戦後を追ったものだ。「人は生活の中で直面するつらさから逃れるために、ＳＦ的な世界に向かっていく」という心理を、小池はしみじみと理解していたのである。現実世界からの逃避

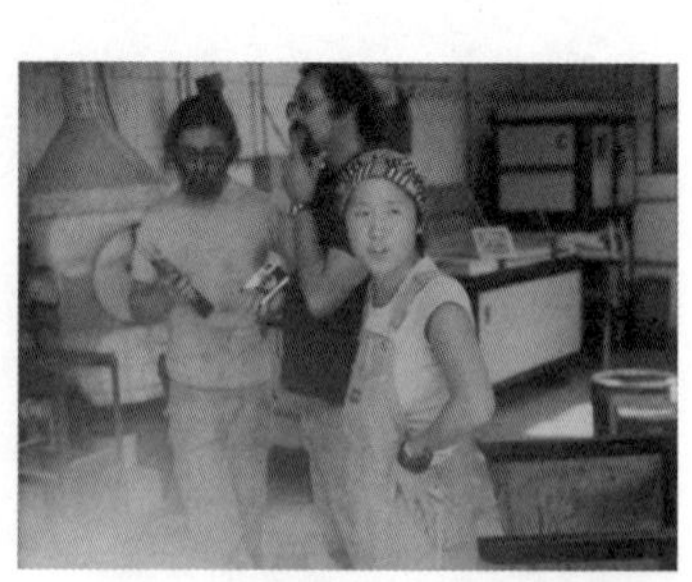

ハワイ暮らしの頃、西海岸との往復は頻繁にあった。写真は、サンフランシスコのガラス工房にて、OSHKOSH のサロペットを着て。

*20 **東京デザイナーズ・スペース（TDS）** １９７６年、「多ジャンルがお互いの美学を交流する」という田中一光の信念のもとにはじまった、六本木（現ＡＸＩＳギャラリー）に位置するデザイン・ギャラリー。中核メンバーは田中一光を中心に、浅葉克己、長友啓典、粟辻博で、小池も発起人となる。グラフィックデザインのほか、建築、プロダクト、インテリア、音楽家など約２５０名の会員を集めた。１日限りの個展「ONE DAY ONE SHOW」は１９１日間におよび開催され、毎夜オープニング・パーティで熱気溢れる空間となった。その後「ONE WEEK ONE SHOW」、デザイン企画展、個展開催へと形が移り、１９９５年解散。

に思いを馳せる状況、バカンスの地に漂う緩やかなムードを所在なく感じるところは、いつかの誰かさんと同様だ。

海辺をたゆたう小池のもとに、東京の田中一光から電話が入る。

「東京で活動するクリエイターたちを集めて、自由に発信し、交流する場を設けようと思う。小池さんも入ってくれませんか？」

グラフィックデザインはもちろんのこと、建築、プロダクト、インテリア、音楽家ら東京をおもしろくしているクリエイターたちの美学を交流させたいという田中の信念が「東京デザイナーズ・スペース（TDS）」[*20]を生んだ。この動きを見てもわかるように、当時の東京では、アーティストよりもデザイナーがヴィジュアル・アートを牽引していたのである。デザイン業界の垣根をなくして、ものづくりを純粋に楽しむにぎわいが伝わり、少しのうらやましさも感じながら、もちろんそのムーブメントに参加する旨を返答したところ、

「あれ？　なんだか小池さん、ハワイのリズムだね」

田中の居る気忙しい東京からしたら、どこにいてもゆっくりと響くのかもしれないが。

小池が日本から持参した本は、田中一光のグラフィックデザインの本、日本の「ひも」に関する本、つげ義春（よしはる）の『ねじ式』、和田誠責任編集『赤塚不二夫1000ページ』など。日本を紹介するのに独特の選書である。半年にわたる美術館学課程の最後に、修了制作として展覧会を企画する課題があり、持参した本の中から「ひも」をテーマにした「string」展を構成することにした。

東京デザイナーズ・スペースが定期的に制作していた会報誌。1980年2月発行の号では、「会員がいま何をしておるか・何を考えておるか」が書き記されている。小池は自身が企画した「浪漫衣裳」展が始まる直前で、展覧会の告知とともに綴る。「それにしても月日のたつのは夢のうち。五年毎に衣装展をやって四回たったら、どうなってしまうのであろうかと考えると空恐ろしい気もいたしまして、衝動的にパンクに走ることもございます。」

ひもに関する調査を進めていくと、「あやとり」がはじまったのはサモアあたりだったことなど、掘り下げたい項目が続々と現れる。歴史や文化を調べていくうち、「もっとキュレーションの仕事がしたい」という思いが膨らんでいくのを感じていた。「源流」展でモダニズムの極地に触れた小池は今、対極ともいえるハワイでの多文化体験を経てますます世界を広げ、大いなる視野を手に入れていた。自分がこれからやるべき仕事の道筋は、もう見えている。

ハワイ滞在中、東西文化研究所で歌舞伎を教える教授から、感謝祭を祝うホームパーティに招かれる。そこにケン・フランケルはいた。ハリウッドに生まれながら東海岸の演劇の名門、ピッツバーグのカーネギーテック（現・工科大学）を経て、東西文化研究所で演劇を専攻し、ハワイですでにアナウンサーとしても活躍していた彼は、日本文化への造詣が深く、イザベラ・バードを教えてくれたのも彼であった。知性と感性の相似点に導かれて二人は意気投合し、帰国後に日本で結婚するのである。

ハワイでの研修を終えた１９７６年の夏、小池とケンはメキシコで開催された世界クラフト会議に誘われる。そこで紹介されたキュレーターの導きでチアパス州を訪れた。小池はメキシコとガテマラの民族衣装に夢中になり、「民族衣装は方言と同じ。その集落の証（あかし）としての衣服に出合う」と連日のフィールドワークを記すのだった。

メキシコシティに戻った二人はディエゴ・リベラとフリーダ・カーロ[*21]の青い家を訪れた。フリーダとの出合いが、小池の心をどれほど熱くしたか。痛いほどに自己と向き合い、制作を続けたフリーダの魅力に打ちのめされ、のちに小池は「フリーダ・カーロ」展[*22]を日本で開催することとなる。小池が日本ではじめて彼女の作品を紹介して

*21 **フリーダ・カーロ**
Magdalena Carmen Frida Kahlo y Calderón
（１９０７年〜１９５４年）
画家。メキシコ・コヨアカン生まれ。18歳のときに交通事故により長期入院を余儀なくされたことを機に、本格的に絵を描き始め、生涯でおよそ２００点の作品を描く。20代初頭に、21歳年上の画家ディエゴ・リベラと出会い、結婚。夫婦の関係は多くのエピソードを持ち、一時フリーダがトロツキー、イサム・ノグチなどと恋仲だったことも知られるが、最終的には再婚し、彼女は生家である「青い家」（現在はフリーダ・カーロ記念館）でその生涯を閉じた。

から、フリーダの人気が一般のものになるのにはまだ時間を要するのだけれど。

帰国した1976年の秋、東京はフォークロア・ブームにわいていた。現地で本物の民族衣装を手にしてきたばかりの小池は不思議な感覚にとらわれたが、メキシコで収集した衣装を、東京デザイナーズ・スペースの「ONE DAY ONE SHOW」[*23]で、1日限りの展示で紹介すると、手応えも大きかった。民俗学に関する興味の広がりもあって、洋服はただ着るだけのものではなく、文化的背景によって形成されてきたというありようが理解され、チアパスの実際の衣装が見る人の心を捉えたのである。

1976年、メキシコを旅したときのもの。撮影：ケン・フランケル

*22「フリーダ・カーロ展　愛と生、性と死の身体風景」
主催：西武美術館。会期：1989年8月11日～8月29日。会場：有楽町アート・フォーラム。巡回展　会期：1989年9月8日～10月2日。会場：大津西武ホール。展覧会カタログ　刊行：西武美術館、1989年。企画・編集：西武美術館、小池一子。アートディレクション：田中一光。

*23「ONE DAY ONE SHOW」
チアパスの民族衣装とテキスタイルのコレクションを「ハンガー・ストライキ」（断食＝ハンストに使う意味のhungとhanger＝ハンガーをかけて、ハンガーいらずというニュアンス）というタイトルで展示、民族衣装の直線裁ちの構成を指摘する。

フリーダをめぐる人々　小池一子

カラフル。豊かな色彩を示すこの言葉を、フリーダ・カーロその人に、その愛情生活に、その友人との交わりにまず捧げておこう。

フリーダは、メキシコに生まれたが、その環境をイメージするのにふさわしいのはブーゲンビリアの濃いピンク、青い空、緑と土の色。ポストカード並みの表現のようだが、その色の質は、建築家ルイス・バラガンの美しい壁の色に結晶している。バラガンの建物をご存じない方にはぜひ写真集などで見ていただきたいと思う。それほどに、生を受けた環境とクリエイティビティが密接に結びついていることを私たちはメキシコのアーティストたちから知らされるのだから。

（中略）

フリーダは、ほとんどの場合、大画家ディエゴの妻として扱われていた。彼女が1938年にニューヨークで初の個展を開いた時も、ニューヨーク・タイムズ紙の紹介文は〝ディエゴの妻〟から始まっていたし、メキシコの女性画家の、という形容詞は作品の価値を伝えるものではなかった。

だが、ギャラリーに足を運んだ人の中には、彼女の作品のユニークさに目を見張り、賞賛の声があがっている。性格俳優として知られるエドワード・G・ロビンソンも即刻、彼女の作品のコレクターとなった。写真家として影響力の強いアルフレッド・スティーグリッツと画家で彼の妻のジョージア・オキーフもフリーダの作品を絶賛した。この時のニューヨークではジョージア・オキーフとフリーダが女どうしの愛で結ばれたという、ディエゴの言葉も残されている。

フリーダのバイセクシュアルな性向は、アンドレ・ブルトンに招かれたパリでも示されていて、この映画では黒人の舞姫として騒がれていたジョセフィン・ベーカーさながらの女性との交わりが描かれている。

だがこの1939年のパリ個展でフリーダの真価は受け入れられた。カンディンスキーは心を打たれ涙を流したという。ピカソが掌の形をしたイヤリングをフリーダに贈ったことも知られている。

　ファッション・デザイナーのスキャパレリもフリーダその人と作品の色彩に魅了される一人だが、やがてスキャパレリが打ちだすショッキング・ピンクという名の特徴的な色はフリーダとの出会いから生まれたという想像を私は楽しんでいる。

　交通事故の後遺症と身勝手な夫ディエゴから受け続けた心の傷を負うフリーダ・カーロの作品は、直視するのが辛いほどの表現で見る人の心身に訴える力を持つ。単に耐えしのぶ妻の役割を演じたわけではなく、まさにカラフルに生と性を生きた、女の、作家フリーダ・カーロである。


映画「フリーダ」パンフレット（アスミック・エース）より　２００３年

歴史の流れと地球の広がりの中で　私的・試的・衣服論

小池一子

　ここ一年ほど、私は衣服史に首をつっこんでいて、時間というタテ軸と地域というヨコ軸——つまり、古代衣裳から民族衣裳などにいたるさまざまな服の記録や実物を見てきた。そして「着る」ということがどんなに人間にとって基本的でまた創造的な行為かということをあらためて思い知ったような気がしている。

　それは民族衣裳が原形のまま今も着られ続けている土地で特徴的に見ることができるし、過去の記録からいくらでも拾うことは可能だ。たとえば私がいまあげたハワイの女もエジプトのダンサーもそれぞれの時代の女が〝着た〟記録であるのだ。私の旅の最後はメキシコの奥地で、そこでは女たちは羊を飼うところから始めて、糸を梳（か）し、紡ぐ、染める、織るといった過程をすべて自分の目と手で済ます。まるで〝着る〟ことの二大理由といわれる「自然からの保護」ということと「他人を惹きつけるため」という目的が見事に例証されているように思われた。おなじ民族衣裳でも気候風土によって色彩が異るがメキシコ・インディアンのそれは実に色がきれいで、これはやはり、〝アトラクティブ〃ということが本能的に理解されているからではないかなどと私は思った。いや、ただ〃アトラクティブ〃という言い方は曖昧で、その判断は時代・環境によって異るはずだ。誰にとってそれが〃アトラクティブ〃かという点がいわゆる民族衣裳と都会着（世界の都市共通の現代服）を区別するのではないかと私は思うのだが。

誰にとって？　着る人間にはまず自分の周囲の承諾と称賛が必要だ。民族衣裳は種族内での認めあい、讃めあいに根ざすものではないだろうか。たとえば、村というより部落単位で一つの衣裳・着方があることをメゾアメリカで私は見たのだが、それはまるで隠語か方言を私に思わせる。いや、それ以上のもの、たとえばアイデンティティそのものなのだ、衣裳は。そう考えてみるとハワイ、ギリシャのこれからの女性像の落ちついた、伸びやかな感じの理由が分かるような気がする。われ他人（ひと）、ともに安心なのだ、何を着、何をためすかを知っているから。

それにひきかえ、二十世紀の後半には世界をおおいつくすことになった普遍的な〃服〃（日本でいう洋服）は、いわば自閉症を病みつつあるように私には思える。産業というものが同じノウハウに立つのだから、方言も隠語も国語すらも残りにくいのだ。世界中押しなべて同じ発想の服となり、着る人も服自身もとりたてて語るべき言葉を持たない、というのはつまらないことではないだろうか。

そこでエコロジー、エスニック、フォークロア、などといろいろな呼ばれ方をしながら、西側の衣服は民族衣裳の生血をずっととり続けてきた。あちこちでいわれてきたように、もうフォークロアにも飽きがくるだろうという期待も一方では持たれながら、一向にその気配がない。デザイナーは年々続々、地球上のどこかの土地のイメージやクラフト源泉のある衣服を発表してきている。

『流行通信』１９７７年１月号（ＩＮＦＡＳパブリケーションズ）

帰国してから新たにはじめる小池の個人事務所の物件は田中一光が世話してくれて、１９７６年の冬、青山通りに面した利便性のある一室に決めた。ここに「オフィス小

池」の看板を掲げ、デザイナーらが数多く事務所を構える青山のクリエイター・チームの一員となったのである。日本を留守にした一年の空白期間を考えると、ゼロからのスタートのようで多少不安もあったが、仕事仲間の浅葉克己[*24]の発案で、渋谷西武で発行するフリーペーパーの編集をすることになる。そのために仕事を補佐するアシスタントも必要だった。

「ひとを探してるんだって？」

小池の窮状を聞きつけた『婦人画報』の編集長、戸田麒一郎から電話を受ける。

「この世界で〝生きられる女〟と〝生きられない女〟って、いると思うだろ？　生きられると思うのを遣わすから会えば？」

後日、やわらかなピンクのコートを着た女性が現れた。銀座生まれでアメリカ留学帰り、というその人こそ、現在はギャラリー小柳を主宰する小柳敦子だった。現代美術界を牽引することになる、二人の女性の出会いである。

オフィス小池では、小池が編集・執筆を手掛け、小柳は主にデザインを担当していたが、二人で働くには青山の事務所は手狭になっていた。宣伝広告の仕事から美術に関する仕事へと舵を切りはじめていたこともあり、新たな事務所の開設を考えていた頃である。新宿・荒木町に紹介された場所では、まるでチャールズ・イーム

*24
浅葉克己（1940年〜）
アートディレクター。神奈川県生まれ。桑沢デザイン研究所、ライトパブリシティを経て、1975年に浅葉克己デザイン室を設立。1987年、東京タイプディレクターズクラブ（TDC）を設立し、会長、理事長に就任。現在も多くのデザイン賞の審査員やデザイン協会の会長などを担う一方、趣味の範囲を超える卓球の腕前は六段を誇る。

1970年代後半。打ち合わせのために訪れたビルで撮影された写真は、当時建築雑誌に掲載された。サンフランシスコで買った籠バッグはお気に入り。
写真：渡部雄吉

スが設計したようなユニークな建築が小池を待ち受けていた。

「あ。次の仕事場はここ」

小池がひらめいた先には、おもしろいことが連なっている。柴岡亥佐雄（いさお）が設計し、伊藤隆道が工房にしていたその建物は、以前、芹沢光治良（こうじろう）が使用していたという。奇遇と直感に従い、ここを次なる仕事場に選んだ。

新たな事務所名は、ケンと一子の頭文字、Kではじまる言葉から模索し、「Kitchen キチン」に決めた。「西ドイツでは客間に人を呼ぶが、東ドイツでは台所で和む」という、劇作家ベルトルト・ブレヒトの考えにちなんだ。そして小池の「キチン」は〝素材の発掘から調理、しつらえまでを引き受ける場〟となるのであった。

実際のところ、小池の「キチン」では台所が舞台のごとく、12時をまわると、来客者も交えたランチで事務所がにぎわった。これは、自ら昼食を手料理して、事務所仲間と客人をもてなしていた田中一光の事務所にも通じるところで、小池は田中事務所でおいしいご飯をご馳走になることも多かった。美的感覚の神経経路と味覚中枢はつながりがあるのだろうか。優れたクリエイターには美食家が多いように思う。

美術の仕事を模索している小池の前に、オープン間もない美術館が現れた。小池がハワイ滞在中に完成していた西武美術館[*25]である。池袋西武に併設されているが、学芸

キチンのロゴマーク「K」は、1978年の世界クラフト会議に際して、ロゴタイプのデザインに田中一光が、クラフトの「C」と京都の「K」をデザイン。「C」が採用されたため、「K」を「キチン」に頂いた。

レターヘッドや封筒などが好きで、すぐに凝って作ってしまう。

*25 **西武美術館**
１９７５年、堤清二により、西武池袋本店（池袋）に開設された私立美術館。先鋭的な企画展を数多く開催した。美術書専門店「アール・ヴィヴァン」を併設し、機関紙を発行・販売するなど、録や美術書、世界各国の展覧会図芸術文化に多大な貢献を果たした。１９８９年、セゾン美術館に改称。１９９９年に閉館するも、セゾングループのコレクションは、１９９１年に改称したセゾン現代美術館（軽井沢）に収蔵されている。

「キチン」。荒木町から青山の高徳寺境内へ移転して、活発な女性たちが増え、活気づくオフィスだった。一番左が初代メンバーの小柳敦子。小池はIRIEのジャケットで。1987年頃。

左から藤本、石岡、小池。
2点とも写真協力／提供：三宅デザイン事務所

1977年、三宅一生の誕生会と桃の節句会をかねたパーティで、藤本晴美、石岡瑛子と、毛利臣男デザインの衣裳を纏って。場所：ラ・コロンバ。

1978年12月に開かれたパーティ会場にて、堤清二（左）、ケン・フランケル（右）と。

員による先鋭的な企画展で、いわゆる百貨店系の美術館と一線を画す。その西武美術館の学芸顧問としての任を得た小池は、組織に所属することを拒んでフリーとしての立場を貫き、自らを「アソシエート・キュレーター」と名乗り、活動をはじめるのである。

西武美術館は、国内外のアーティストの展覧会はもちろん、美術評論家をゲスト・キュレーターに迎えた企画展など、多面的な展開で話題を集めていた。東野芳明（とうのよしあき）がキュレーションした展覧会「見えることとの構造」展に参加していた倉俣史朗[26]は、小池が以前からつきあいのあるデザイナーのひとりだったが、彼が挑んでいたガラスの素材とその研究はいよいよ極まり、代表作であるガラスの椅子が誕生したのはこの頃であった。

展覧会を準備する過程で、「椅子とは何だろう？」という話を倉俣と深めるうちに、チャールス・レニー・マッキントッシュ、シェーカーの家具について興味を抱く。小池が西武美術館で手掛けた最初の展覧会、「マッキントッシュ」展のはじまりである。

倉俣とのインテリアデザインに関する対話のうちに、アイリーン・グレイ[27]の研究家、ピーター・アダムを紹介され、彼の著書『アイリーン・グレイ』を翻訳することにもなる。建築、インテリア界を担う彼らの勉強熱心な姿勢を前に、小池の探究心は更に磨きがかかっていった。

*26 **倉俣史朗**（くらまたしろう）（**1934年〜1991年**）インテリアデザイナー。東京都生まれ。1953年、東京都立工芸高等学校木材科を卒業後、帝国器材に勤務。並行して桑沢デザイン研究所リビングデザイン科に在籍。その後、三愛、松屋などでの職務を経て、1965年にクラマタデザイン事務所を設立。1970年に発表した「Furniture in Irregular Forms」シリーズで広く認知される。イタリアのデザイン界をはじめ、クラマタのデザインを評価する動きは今も後を絶たない。

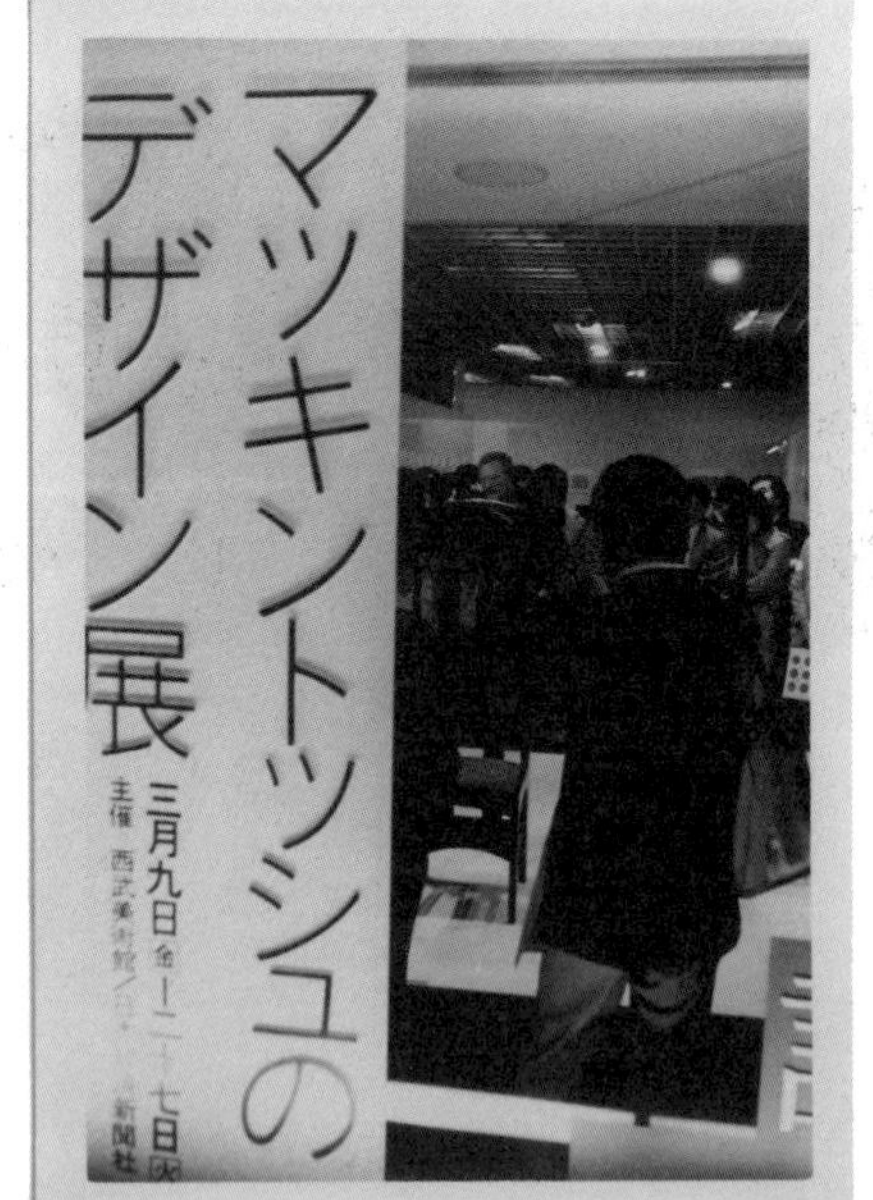

「マッキントッシュのデザイン展：現代に問う先駆者の造形　家具・建築・装飾」会期：1979年3月9日〜3月27日。会場：西武美術館。カタログは小池が小柳敦子、武部圭男と編集・デザインした。

アイリン・グレイへの手紙　小池一子

あなたが現役でいらしたら、などというのは世にも愚かな繰り言。この一九八二年の春に、一九〇〇年代にはすでに実作者であったあなたと仕事を共にしたいと思い描くなど、少女的夢想に過ぎないと、我ながらおかしく思います。でも一九七六年に九七歳でこの世を去られたあなたは、あなたの存在と仕事に気づいた若い建築家やデザイン関係者の希望にこたえて、かつての作品が九十歳代で初めて製品化されるというみごとな作家ぶりをみせています。同時代のデザイナーに対してオカルト的な影響を及ぼすよりは、いまむしろその作品が求められ、極東のこの国の夜のバーのカウンターでまで語られる（これは私が実際に東京で傍聴したのです）というあなたのあり方に、私は強く惹きつけられるのです。高度な工業化社会に身を置く私たちが、今日、日常を過ごしたいと思うような空間や、身辺に置きたいと思う家具類を一九二〇―三〇年代にデザインしてしまったあなたを、先駆者というような言葉では語りつくせない。そのもどかしさを私はこの小文に書きとめておきたいと思います。

『アール・ヴィヴァン　№5』１９８２年5月号（セゾン美術館）

本書編注

イギリスＢＢＣのプロデューサーのピーター・アダムが、倉俣史朗の取材に日本を訪れたことをきっかけに生まれた翻訳本『アイリーン・グレイ――建築家・デザイナー』。駆け出しの小池にとって、ピーターと倉俣は「二人の敬愛する男性」であり、「アイリーン探索の足元を見守ってくれる」存在であった。

しかし、倉俣は、翻訳本刊行の直前に急逝する。あとがきの結びには「誰よりも和訳本の誕生を待っていてくれた倉俣さんのためにピーターと私は奥付に献辞を記すこととした。『本書を最愛の友人、故倉俣史朗に捧げます。』」

三宅一生が76年度の毎日デザイン賞を受賞する。それまで毎日産業デザイン賞と呼ばれ、建築、産業デザインに向けられていた目が、ファッションデザインに向かう時が来たのである。田中一光が発想し、小池が編集した三宅一生の本、『三宅一生の発想と展開：ISSEY MIYAKE East Meets West』という起爆剤がそこにはあった。三宅の溢れる才能から生まれる衣服群を見て、田中は早くから出版を勧め、北青山に編集室を設ける。横須賀功光（のりあき）、操上和美（くりがみ）らが撮影した躍動する写真と同様、熱気とともに制作は進み、小池も編集室に籠り続ける日々を送っていたのである。

デザイン賞受賞を三宅一生の仕事に焦点をあてる好機ととらえ、三宅作品のショーと展示を西武美術館で披露したのが、「三宅一生。一枚の布」展である。

三宅一生の出現が世界を驚かせたのは、西洋にはない着衣の発想だった。人体に一枚の布を這わせ、そこにできる〝しわ〟や〝ひだ〟から生まれる新たな表情で人体を包む。西洋の立体的な構築とは違う、東洋の皮膚的感覚から展開した造形美は、衝撃とともに称賛されたのである。着物とは異なる手法とデザインから構成されているが、日本の伝統的なアプローチを想起させる、いかにも東洋らしい思考は、西洋と東洋を俯瞰（ふかん）して学んだ三宅だから到達できたといえる。

この三宅の偉業を最も魅力的に提示するのが田中一光であり、二人の偉大なデザイナーの手腕をまとめる媒介者が、クリエイティブ・ディレクターの小池一子であった。三宅一生、田中一光という際立つ才能を括り束ね、三つの「一」が三位一体となり、作品は完成するのである。

*27 **アイリーン・グレイ Eileen Gray（1878年〜1976年）**
家具、インテリア、プロダクトデザイナー、建築家。アイルランドに生まれ、パリに没している。多くのサロン展などで注目された。スチールパイプという当時としては最先端の建築資材を家具製作に用いるなど、その業績は現代にも多くの影響を与える。1927年には建築家として別荘「E.1027」に着手。ル・コルビュジエが友人のフェルナン・レジェを連れて滞在するなど同時代人との挿話も多い。

「三宅一生。一枚の布」展
主催・会場：西武美術館。会期：1977年2月19日、2月20日。衣服デザインの分野ではじめての毎日デザイン賞受賞を記念して、小池の企画のもと、美術館でファッションデザインを展示、あわせてショーを開催した。チラシ（上）、リーフレット（下）とも、デザイン：田中一光。

『三宅一生の発想と展開：ISSEY MIYAKE East Meets West』構成：田中一光、編集：小池一子、出版社：平凡社。1978年刊。1970年から1977年に制作された三宅一生の作品を収録。横須賀功光他の特写、磯崎新、高橋睦郎、石岡瑛子、白洲正子らの執筆、対談を加えたデザイン・ブック。この写真では右から藤本晴美、田中一光、小池一子が三宅作品を着ている。
撮影：操上和美

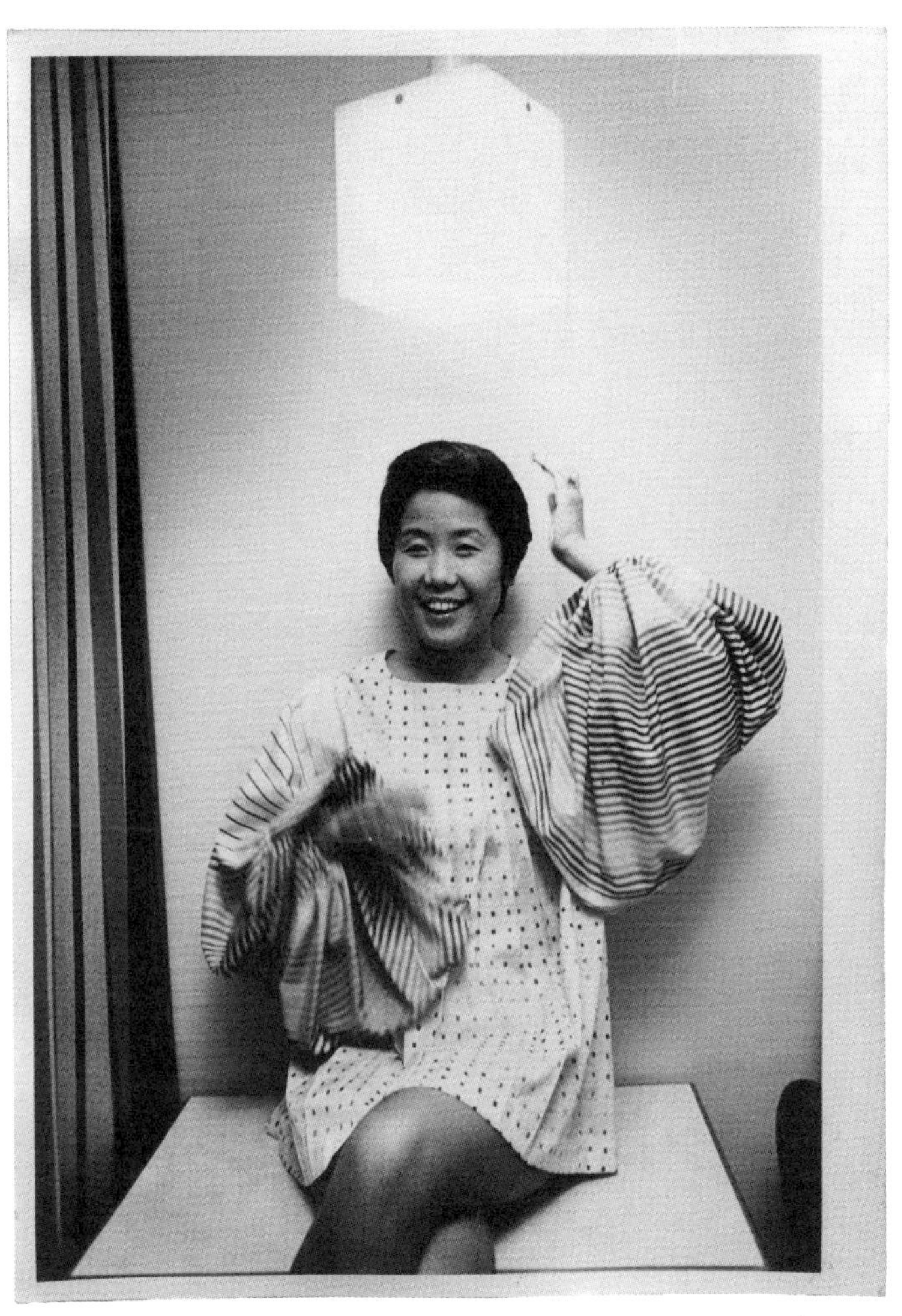

ISSEY MIYAKEの1971年作の「かっぽう着」。プリント・デザインはヨーガン・レール。12色のレインボー・カラーがストライプやキューブの形に設計され、バルーン・スリーブが美しい。
撮影：大石芳野

「小池さんも一緒に見ない？」

１９７９年、小池が打ち合わせで訪れていた田中一光の事務所に、武蔵野美術大学の学生、大竹伸朗[*28]が作品を持って現れていた。英国滞在から戻ったという彼は、ロンドンで制作した分厚いスクラップブックをいくつも抱えていた。集めるものへのこだわりが独特だ。おもしろい。勢いのある作品群に「この感性はすごい」と小池は圧倒されていた。アメリカのアート界はアンディ・ウォーホル以降のニューペインティング全盛期で、日本でもその系譜に位置する若い作家はいないものかと模策していた小池だったから、この出会いをどれだけ待ちわびていたことか。大竹の作品を脳裏に焼き付けたまま小池は、彼の展覧会を開催する機が訪れるのを、しばらくは待ち続けることになる。

田中はそのスクラップブックから見開き6ページ分を選び、西武美術館の多目的ホール「スタジオ２００」のポスターに起用する。そして大竹のコラージュ・アートの下には小池のコピーを配した。

「もっと感覚的に生きられるはずだ。」

ヴィジュアルを意識した仕事がますます盛んになり、人々の関心はデザインの領域からファインアートへ移行する動きが高まってきた。しかし、現在の状況では、大竹伸朗のような新たな胎動を世に送り出すのに納得できる舞台がない。80年代に急増した商業空間での企画を主軸に仕事を続けることに小池は、据わりの悪さを感じはじめていた。

企画と運営管理のすべてを受け持ち、作家とともに完成させる、「わたしたちの」

*28 **大竹伸朗（おおたけしんろう）（1955年〜）**
画家。東京生まれ。１９７９年より作品発表を開始。２００６年回顧展「大竹伸朗 全景１９５５－２００６」（東京都現代美術館）以降、ドクメンタやビエンナーレなどの国際芸術祭や企画展に参加。画集、写真集、エッセイ集、絵本など著作物多数。

空間を持つ必要があるのではないか。美術界の今と未来に向けて、小池の次なる挑戦がはじまったのである。

1979年に製作されたオフセット印刷の「スタジオ200」B1ポスター。
作品：大竹伸朗、アートディレクション：田中一光、
コピーライト：小池一子。
所蔵：DNP文化振興財団
©Ikko Tanaka / licensed by DNPart.com

小池がキュレーションを楽しんだ展覧会のひとつ。「SNOOPY in FASHION」（1984年12月15日〜12月27日、会場：西武アート・フォーラム）は、欧米からの巡回展に加え、日本オリジナル企画で、三宅一生、やまもと寛斎、コシノ・ジュンコらに発注し、開催した。スタイリングに、はたきみえ、図録の撮影に、広川泰士が参画。スヌーピーのぬいぐるみ発案者・コニー・ブシェー（Connie Boucher）がクライアント。この頃、小池は毎夏をパリにある彼女の邸宅で過ごしていた。

'84. 2. 3　週刊朝日

ッセイ・シンドローム

一千万人に仕事を」とインド政府

もてもての三宅一生

ファッション・デザイナーの三宅一生さんがこの正月、インドへ二週間の旅行をした。パリ、ニューヨークなど、世界の都市で活動しているが、インドはそれとは違う空間で、「心身の洗濯」をするつもりだったのだが、ここでも周囲はほっておかなかった。「イッセイ」は、いま、世界でもっとももてる日本人の一人で、「ソニー」「トヨタ」に続く日本の海外進出のシンボルになっている。

ファッション・エディター　小池一子

砂漠の人たち（カッチ地方と三宅一生で）。作品はいずれも「ボディワークス　ロサンゼルス展」から

クリスマスのゴア。乾期に十年ぶりと土地の人が驚く激しい夕立。だがそれもすぐ晴れ、夕焼けの町に魚料理を食べに行こうとした矢先だ。ホテルのフロントから電話がきた。

「私はクウェートから来ている者ですが、イッセイ・ミヤケが滞在中ときき、ぜひお会いしたいと思いまして」

ロビーに行くと、四十代半ばの小柄で気さくな感じの男性が、二人の連れと待っていた。Tシャツに半ズボン、サンダルばきの軽装だが、どこか威厳がある。シェイク・ナセルですと、自己紹介をした。

そういえば、雨宿りした海岸のバーで、今年はクウェートの王子がゴアにヴィラを持ち、自家用ジェット機で遊びに来ているという噂を、カナダの観光客がしていた。お抱えのパイロットや従者が、このホテルの部屋をいくつも占領しているらしい。この小柄な人物が、そのご当人だった。昨日、ロビーでイッセイを見かけ、あなたのファンですと、あいさつした女性がいたが、その女性がシェイクの連れの一人だという。彼女はイッセイの服を着ている。

シェイクはスズキのジムニーで私たちを迎えに来た。別荘用に三台、置いてあるという。十分ほど走った砂浜の上の別荘は、去年まで営業していたレストランを、立地が気に入ったからと即金で買いとってしまったものらしい。

応接間には、シェイクの同行者がごろんごろんと横座りしている。いとこ、友人、ボディーガードなど数人。シェイク以外は、みなこれ以上太れないような肥満体をガラベア（長衣）に包み、やさしい目であいさつを交わす。

ドン・ペリニョンのシャンパンがぽんぽん抜かれ、夕食が始まった。ここのシェフはパリから連れて来たという。香草をきかせ、体長八十センチほどはあろうかという魚、巨大なローストビーフのかたまり、サラダ。豪勢でおいしい。

シェイクは自分ではあまり食べも飲みもせず、イッセイに対面したまま、しゃべり続けている。

「私の周辺の女たちは、パリのファッションをたくさん買ってるんですが、彼女たちがあなたのものを見つけてきたとき、私はすごいショックを受けたんです。これは違うぞって。イッセイさん、あなたの服は世界で初めて、東と西を結合させたんだよ」

イッセイこそ東洋の星になると思っているのだ。

シェイクはパリの店で見つけた「East Meets West三宅一生の発想と展開」という本を大切にしている、という。イッセイが笑いながら包みからその本をとりだした。

「実はここにも持ってきたんですよ。どんな出会いがあるか分からないから」

この本は一九七八年に、イッセイとアートディレクターの田中一

インドでも起き

「東洋の星になってくれ」とクウェートの王子

いま世界で

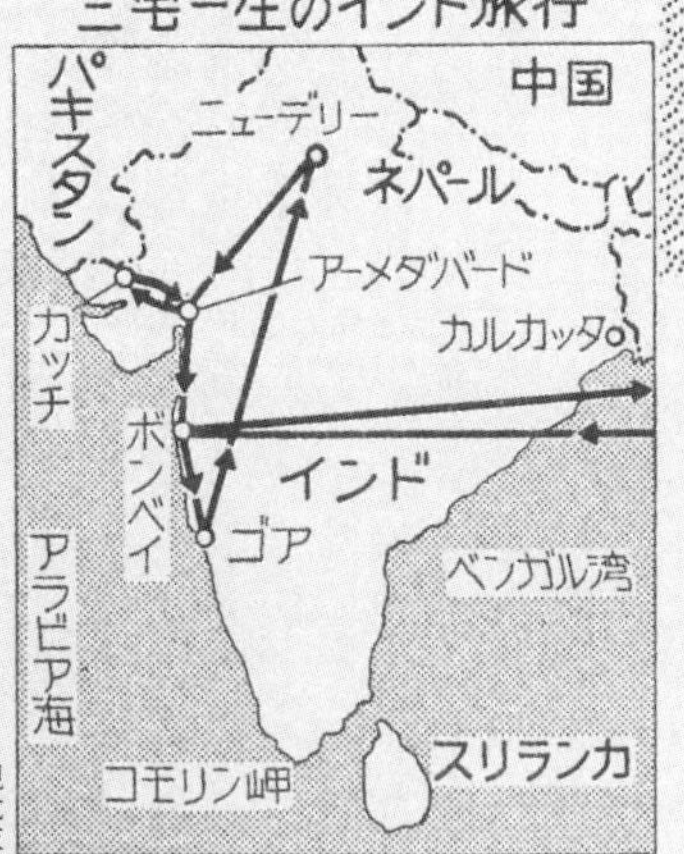

光さんと私でまとめた作品集で、初版以来、七版を重ね、海外でも人気の高いロングセラーだ。

シェイクは、それにサインして下さいと少年のようにねだった。そして彼のほうからも一冊さし出した。クウェート国立博物館のカタログだ。彼が最近、ナセル家のコレクションを収める一棟を寄贈した。そのカタログだが、目を見張るような大きさのヒスイのアクセサリーや古代オリエントの陶器の絵柄に、イッセイはファンタスティック！　と声をあげた。

この、インドのリゾートで起きたハプニングは、ここ数年イッセイに寄せられている世界各国の人人の過熱気味の関心の、象徴的な例だろう。ボンベイの空港でも、声をかけてきたアメリカ人の夫婦があった。イッセイの特集を組んだ最新号の「ニューヨーカー」を読んだばかりだという。

「ニューヨーカー」一九八三年十二月十九日号は、三宅一生をプロフィルという特別読み物で取りあげている。ファッション・デザイナーとしては、ココ・シャネルがとり上げられて以来のこと。二十ページの原稿に浮き彫りにされているのは、八二年秋のトウキョウ・ファッション・シーンだ。

いま日本人デザイナーの力が世界の注目を浴びているが、三宅一生はとりわけ象徴的な存在となってきている。海外からの取材が多くて、とイッセイは最近、閉口したように洩らすが、身近な友人としても「ヴォーグ」を始め、各国のファッション専門誌に彼の作品が掲載されることは当たり前と思うようになってしまった。それよりも興味深いのは、いま、三宅一生を日本のデザイナーの象徴として追っているのが、「タイム」や「ニューズウィーク」などの総合雑誌であったり、各国各都市の主要な新聞、雑誌であるという現象だ。

「日本文化」をつくる人への興味

ソニー、ホンダ、セイコーなど、日本の商品は世界各国の現代の生活に入りこんでいって、技術の国ニッポンといわれるようになった。いま、ファッションがとりわけ話題になるのは、イッセイがいつもいうように、日本人の文化とか思想のようなものまでも、西欧社会が感じとっているからだと思われる。アメリカのデザイナー、ジャック・ラーセンは、〝ミヤケ・シンドローム〟が世界に広がっているという。日本人の映画や美術、デザインの大きなうねりに世界が注目しているのだろう。三宅一生、磯崎新、横尾忠則、大島渚という名前を、アメリカやヨーロッパの人々はよく口にする。いまの日本ブームは、日本人がつくった商品でなく、どういう日本人が何を創るかを注目する時代に入っていると私には思われるのだ。

「ファッションが流行に過ぎない、という考え方をぼくたちは変えたんだね。着るものを商品で売るわけだけれど、それが日本人の文化を伝播しているということかな」

とイッセイは解釈する。

イッセイは、昨年、東京、ロサンゼルス、サンフランシスコの美術館空間で「ボディワークス」展を開いた。今秋はパリのポンピドゥー・センターでも開催される。三宅一生の仕事のうち、特に人体を造形の中心にすえて創ったデザインをまとめたものだ。籐、プラスチックなどの素材を駆使した作

……… 砂漠を訪ね、あちこちでラクダに出合った

品は現代芸術の分野で反響を呼び、美術の専門誌にも数多く取り上げられた。一昨年秋のニューヨークでは、旧空母イントレピットを使ってショーを行い、それを見たニューヨーカー誌の記者が東京にすぐ飛んできて、今回の特別読み物となったのだった。

　さて、ゴアの思いがけぬアラビアンナイトの翌日は、首都ニューデリー。ここではインディラ・ガンジー首相の文化担当顧問として知られるピューピル・ジャイアカルさんの夕食に招待された。

　物静かなたたずまいの老婦人だが、眼光鋭く、会話の奥底まで確かめるような威厳を顔にたたえている。彼女が自宅のディナーに招集してくれた顔ぶれはインドの繊維産業振興に指導力を発揮している政府のディレクターたち、舞踏家、アーチストなどだ。

　そのディレクターの一人は手工芸品貿易センターといった組織のリーダーで、デリーに一日しかいられない私たちの昼の時間を、みごとにプログラム化してくれた。短時間で、インドのすぐれたクラフトや織物が見られるようにオフィスにものを揃え、アシスタントは私たちの質問や要望にすぐこたえられるように待機している。幻の布とさえいわれる〝王者の布〟「シャートゥシュ」も届けられた。北インドの山の羊の、しかもそののど元の柔らかな毛だけで織るぜいたくなウール。ストール程度で千五百ドルにもなり、いまは織られる量も減ってきている。

　三宅一生はシャートゥシュと、石や木をくり抜いてつくられた器など、現代のクラフトに興味をそそられたようだ。

「ものすごい伝統の奥行きだね。ただ現代にどうつなげるかというところで困っているという感じがする。われわれの仕事への興味も、そういう問題があるからなんだろうな」

　ディレクターは快適なテンポで話を進めた。

「イッセイさんの仕事にわれわれは本当に傾倒している。さあ、どこから始めようか。どの布をお使いになるか。どんな質問でもしてください」

　このときを待っていたとばかりにサンプルの布地が続々、テーブルに積まれる。それに、染色の耐性、糸の性質などを記録したファイルがついている。イッセイと、同行したテキスタイル・デザイナーの皆川魔鬼子さんは突然、仕事の発注を迫られて戸惑っている。

パリ対トウキョウの決闘続行中

　それにしても、何と魅力のある布、布、布。薄手の木綿は麻のように光沢をたたえている。北の山まゆの絹は、桑を食べぬかいこの吐く糸で、布になると内側から光るとディレクターはいう。イッセイは注意深く聞きながら、興味のある素材を率直に指摘した。ディレクターが声高になる。

「この布をつくっている村に、ぼくは仕事を出したいんだ。イッセイさん、いまインドできちんと手仕事のできる繊維労働者が一千万人いるんです。ただ、私たちは量が出ればいいと思っているんじゃない。ピエール・カルダンがライセンスのシャツを五万枚作るって話に、私は乗らない。あなたに、インドの布を使ってほしいんです」

　ニューデリーから向かった繊維の都、アーメダバードでも「イッセイ・ミヤケへの提案」は執拗に起きた。彼にとっては突然だが、インドの人々は待ちかまえていた、とばかりに。

　アーメダバードのキャリコ・ミュージアムは、世界でも有数のテキスタイル・コレクションで知られるが、そのオーナー一家であるサラバイ家がこの地での招待主だった。当主のマニ・サラバイさんが住む家は、一九五〇年代にル・コルビュジェが建てたコンクリートの二階建て。建築史に残るような貴重な住宅デザインで、実に泊まり心地がいい。

西インドのこの地の気候に合う開放的な造りで、居間も寝室も大きな木の扉が外界との区切りにあり、昼はそれを開けたまま。扉には赤や青の色ガラスがモンドリアン風に少し入っていて、扉が閉められた夕方や朝の時間には光線が思わぬ色彩を室内に持ちこむ。

「ディテールが、ちょっとした瞬間に見えてくるんだね。大らかで暖かくて。現代建築はル・コルビュジェ以降どうなっちゃったんだろう」

アーメダバードのもう一つのル・コルビュジェの建物、インド国立デザイン研究所を訪れたときもイッセイは同じような感想をくり返した。

このあとカッチ地方行。アーメダバードを起点に三日間の旅を組んでくれたのが京都美大出身の和田良子さん。皆川さんの同窓で、染織研究家としても「絞り」などの著書がある。本拠のカリフォルニア・バークレーからやってきて、アーメダバードにしばらく住んで、この地方のテキスタイルやクラフトの調査研究をしている。

私たちの旅はパキスタン国境の砂漠まで、名もない集落を訪れてまわるという体験の集積となった。

サラバイ家の運転手アミット、写真家でデザイナーの青年パトゥー、和田、三宅、皆川と私の総勢六人に、ときどき一人か二人の現地の人が加わる。道なき道を行くので口で教えようがないから乗りこんでしまうのである。

インド国産車アンバサダーは、もうボロボロで車体もすき間だらけ。砂漠を走るときは窓を全開にする。下から入る砂ぼこりを吹き飛ばしたほうがラクなのだ。エンジンは、毎度全員で降りて車体を押さなければ、かからない。

砂漠の集落の一つに泊まった夜は、村の人々が作ったキルティングを上下五枚以上も重ねたものが私たちのベッドとなった。

早朝、三宅一生は外へ用足しに出るとしばらくして戻ってくるなりいった。

「月があんなに透明なのを初めて見た。ゆうべの星もすごかったけど。こういう環境にいると、人間は触発されるね。いままでインドの悲惨とか貧困とかばかり聞かされてきたけど、そう決めつけるのが文明の悪い尺度を持ちこむことになるんじゃないかな。ここじゃ男も女も背筋がピンと張ってて、気持ちいいね」

帰途、ボンベイから乗ったガルフーエアの機内には「ニューズウイーク」八三年のイメージ特集号があった。ファッションをとりあげたページに、「パリ対東京の決闘続行中」とあった。イヴ・サンローラン作品を中に挟むかたちで、イッセイを着たビートたけしの写真が載っている。さきほどまでのイッセイの笑顔が、苦笑に変わっていた。

緑の親指をお持ちの田中さん、私はしばらくハワイに住むうちに、椰子栽培法を身につけるかもしれません。

私が半年間、ハワイのイースト・ウエスト・センターに行くことが決まったとご報告したとき、一番敏感に親身にそのことを喜んでくださったのが田中さんでした。そして、

「そんな、美術館がどうこうなんて、どうでもいいんだよ。あのキャンパスで半年暮らして何をつかんでくるかだよ」と、おっしゃいましたね。私もまったく同感です。ご承知のとおり、私が招かれていくことになったのは同センターの文化研究所の「ミュージアム・マネジメント」というプログラムです。世界各国の人間が集まって、グループ研修があるということ以外、どんな〝文化研究〟の場なのかこの原稿を書いている開講直前の時点でも何も分からない。ただ、私が望んでいるような時間の過ごし方が実現しそうだという予感がかなりはっきりあるのです。

――写真技術の習得ということに相当な時間を費すことになっています。カメラをお持ちの方はご持参ください。これから購入なさる方は、写真関連用品は免税で買えば出費が少くてすむということにご留意ください。また高価なカメラやオートマティック・カメラ、特殊な性能のレンズなどは必要ありません。開放した時がF2程度のもので十分です。信用できるカメラ商でご相談になること。

――プログラム全員でハワイ諸島を廻って、美しい山野や海岸線を歩くことが多くなります。丈夫な靴、ブーツなどをお持ちください。また、ハワイは所によっては一般に考えられているより寒いことがありますので、暖かいセーターや防水コートなどをお持ちください。

小池一子の
公開私信
田中一光氏へ

パームツリーの育て方

これは正式招へい状とともに送られてきた書状の一部です。好ましい書き方、という印象を私は受けました。オフィシャルな機関から出される手紙がこうだということになぜかほっとしました。当り前のことが、当り前に書かれているのです。イースト・ウエスト・センターは、レターヘッドに印刷されたキャッチ・フレーズによると〝ハワイ大学とアメリカ合衆国政府の提携による教育機関〟というわけですが、そのような所から出される書状の全体を貫いている「具体性」というものが私を惹きつけるのだと思います。

私は脈絡なく、または短絡にか、田中さんにも一読をおすすめした本『アメリカの鱒釣り』を思いだし、そして、

「アメリカ人は健康で楽観的だ。だからわたしは彼らが好きだ。」とカフカが言ったと書いてあるあたりを読み返したくなりました。カフカは、ベンジャミン・フランクリンの自伝を読んで、アメリカについて学んだ、と書いてありましたっけ。今日のアメリカを多少知ってみると、アメリカ人といっても人種の系列によって異なり、また〝健康で楽観的〟と割りきってしまうことには疑問があります。でも、よその国にもないアメリカのプラグマティズムのよさというものが厳然とあって、それが今回、私が触れたような話し言葉の書状にも見えているような気がします。私は日本政府や文部省から個人宛て書類を受けとったことはありませんし、彼らがたとえば交換留学生などに出している文章も見たことがありません。どうせお定まりの文句の羅列だろうと決めてかかるのは、悪いかな。たとえば、

――この学術研究員のコースには年配の人もいるので、家族はどうするか。センターでは一月分一七六ドルほどの住居手当を用意しましたが、これだけでは、他の収入が

Photo：K•KOIKE

Photo : A・KOBAYASHI

ない限り苦しいと思われます。結婚していらっしゃる方は、今回の招へいを受けるかどうかほんとによくお考えください。何れにしても問題は二つ——家族を伴わない場合には長期間の別居、家族連れなら住居と生活費の見通し。また、研究員の家族が当地で職につくことは今までの経験からいってまず難しい。その上、ホノルルは、生活者にとって合衆国で第二番目に高くつく都市なのです。

全文を引用するわけにもいきませんが、公文書でこういう手紙を書く人間が働いているところにいく、というのは私には安心なことです。

ところでプラグマティズムというのは「実践主義」などと概念的に理解してきましたがこのお手紙を書くので、手もとの研究社の英和辞典をあらためて引いてみましたら、まず（哲）とあって「実行主義。」そして「物事を物質的に取り扱うこと」とありました。

私が、具体的な物・事柄にこだわることを大切に思うのは自分にそれが欠けているからです。欠けていることが周辺にも多すぎるからです。これは田中さんのようにデザイナーという、目に見える仕事、かたちになる仕事をしていらっしゃる方には、見えない観点かもしれません。仕事を始めて15年あまりたって私が到達したのは「具体的なことを離れないように」という考え方と生き方です、などと申しあげてもおよそ説得力がないでしょうね。

広告、編集、パブリシティ、などの仕事を重ねてきて、この春、私は『現代衣服の源流展』にとりくみました。創造的な面では田中さんの大きな力に支えられて、また他の沢山の友人たちの助けがあって、いままでのキャリアで身についたことがすべて生かされたような充実した仕事でした。普通は期間を終えれば消滅してしまう展覧会の内容も、立派な記録として出版物に残すことができたいま、私は自分が大切な転換点に立っているように思うのです。

以前に、京都で「具体」派という美術運動がありましたね。なんとすぐれた命名だろうと当時も今も参っているのですが、私の今の目標は、オーバーな言い方ですが、非具体なるものからの脱出、といえるかもしれません。大分前のことですが、GUTAIの運動にショックを受けたというアメリカのアーチストと話していて、彼が〝アブストラクト〟という言葉を形容詞として、ものをけなすのに使っていることに気がつきました。抽象的、観念的、ということは〝単に頭で考えた〟弱さに通ずるというわけです。

『源流展』を終えてみましたら、これからどうするのだ、という仕事上の暖かい質問やお誘いを受けます。でも私は展覧会が終わったら一先ず休もうと決めていたのです。休むということは、私が不適合と感じている日常からの一時的脱出です。私の日常は、気を張っていないと〝非具体なるもの〟の連続で埋まってしまうほどのものです。電話。人の紹介。セールス・プロモーションの発想。会議。会議。会議。発注。受注。打ち合わせ。

私に〝非具体なるもの〟を発注するのは、〝非具体〟を動かすことによって俸給を得て生活していることが大半の、背広社会よりの使者たちです。

ある日、会議で出席者の経歴を退屈まぎれに洗って書きだしてみましたら、総合大学の（ピンからキリまでの）政経、教育、社会、法科、文学部などを出た人がほとんどでした。自分も文学部出なのに、ゾッとしました。大学に四年間、籍を置いただけで就職の資格がとれて〝社会人〟となった人たちが上層を占めている日本の社会。こんなこと、今更言っても思っても、という程度のことかもしれませんが、私はそのような〝非具体社会〟との不適合を嘆くことを卒業しなければと思うのです。ですから、半年、休むのはどこでもよく、ただありあまる自分の時間の中でこれからのことを考えようと思っていました。その矢先の、ハワイからの招待で、我ながら今年はついていると思います。

せっかく田中さんに書くのに、一般論だけで紙数がつきてしまいました。ところで〝具体的なる文化〟の地、アメリカの最もアメリカらしきものに「カタログ」がありますが、「アメリカの鱒釣り」氏は「カタログ文化」の奥底を見透しているように私には思えましたが、いかがでしたか。

Photo : A・KOBAYASHI

『流行通信』1976年1月号（INFASパブリケーションズ）

遠い記憶

『陶』１９８０年11月号（温故堂出版）

土に触れることを、ひたすらセラピイとした時期があった。

やきもの好きは少女期に始まっていたが、特別なきっかけはなかった。自分で土に触れたい、つくりたいと思うようになったのは二十代の半ばごろのこと。身につけはじめた仕事が広告づくりで、感覚的な言葉や文字のやりとりに少し疲れ、もっと、ものをつくるということに直接触れる実感のあることに時間を使いたいなどと思いはじめた。

ちょうどそのころ、自宅の改築にかかっていて、とりこわした古い家の一部だったペチカが庭に残されていた。それを基にして、窯ができる、と言う人が現れたのである。

彼は家出少年だったらしく、しばらく五条坂に住みついたことがあると、ぼそっと言うぐらいで、自分のやきもの歴についてはあまり詳しく話してはくれない。

だが、私がいったん窯をつくると決めたら、思わぬ力を発揮しはじめた。建築事務所に勤める時間の合間に、図書館に通い、窯業研究所などの資料をとり寄せ、設計図を何枚も書いた。なにしろ、東京の住宅地の広くもない庭に廃物利用の窯をつくるのだから、制約ばかりで大変だ。今ほど簡便な既製のシステムが普及していない時だったから、燃料の選択ひとつも簡単ではなかった。

前方後円型にする、と二、三ヵ月して青年の結論が出た。燃料は石油。焔をバーナーで円型の本窯部分に送りこむ。火の進路は一メートルあまり、これが「前方」の部分。円筒型の窯には下から送られた火が十分まわるように設計されている。

早速、ペチカの基礎を土台に、レンガの解体と積直し、土塗りなどの窯づくりがはじまった。

この〝道具づくり〟はまったく私を夢中にさせた。

砂場遊びや泥んこ遊びの快感がよみがえったような思いで、私は妹や友人を誘いこみ、青年の導くままに、古墳型の窯づくりに打ちこんだ。その上窯が完成したころには、窯づくりの要領と材料で二メートル四方のテラスもほとんど私と彼の手でつくりあげていた。

　青年は土を信楽(しがらき)から取り寄せた。彼が発注した土は、形をつくる前に、ずいぶんともみこまなければならない段階のものだった。週末を使うので、ある土曜日はただ土練り、翌日、形にかかって次の週に釉をかけて、四週目に焼くといったテンポで、古墳型窯は動きはじめた。窯の内のりは六〇センチあまり、皿なども焼くことはできたが、ほとんど非実用的なもの――箱らしきもの、人形らしきものなどをこの窯に集う人たちは好んで作った。

　窯のまわりでの食事、雑談。窯を囲むことが一つのパーティーを構成した。近所に気兼ねしながら、夜中も火を燃やし続け、飲み続けたこともあった。そんな時、それまで死んでいた庭はひどく猥雑に、生き生きと見えるのだった。

　ある五月の明け方、庭を見ると、火を落とした窯の横で青年がまどろんでいる。ちょうどアカシアの花の散る時期で、窯を中心に、庭一面がうっすらと白い。朝もやがしっとりと庭の空気を包みこみ、私はチェホフの舞台をそこに見るような思いに襲われていた。

　土もみを課したのは、青年の思いやりだったのかもしれないと思うときがある。その頃、私は関わっていた男性にも疲れて、週末の土いじりは相手からの逃避でもあった。仕事のことも異性のことも、私はその青年に話さず、彼も聞かず、窯づくりとやきものだけが、私たちの会話の種だった。でも、私のとりとめのなさを青年は見抜いていたのではないか。土に慣れていく過程は、私にとって神経を休める過程でもあった。

　一年あまり経ったある時、私は突然、窯を閉じた。趣味的に、小物を庭でつくるという自分の土への態度が急に嫌になった、として…。

　青年は身勝手な私をどう思っただろう。やがて、消息が絶えた。

　アカシアは、様変わりした庭に、毎年白い雨を散らしている。

1983年

佐賀町エキジビット・スペース

「美術館でもなく商業画廊でもない、第三の場というものをつくれないだろうかと思ったのが私の選択でした。その考え方というのは、カウンター・カルチャーの60年代の終りから70年代をずっと駆け抜けたオルタナティブな発想で、必ずしもAとBの選択しかないのではなくて、もう一つの道を切り開くことはできるのではないかという考え方ですね。例えばロンドンの町の情報にしても、『オルタナティブ・ロンドン』というのがあって、単に有名なオペラとかバレエとかではなく、アンダーグラウンドも含めて町で起きているいろいろなニュースが入っている。『タイムアウト』もその頃に出たのですが、そういう意味で生き生きした市民の文化のソースがその方向にある。『オルタナティブ・ロンドン』の考え方はまさに70年代のものですが、80年代に入ってそれまでに自分で仕事をしてきた仲間たちと一緒に我々の場づくりというものを考えたのです。その場というのは、企画、新しいアーティストとのネットワークをつくるというようなことを第一にする、これは『現代美術の仕事』というふうに言いかえてもいいと思いますが、その現代美術のギャラリーをつくる。そのためにはどんな空間が欲しいかということを考えました」

資生堂アートトーク「アートを観る場所1　オルタナティヴ・スペースについて」
2001年7月28日@ワード資生堂　小池一子トーク

小池はそれまで、「デザイン」の領域の仕事はさまざまに経験してきた。しかし常に気にとめていたのは、「現在のクリエイションはどうなっているのだろう」ということ。70年～80年代の日本においては、デザイン業界がヴィジュアルの世界を牽引していたが、小池はアートの世界の動向が気になっていた。今あるような現代美術専門のコマーシャル・ギャラリー[*1]が無きに等しい頃、日本の現代美術界の創成期のことである。

小池はいつも〝今〟に注目するから、現在生まれつつあり、まだ評価の定まらないものに興味をひかれる。しかし、日本のこれからのアートを観ることができる開かれた場所がみあたらない。美術学校を卒業したばかりの若い作家が作品を発表する場合、貸画廊にお金を払って展覧会を行うことが通例で、誰もが自由に活動できる場を探し得なかったのである。

*1　**現代美術専門のコマーシャル・ギャラリー**　場所だけを提供する貸ギャラリーではなく、企画を立て、作家と契約して展示・販売するギャラリー。佐賀町エキジビット・スペース周辺では、小池の主宰するキチンに所属していた小柳敦子は、1995年に銀座に「ギャラリー小柳」を設立。また食糧ビルの一室を借りていた小山登美夫は「小山登美夫ギャラリー」（1996年）を、佐谷周吾は「Shugo Arts」（2000年）を立ち上げ、それぞれに実力ある作家を輩出している。

欧米ではすでに、ニューヨークのＰＳ１[*2]、ロンドンのＩＣＡ[*3]をはじめ、新進作家を支援するＮＰＯや有識者、自治体の動きがあり、作品発表のためのスペースがあった。美術館でも画廊でもない、アーティストのための新たな芸術活動の場は、「オルタナティブ・スペース」と呼ばれ、作家支援が体系化されていた。日本で欧米のようなアートの支援活動を試みた場合、たとえば公益法人の申請をするために億単位の資金と長い時間を要した時代のことである。このような状況では、日本でアーティストを育てることはできないのではないかと、小池は焦燥感に駆られていた。

「日本の現代美術がしっかりと確立されていない状況のなかで、エマージング・アーティスト、つまり蛹のような、これから飛び立とうとする人たちのことをお手伝いしたい。そこで、オルタナティブなスペースをつくろうと思ったのです」

後ろ盾の何もない個人としてではあるが、独自の手段を用いて、アーティストのための「もうひとつの」場づくりは可能なのではないか。運営のための費用は、編集、執筆の仕事で得る収入を投入することでなんとかなるだろうと小池は踏んでいた。日本ではまだどこにもない、「オルタナティブ・スペース」づくりに挑むことで、アートのこれからの動きを興せるのではないかと考えていたのである。現代美術とアーティストを支える土台づくりをはじめるにあたり小池は、東京デザイナーズ・スペースの壁に、小さな貼り紙をひっそりと留め置いた。

「デザインと展覧会のお仕事です。興味ある方、ご連絡ください」

この求人を見て、小池のオフィス「キチン」を訪れたのは、女子美術大学卒業後、テキスタイルデザイナーとして活動していた竹下都だった。オルタナティブ・スペースの運営という新しい仕事に果敢に飛びこんだ竹下は、アーティストと協働した活動

***2 ＰＳ１**

ニューヨークのクイーンズ区ロングアイランド・シティにある、アメリカで最も古い非営利の現代美術施設。１９７１年、放置され廃墟となったスペースをアーティストの展示空間やスタジオにする組織団体「Art and Urban Resources Inc.」が設立され、１９７６年に旧小学校の校舎を恒久的に使用する「ＰＳ（Public School の略）１号」が設けられた。２０００年、ニューヨーク近代美術館（ＭｏＭＡ）と合併し、現在は「ＭｏＭＡ ＰＳ１」という名称で、その活動を継続している。

***3 ＩＣＡ**

正式名：Institute of Contemporary Arts（インスティテュート・オブ・コンテンポラリー・アーツ）

ギャラリー、劇場、映画館、バーなどを収容する、現代芸術の複合施設。１９４７年、パブロ・ピカソやT・S・エリオット、W・H・オーデンら当時の代表的な画家や詩人らアーティストと、パトロンの協力を得て創立。当初イギリスの美術館やギャラリーは過去の作品に重きをおくものが主だっており、初めて近代・現代美術に焦点をあて、また絵画や彫刻だけでなく、文学や音楽など他ジャンルを扱う画期的な施設でもあった。１９６８年に現在のザ・マルに移転。

で道を開き、運営の中心として尽力することになる。こうして信頼を置く仲間とともに奔走をはじめるのである。

アーティストのための「もうひとつの」場をつくるにあたり念頭に置いたのが、空間の重要性であった。空間の中で作品をどうみせるか。空間は表現のための基本的な手段であり、空間と作品は切り離すことなくプロデュースするべきである。20世紀後半からアートの概念が拡張され、表現形態も多様化している。内部構造は、ヴィジュアル・アートやパフォーミング・アートなど、主題によって仕様を変更できるようにしたい。そのためには天井高があること、強度のある床、自然光が注ぎ込む空間であることなどを、求めるスペースの必要条件とした。ホワイトキューブからの解放を支持する小池は、その場を活かして対応する作品やプロジェクトを示す「サイトスペシフィック」な試みを、新たなスペースで展開することを決めていたのである。

空間を構える場所は、これからのアートを生み出す作家、エマージング・アーティストが活動する舞台として、都市の辺境がふさわしいのではないかと小池は感じていた。利益を見込めない経済的事情ゆえ低コストの場所が理想であることはもちろんのこと、これまで使われていなかった空間を再構築することにも、小池の意義はあったのだから。都市環境の整備と活性化にはじまり、地域を交えた活動、さらにはその地から新たな何かを興すことができるのではないかという期待感も含めて。

しかし思うような場所にはなかなか出合えない。空間を探し歩いて一年を経たあたり、スタッフの小柳敦子が、江東区佐賀近辺に引っ越した叔母の部屋から隅田川の花火を楽しんでいた時のこと。一瞬の閃光が古いビルディングの姿を浮かび上がらせた。

翌朝その建物の前に立ち、昨夜のたたずまいが現実のものであると確認した小柳は、小池を現場に呼び寄せて二人でビルのファサードをくぐっていた。

隅田川にかかる永代橋（えいたいばし）のほど近くにあった西洋風のその建物は、食糧ビルと呼ばれていた。かつてここは日本中の米の値付けをする食糧市場で、穀物商が部屋借りをしていた場所である。銀杏（いちょう）並木のある通りからアーチ型のファサードを抜けると、米の青空市場として使用されていた中庭へと誘われる。

瀟洒なバルコニーや回廊を眺めて階段を上った三階に、優美さをたたえたその講堂はあった。天井高は5メートル近くもあるから、内部構造として申し分ない。講堂内にはプロセニアム・アーチがあり、稲穂のレリーフの装飾が施されている。フレームの上部がアーチ型の縦長の窓がいくつも並び、やわらかな自然光が差し込んでいた。願っていた以上の空間がそのまま、置き去りになっていたのである。

「〝眠れる森の美女〟をみつけたみたい」

昭和2年に竣工された食糧ビルの建設当時の図面によると、講演会場のほか、ビリヤード場や和室が設置されていたことから、この建物は深川芸者の演舞を楽しむ文化施設としてのにぎわいもあったのかもしれない。これからのアートが誕生する実験場らしい磁力をたたえた場所ともいえるだろう。

昭和初期に建てられた建築物は老朽化を理由に、その多くが姿を消しつつあった。都市はいきものであるという観点からすれば、スクラップ・アンド・ビルドはやむを得ないとも思えるし、地震多発国である日本においては災害対策を施すことは必然だ。しかし、生かせるところは残したい。ただ新しい建物を造るのではなく、都市がすで

佐賀町エキジビット・スペースが入る食糧ビルの外観。
撮影：林雅之

に持っている近代遺産を生かして再活用することを小池は以前から構想していた。

古い建造物の持つゆとりや無駄な空間が実はアーティストにとっても展示場としても快い。これは雰囲気というあいまいな言葉でも表せるような、「場」が時間とともに蓄えてきた記憶の文脈がそこにあるからである。白い箱の連続としての美術館ではないオルタナティヴな空間を求める目には、日本の都市や町村にはたくさんの「場」が残されているのが見える。アートの活動によってそれらの場が生き返る可能性は高い。

「常にオルタナティヴな発想を」小池一子『メセナｎｏｔｅ』47号 ２００７年１・２月号（公益社団法人 企業メセナ協議会）

この講堂の空間を再生して息吹をもたらすために、空間デザインで信頼を置く杉本貴志に、修復と再生の監修を依頼した。杉本と彼の事務所、スーパーポテトのスタッフはまず、ビニール・タイルが貼られて底上げされていた床を取り払った。すると、建設当初の姿を保ったコンクリートの床が現れたのである。主張しすぎない無骨さが、空間を支える土台にふさわしい存在感を放っている。グレイッシュな色の入ったワックスをかけてみがくと艶をみせ、まさに生き返ったようだった。

空間のたたずまいについて考えていた小池にとって、美術空間としての床には非常にこだわりがあった。たとえば、彫刻作品を床置きにできるか。石や鉄などの素材に、その床が対峙できるものであるかどうか。ここ食糧ビルの講堂のコンクリートの床は十分な重厚さで、小池の希望をしっかりと受けとめてくれたのである。

プロセニアム・アーチが美しい佐賀町エキジビット・スペースの内観。撮影：三好耕三

新しいスペースの準備は、大手広告代理店のデザイン展の仕事と並行して行っていた。デザイン展の資料を集めるなかで小池は、シュールレアリスムの画家、ルネ・マグリットに関してまとめた博士論文に目をとめる。パイプを描いた作品に、「これはパイプではない」と自ら銘打ったことで知られるマグリットは、アート界はもちろん、広告界にも影響を与えている作家である。この作品タイトルをもじって、「マグリットと広告――これはマグリットではない」と題した論文はマグリットの影響が及んだ広告について探究したもので、その調査は日本にも及んでいた。

それによると、マグリットはかつて自身が広告デザインを手掛けていたという。しかし現在世界中の広告に影響を与えているのは、彼が手掛けた広告ではなく、芸術作品からのみなのである。そう指摘していたのは、ベルギーの若い美術学者、ジョルジュ・ロックだった。この論文をテーマに、ロック自身がキュレーションを手掛ける展覧会がパリの広告美術館において開催されたのである。

「なんて自由なんだろう。ヴィジュアル・アートはいろいろな入り方ができる」

パリでこの展覧会を観た小池は主題のおもしろさにひかれ、ジョルジュ・ロックのキュレーションを、新しい空間での最初の展覧会としてみせることに決めたのである。

１９８３年11月、見事に生まれかわった江東区の食糧ビルの講堂にて、「マグリットと広告」展は開催された。文化は継承されて育まれ、影響し合うということを示した同展は、過去の遺産を復刻した小池の新たなスペースで紹介するのにふさわしい内容であった。

小池が復興させたこの空間の名称は、実はジョルジュ・ロックの助言から生まれている。

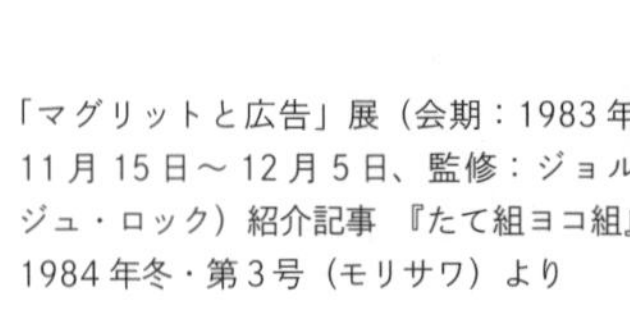
「マグリットと広告」展（会期：1983年11月15日～12月5日、監修：ジョルジュ・ロック）紹介記事 『たて組ヨコ組』1984年冬・第3号（モリサワ）より

出来上がったカフェ。撮影：ローラン・コンダミナ

1985年、佐賀町エキジビット・スペース 1F にカフェを設ける。

「ネーミングは、〝ギャラリー〟じゃないほうがいい。商業空間ではなく、非営利を目指すのだし、この展覧会に出品するヨーロッパのコレクターにも協力を得やすいでしょう」

さらに町名変更以前のこの地の地名「佐賀町」を冠して、「佐賀町エキジビット・スペース」[*4]（略・佐賀町）は誕生したのである。

この空間で、パフォーミング・アートやヴィジュアル・アート、インスタレーション作品など、当時の日本ではまだ市場性を持たなかった分野の仕事を積極的に紹介したいという意気込みが小池にはあった。

オープン翌年の5月、三宅一生が手掛けるPlantation の'84～'85年秋冬コレクションのショーが佐賀町エキジビット・スペースを舞台に繰り広げられた。アメリカから三宅がパフォーミング・アートの分野で最も新しい動きであったMOMIX というダンス・カンパニーを招き、彼らのパフォーマンスでショー「Plantation + MOMIX」の披露を叶えたのである。足を固定

*4 **佐賀町エキジビット・スペース**
江東区佐賀一丁目の食糧ビル3階の講堂を修復・改装し、１９８３年～２０００年の17年間で、合計１０６の展覧会と、1階と2階に設けたサテライト・スペース（ｂｉｓ）とカフェで69の展覧会・イベントを開催。絵画や彫刻、立体作品のみならず、演劇やパフォーマンス、音楽など多岐にわたる活動を行う。閉鎖後の２００２年、ビル解体前の最後の展覧会「エモーショナル・サイト」展を関連するギャラリーと共に開催。２０１１年より千代田区アーツ千代田３３３１内に「佐賀町アーカイブ」を設け、現在に至る。

Sagacho
EXHIBIT SPACE, TOKYO

1987年、田中一光のデザインで佐賀町エキジビット・スペースのロゴが生まれる。

したまま、コンテンポラリー・ダンスの動きで服を脱いでいくパフォーマンスの斬新さに観衆は釘付けとなる。小池が興した新たなスペースのために、三宅がギフトとして組んでくれた上演であった。

　三宅一生との仕事をはじめ、それまでファッションと深くかかわってきた小池は衣服デザインの創造性に焦点を当てたいという思いを変わらず持ち続けていたが、いよいよその構想を実らせる時を迎える。１９８５年当時の東京を代表するクリエイティブな仕事といえば、建築、ファッション、空間の分野に多く、こうした東京の現状を伝えるために、安藤忠雄[*5]、川久保玲[*6]、杉本貴志を迎え、「三一致　TROIS UNITÉS」展を佐賀町で開催するのである。「三一致」とは古典演劇の手法からくる言葉で、「時間、空間、行動の一致」を意味する。共通する感覚を同一空間に置くことで、東京のクリエイションの〝今〟を見せる狙いがあった。

　ジャンルを設けず、小池をはじめとするキチンのスタッフが興味を抱くアートを紹介する場が佐賀町である。同じ世界観を持った仲間との情報交換から、次の展覧会のコンセプトやアイデアが生まれていく。あるとき、写真家の小暮徹から「広告代理店のデザイナーに素晴らしい絵を描いている人がいる」と紹介されて、野又穫の作品を観る機会を得た。イマジネーションから生じる不思議な光景を描いたその絵画は、鳥肌が立つような驚きと歓びを小池にもたらした。この出合いにより、１９８６年に野又の最初の個展、「Still 静かな庭園」展が佐賀町で開催され、独特の世界観はアトリエから広く放たれることになる。

「信頼する友人の目や、アーティストからの推薦を大切にしていた」と小池が言うよ

*5 **安藤忠雄**（１９４１年〜）
建築家。大阪府生まれ。工業高校在籍中にプロボクサーの資格を取得、海外遠征の経験も持つ。独学で建築を学び、１９６９年に安藤忠雄建築研究所設立。初めての建築「住吉の長屋」で１９７９年日本建築学会賞を受賞、以降受賞多数。代表作に「光の教会」「ピューリッツァー美術館」「地中美術館」など。１９８７年よりイェール大学、コロンビア大学、ハーバード大学の客員教授を歴任。１９９７年から東京大学教授、現在は特別栄誉教授。

*6 **川久保玲**（１９４２年〜）
ファッションデザイナー。東京都生まれ。慶應義塾大学卒業後、旭化成宣伝部にスタイリストとして入社。１９６７年に独立、１９６９年にファッション・ブランド COMME des GARÇONS を立ち上げる。１９８１年、パリ・コレクションに初参加。当時タブーとされた黒を基調とした、穴開きのセーターは「乞食ルック」とも言われ、山本耀司とともに「黒の衝撃」と呼ばれた。

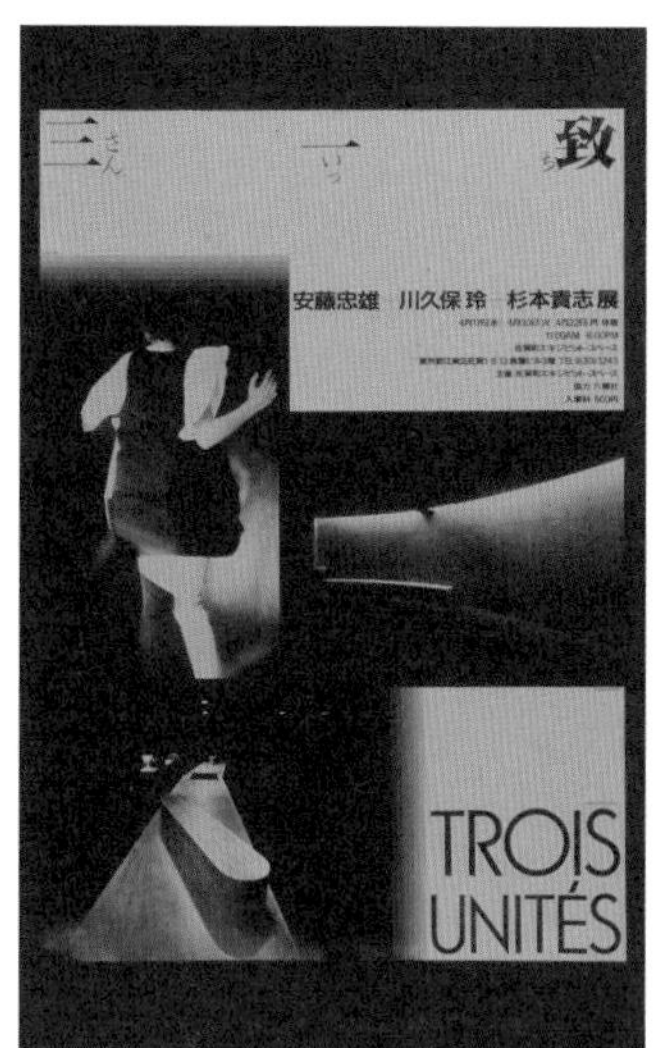

「三一致　TROIS UNITÉS」展
（会期：1985 年 4 月 17 日～ 4 月 30 日）
ポスター　デザイン：勝井三雄

「Plantaion+MOMIX」
（開催日：1984 年 5 月 28 日、共催：三宅デザイン事務所）
紹介記事 『太陽』1984 年 9 月号（平凡社）より

三上浩「EVOLUTION：Work in No. 11. Project 砒 Quau No. 6」展
（会期：1985 年 5 月 7 日～ 6 月 6 日）紹介記事 『週刊読売』
1985 年 6 月 9 日特大号（読売新聞社）より

「ニキ・ド・サンファル展」
（会期:1986 年 4 月 1 日～ 4 月 24 日）
展示風景　撮影：林雅之

野又穫展「Still 静かな庭園」（会期：1986 年 10 月 7 日～ 10 月 26 日）
紹介記事『STYLING』1989 年 1-2 月号・No. 20（スタイリング インターナショナル）より

「剣持和夫展」
（会期：1986 年 11 月 11 日～ 12 月 5 日）
紹介記事が掲載された『朝日ジャーナル』
1987 年 1 月 30 日増大号・表紙（朝日新聞社）より

うに、人とのネットワークが、これから世に羽ばたこうとするアーティストの活躍の場を、自然な成りゆきで生んでいたのである。

80年代から90年代初頭は日本経済が活況を呈し、景気は上向きで消費の動向も激しさを増していた。そんな世の中のありように反するごとく、路上に打ち捨てられていたものを拾い集めて巨大なオブジェや絵画を制作している作家がいた。ロンドン滞在を経て、質量ともに膨大な作品を作り続けている大竹伸朗である。大竹がまだ武蔵野美術大学の学生だった頃に出会い、拾い集めた紙片を貼り込んで制作したスクラップブックを目にして以来、小池はその才能に惚れ込んで展覧会の機会をうかがってきたが、１９８７年の年末に佐賀町の地で、ようやくその願いが叶ったのである。繊細な感性と反骨精神が宿る大竹作品の力強さは、世界をわたることのできる日本の若手アーティストの登場を感じさせた。既成の枠を壊すような表現と意気込みで挑む大竹と、同じ精神で佐賀町を構えた小池はともに、体制に屈することなく、信じる道をまっすぐに進んで留まることがない。侠気が熱いのである。

佐賀町の空間を設(しつら)えたのには、大竹のような表現力のある作家が個展をする場を提供したいという当初からの思いがあった。

「天井高や広さもそうですが、空間が作品をすべて受け入れてくれるような、そんな場所をつくりたかったのです。当時はキュレトリアルな仕事とはどういうものであるかを考えていました。時代の思想の変遷、主張の流れなど、言えることはいろいろあるのですが、テーマで括って複数のアーティストの参画を求めることで何が伝わるのだろうか。やはりまずは作品をつくる人、アーティストの手伝いをしたいと思い、しっかりと個展をつくることをかさねたのです」

アーティストのエネルギーや感性を大切に受けとめたい。常に新たな表現との出合いを求めていた小池の前に、関西の若手作家たち「イエスアート」が現れた。「ぼくらはノーと言わないでイエスと言う」と謳う彼らのグループ展、「YESART DELUXE」を１９８７年に開催すると、自身がメディアとなり、顔に彩色を施したある若手作家の作品にひときわ注目が集まる。この作品に目をとめた南條史生[*7]の推薦により、１９８８年のヴェネチア・ビエンナーレで若手作家を紹介するアペルト部門に選出され、海外からもさまざまな反応が寄せられた。まだメディアはファックスが主流だった時代のこと、「この作家について知りたい」「作品を購入したい」と、多くのファックスが届き、キチンの事務所は大わらわで対応に追われることになる。「ふだんのアートの仕事が、遠くと思われる大きな国際芸術展に直結していくのを感じたのです」と、国をわたる美術界の動きとアートマーケットの率直な反応を小池は振り返る。

国内外をにぎわしたこの若手作家は、大阪出身の森村泰昌であった。それから三年を経た１９９０年、佐賀町において、森村泰昌の大個展「美術史の娘」が開催されるのである。

アート界の喧騒を鎮めるかのように、隅田川はゆったりと流れる。しかし佐賀町に近い永代橋から隅田川を上った浅草あたりが今度はなにやら騒がしい。地元で話題となっていたのは、隅田河畔に姿を現した、大きな黒い塊のことだった。その正体は、

1979年、大竹伸朗に初めて会った帰り道、ロンドン滞在中に彼がホックニーを訪れた時の話を聞きながら、お昼ご飯を食べた。何日か後に、手描きのハガキが届く（右）。佐賀町エキジビット・スペースでは、「大竹伸朗　1984-1987」と題し、1987年11月11日〜12月20日で開催された。

*7 **南條史生**（なんじょうふみお）（**１９４９年〜**）
キュレーター、森美術館特別顧問。東京都生まれ。慶應義塾大学卒業後、１９７８年から国際交流基金に勤務。その後１９９０年にエヌ・アンド・エーを設立、ヴェネチア・ビエンナーレをはじめとする国際展のコミッショナーやディレクターを歴任。２００２年から森美術館副館長、２００６年から２０１９年

ビル工事の足場として使われる鉄パイプと黒い羽目板で組まれた建物で、小池の提案から安藤忠雄が唐十郎に向けて設計した仮設劇場、「下町唐座」であった。安藤の挑発的な空間に応えて唐は、舞台に水をためる仕掛けを施す。同じく隅田川の実験場である佐賀町においては、「下町唐座展　安藤忠雄の劇場建築」として、リアルサイズの鉄パイプ構造を〝見るべきもの〟として展示をする。1988年のことである。

(夕刊)　昭和63年(1988年)4月25日　月曜日　(6)

ゆうかん文化

「都市を異化する」

下町唐座が誕生

東京・浅草に

鉄パイプの移動劇場

劇作家 唐十郎　建築家 安藤忠雄　夢を共同製作

クモの巣状の空間

水面に模型浮かべる

高さ23㍍、直径36㍍

「下町唐座」の外観と唐十郎(円内)

「下町唐座」の模型を前に語る安藤忠雄

「下町唐座」の設計図(安藤忠雄建築研究所)

京が残す

「下町唐座展　安藤忠雄の劇場建築」
(会期：1988年4月8日〜4月30日)紹介記事
『京都新聞』1988年4月25日(夕刊)より

まで同館館長。N&Aは2008年十和田市現代美術館設立、以降運営に携わり、2020年開館の弘前れんが倉庫美術館の総合アドバイザーを務める。

森村泰昌展「美術史の娘」(会期：1990年2月13日〜3月16日)紹介記事が掲載された『ARTnews』1990年3月号・Vo. 89/No. 3・表紙

隅田河畔はもとより、この頃から90年代初頭にかけて、ベイエリアと呼ばれる東京湾岸に沿う地域を舞台に、文化的な動きが盛んとなる。古い建物や倉庫はリノベーションにより、アート、演劇の舞台やクラブ、ディスコなど新たな役割が与えられ、時代の先端ともてはやされるような変貌を遂げていた。

湾岸地域の復興は、佐賀町エキジビット・スペースのオープンが手本となり、小池の企みを時代が追随したといってもいい。アンダーグラウンドの動きに敏感な若い世代は下町と呼ばれるエリアに足繁く通い、新たに生まれる芸術のムーブメントを感じていたのである。

佐賀町エキジビット・スペースは、日本にはこれまでなかったオルタナティブ・スペースという発想、古い建物の再生と展覧会内容の趣向に、国内外のアート関係者や80〜90年代の文化の興隆を愉しむ人々の耳目を集めていた。英語で情報を提供するメディアがほとんどない頃、佐賀町ではオープン当初から海外の美術関係者、ジャーナリストへバイリンガルでの広報活動を仕掛け、動向が見えにくいとされていた日本の現代美術を、世界に向けて発信し続けていた。日本のアートに興味を持った海外からは想像以上の反応を得て、各国のアーティストらと相互に感応し合う環境が次第に育まれていったのである。

独自の方法で道を切り開いてきた小池を慕い、アートの仕事を志願する若い世代も佐賀町に集まっていた。背中を追われる立場となった小池を、西武美術館のキュレーターに就いたばかりの駆け出しの頃から目を掛けていてくれた先達が、南画廊の志水楠男である。その南画廊を訪れた１９７７年、小池は独特の視点を持つ作品と出合う。

ニューヨークの自然史博物館で動物や古代人の生活を再現した展示標本を撮影したモノクロームの世界。現実世界と見紛う精緻な造形物をとらえ、虚実のはざまでうろたえる鑑賞者を楽しむかのような写真は、杉本博司の初期の代表的な作品「ジオラマ」シリーズであった。現実と非現実の差はどこにあるのかと問いかけているような、暗示的な主題が新鮮に響く。以来、杉本を憧れの作家として敬意を抱いていた小池だった。そんなあるとき、仕立てのいいスーツを着こなす男性が食糧ビルを訪れる。

「いい空間だって、聞いてきた」

端正な姿が印象的なその人こそ杉本博司であった。このはじめての訪問で佐賀町での展覧会の開催が決まり、１９８８年の初個展では、「ジオラマ」シリーズに加え、「劇場」シリーズを発表する。映画を上映中の映画館内を長時間露光で撮影した「劇場」シリーズは、スクリーンで展開される物語をまばゆく発光する光に変える、これぞ杉本マジックである。

時間を操る術に磨きを掛けて、続く１９９１年、「TIME EXPOSED」展でも杉本は至上の技を披露した。水平線が海と空を分かつ姿をとらえたミニマムなモノクロームの世界、「海景」である。写真がとらえる時間を収めた風景は、佐賀町の空間で新たな時を刻みながら佇んでいた。

Cultural Reverberations Between Australia and Japan

NATALIE KING AND PROFESSOR KAZUKO KOIKE

Professor Kazuko Koike, founding director of the visionary and contemporary Sagacho Exhibit Space, has initiated and curated over 100 exhibitions at her independent gallery — the first alternative space in Koto-ku, a historical ward area of downtown Tokyo. Professor Koike is also head of the fashion design course and a lecturer in the Design Department, Environmental Art and Design, at Musashino Art University. She has published, edited and translated books on Judy Chicago, Eileen Gray and Issey Miyake.

Earlier this year, Professor Koike visited Australia as part of a cultural exchange program between Australia and Japan. The program involved four Australian artists working in Japan as residents of the Australia Council's Tokyo studio between 1992-95. The resulting collaborative exhibition, 'Yoin: Reverberations between Australia & Japan' was displayed at Tokyo's Sagacho Exhibit Space and Melbourne's RMIT Gallery. Curator Natalie King later spoke to Professor Koike by email about Sagacho and the importance of cultural exchanges between curators, artists, writers and institutions.

A recent article in The Japan Times reviewed the two-person installation 'Gohasan' (starting from zero) and described the innovative aspects of Sagacho Exhibit Space,

'Experimentation is nothing new for the Sagacho. Occupying some 300 sq m of a tired but charming 1927 building that once housed Japan's main rice market, the gallery has been taking chances since it was founded by Musashino Art University professor Kazuko Koike some 15 years ago. Marooned in a warehouse wasteland a good 10 minutes from the closest train station, Koike's gallery has nevertheless debuted many now-famous Japanese artists — including Yasumasa Morimura and Rei Naito — and always featured a smart selection of avant-garde foreign artists. With that perfect combination of vision, a large space in which to realize it and the determination to do so, Sagacho is, not surprisingly, regarded as the best gallery in the city by many Tokyo art insiders.'[1]

Clearly, Sagacho has a unique position in the contemporary arts landscape in Tokyo. How was it initiated and what was your role?

I founded Sagacho Exhibit Space in the autumn of 1983. Its organisational framework was based upon a design, editorial and project planning company I founded some years before, a studio called Kitchen Inc., where I cooked up ideas for art and design projects. Kitchen Inc. started as an editorial and graphic arts office for commercial campaigns and has been in operation since 1976. Later, I shifted to a more independent kind of planning organisation for exhibition ideas. We would plan and execute the shows as well as edit the catalogues. During that period, for example, exhibitions were held at Parco, Seibu Museum and Art Forum, as I enjoyed doing independent curatorial work on shows about artists like Frida Kahlo, Charles Rennie Mackintosh and some Japanese designer shows. The underlying philosophy of Sagacho Exhibit Space is to create a new approach to art and society in Japan. I felt the necessity to create an alternative art space for Japan because in those days Japanese museums and commercial galleries did not function as support bodies for young or unestablished artists who were not well-known or members of prestigious groups.

How do public art spaces operate in Japan, and specifically in Tokyo?

In the latter half of the 1980s, the Japanese economy was stretching its wings towards a buoyant financial future and museums and galleries were busy introducing, importing and/or investing in famous artists' paintings and sculptures from the West. Fighting the current, Sagacho Exhibit Space emerged in this frightening cultural climate of financial gamble with an urgent mission to champion emerging Japanese artists. In the 1980s, Japan developed many large-scale museum buildings and art spaces but in my opinion they were not really functioning as attractive, stimulating or even inspiring undertakings.

Do you seek funding from the government, corporate or private sector?

In general, public funding, i.e. private sector or individual support, is very hard for us to realise in Japan. There is no tax deduction for artists; support so there are

Left to right: Emiko Namikawa, Lunami Gallery; Natalie King; Kazuko Koike, Sagacho Exhibit Space; Sachiko Tamai, Australia-Japan Foundation at the opening of 'Yoin: Reverberations between Australia & Japan', Sagacho Exhibit Space, 29 January 1998

Double Monster, The "U" in Gustave

אוצרת: פרופ' קזוקו קויקה, מנהלת מרכז סאגאצ'ו, טוקיו

תמר נטר

Quando a moda japonesa ainda não era moda internacional, no início dos anos 70, Kazuko Koike trabalhava como "fashion consultant" e percebeu o potencial de talentos de alguns amigos como, por exemplo, Issey Miyake. Quando Diana Vreeland inventou um departamento de moda no Metropolitan Museum, em Nova York, Kazuko Koike também conseguiu um estágio e trabalhou em 1975 na montagem da grande exposição sobre a moda dos anos 20 e 30. Finalmente, quando a poderosa Seibu decidiu criar um museu em Ikebukuro, Kazuko Koike foi convidada a trabalhar como "associate curator", numa época em que a expressão curador ainda não havia se transformado em moda internacional.

Kazuko Koike, no ano passado, assinou um dos textos de apresentação da retumbante mostra em Paris sobre a trajetória de Issey Miyake e hoje, aos 53 anos, ela é considerada uma das mais sensíveis antenas do que realmente é a vanguarda de qualidade do Japão. Apesar da vitalidade de Tóquio, o mercado de arte japonês, mesmo com as altíssimas somas que movimenta, é bastante conservador. Assim como as mulheres elegantes vestem Chanel, em Roppongi, usam lenços do Hermès e acompanham seus maridos com abrigos Burberry's é mais fácil encontrar público para Monets, Degas, Van Goghs ou Picassos do que para a jovem arte do país. Por isso mesmo, quando Kazuko Koike decidiu abrir um espaço de arte fora dos bairros elegantes e mostrar a arte jovem do Japão foi uma prova de extrema audácia. Em 1985, Nova York ainda não havia decretado que os "lofts" industriais poderiam virar galeria de arte. Nem mesmo em Paris havia as galerias da Bastille e da Defense. Então, Kazuko Koike conseguiu descobrir um edifício singular num distrito muito simples de Tóquio, Shimatachi, antecipando a tendência de reciclar espaços industriais para eventos culturais. Foi assim que o Shokuryo Building, o antigo mercado de arroz de

AN ADDRESS FOR THE FUTURE

In an old rice market, the best avant-guarde spot in Tokyo

ENDEREÇO DO FUTURO

Num velho mercado de arroz, a melhor vanguarda de Tóquio.

KAZUKO KOIKE NO SAGACHO EXHIBIT SPACE

In the early 70's, when Japanese fashion design had not yet conquered the international couture world, Kazuko Koike was already working as a fashion consultant. At that time, she had also detected close friend Issey Miyake's tremendous creative potential. When Diana Vreeland started New York Metropolitan Museum's fashion institute in 1975, Kazuko Koike worked there as a trainee and helped organize one of the institute's first events: an exhibition featuring 20's and 30's dress design. The crowning achievement of her work with fashion happened when Ms. Koike was invited to become associate curator of a museum in Ikebukuro, which was founded and funded by the powerful Seibu federation. All this happened at a time when the expression "fashion curator" had not reached international status.
Her latest achievement in the fashion world was the text she wrote for the program of the tremendously successful Issey Miyake retrospective held in Paris in 1988. At the age of 53, Ms. Koike is currently regarded as having the most sensitive pair of antennae in the realm of modern Japanese art. She is able to detect every undercurrent within Japan's avant-garde cultural manifestations. In spite of Tokyo's cosmopolitan vitality and the huge sums of money involved, the Japanese art market is fairly conservative. Japan's elegant women tend to dress in Chanel suits, complemented by Hermès scarves and Burberry rainwear. It is much easier to find buyers for works by Monet, Degas, Van Gogh, Picasso or for works by established contemporary artists as Christo, David Hockney or Cy Twombly, than it is for art produced by young, unknown local artists. To do something about this situation, the audacious Ms. Koike decided to open up an art gallery in which these young unknowns could show their work. It must be remembered that in 1985,

THE SHYOKURYO BUILDING: CONSTRUÇÃO DE 1927

MASAO OKABE EXHIBITION

54 Atlante　　Atlante 55

私についての物語 6

アーティストにとって優しい、開かれたスペースを維持するには、社会の大きな愛情が必要なんです。

小池一子さん

佐賀町エキジビット・スペースは、世界的に知られたコンテンポラリー・アートの発信の場。

131　　130

佐賀町エキジビット・スペースは、国内をはじめ、海外からの反応も強く、多国の雑誌に取り上げられた。右から、オーストラリアの雑誌『MUSEUM NATIONAL』(1998年11月・12月号)、イスラエルの雑誌『STUDIO Art Magazine』(1997年4月号)、ブラジルの雑誌『ATLENTE』(1990年)、『クロワッサン』(1992年11月10日号、マガジンハウス)。

映画劇場があった　小池一子

杉本の第三の主題「海」は彼にとって何なのだろうと問うと、自分を映すスクリーンだと答えた。世界全体が暗い宇宙のテントの中にあり、海が開いている、それがスクリーンなのだと。スクリーンに自分の光をあててみて、逆にのぞきこんでいる自分を、いま杉本は見ている。

　自分は何なのだという問いかけは、最初の人間が最初に発した問いでもあったろう。自分をとらえ直そうとする意識は、外界を意識してはじめて生まれる。杉本は海に、最初の人間の問いかけを読もうとしている。

　そのために、杉本の海は人類の古い記憶のイメージをたたえる海でなければならない。映画劇場の次のリサーチは、彼自身が認める古代の美術へのいささかの耽溺の時間の後に始められた。その結果は、驚くべき「海」の連作に現れている。人間が出て間もない頃の海のイメージを杉本は追い求め、訪ねあて、８×10の創作が続いている。海の透明度は、銀の深みに再現された。

　感光フィルムの連続するイメージが映画を生み、映画劇場の栄華は地上に満ちた。その殿堂である劇場のスクリーンから、杉本は光を奪回した。そして、いま劇場は消え去ろうとしている。（実際、杉本の撮影後に、とりこわされた劇場の数は多い）。

　杉本の古代の海、もやがて消え去るだろう。破壊する文明の不連続線を、写真家は感じている。

『STYLING』１９８８年９月号　№18（スタイリング インターナショナル）

佐賀町エキジビット・スペース　杉本博司「Sugimoto」展
会期：１９８８年９月28日～10月30日

この「海景」シリーズは同時に、隅田河畔のＩＢＭの前庭の空間でも展示された。杉本がとらえた「ある時間」が、箱崎の新築ビルディングの外構の時間と大気にさらされるのである。雨や風雪に耐える特注のフレームはニューヨークで製作された。自然とともに佇むこの試みが世界から注目され、同展はフランス、ボルドーの現代美術館、次いでアメリカ、カーネギーインターナショナル展へと招聘が続いていく。

佐賀町で活動する傍ら、キチンでの編集・執筆の仕事も並行して継続していたところに、武蔵野美術大学で教授を任される縁もあり、小池の毎日は三足のわらじの状態で日々を三分割する多忙ぶりであった。もっとも小池の三足はわらじではなく、友人のシューズデザイナー、高田喜佐が手掛けるKISSAの靴であることが多かった。というのも、小池のパートナー、ケンが毎月一足ずつ、年に12足ものKISSAの靴を小池にプレゼントしていたのだから。小池は高田を武蔵野美術大学に招いて、実践的な技能教育も行った。

武蔵野美術大学との縁から、佐賀町での発表を経て実りに達した作家たちもいる。「卒業制作の中で、ユニークなものが生まれているから」と、同大の視覚伝達デザインの教授で友人の及部克人から誘われて観たのが、内藤礼の作品との出合いだった。

「誰もしていない、今まで見たことのないというのがアートのひとつの評価の基準になると思いますが、そういうものを繭が何かを紡ぎ出すようにつくっていたのです。小さな楊枝とか針金とか植物の種とか、そういうものの構築するある世界を、彼女のイマジネーションが紡ぎ出す世界を、初期だったらこのテーブルの倍ぐらいのもので延々とつくっている。今までそういうアートをつくった人はいないですね」

資生堂アートトーク「アートを観る場所1　オルタナティブ・スペースについて」
2001年7月28日@ワード資生堂　小池一子トークより

この内藤の卒業制作を佐賀町に招き、微小の世界のための小さな展覧会を開催する。その後、佐賀町の空間において内藤の個展を開催するために二年の準備期間を持つことになる。内藤と対話をかさねるうち、「アートとは、一対一で対峙するもの」という彼女の考えから、1991年、一人ずつがアートを体感できる空間を提示した伝説的な展覧会「地上にひとつの場所を」が生まれるのである。

240平米の建物の中に楕円形のテントを設え、鑑賞者は体内空間のようなその場に一人で入り、作品と向き合う。こわれそうに繊細な創作物と光で構成された内藤の小宇宙。この空間を体感した鑑賞者のなかに、フランスの芸術家を支援するAFAA（芸術活動に関するフランス協会）のディレクターがいて、パリにおいてもこの作品発表を果たすことになる。一人ずつでの鑑賞という前例のないスタイルが話題になるとともに作品を評価する声が高まり、1997年にはヴェネチア・ビエンナーレというアート界の大舞台での発表を迎えることになるのである。

単にモノを創ればいいということではないと思うのです。何かを創り出すという行為は自分の中に生まれてくる衝動だと思います。しかし作品と呼べるものは、衝動に任せて自分だけが良いと思うものを創って完成する

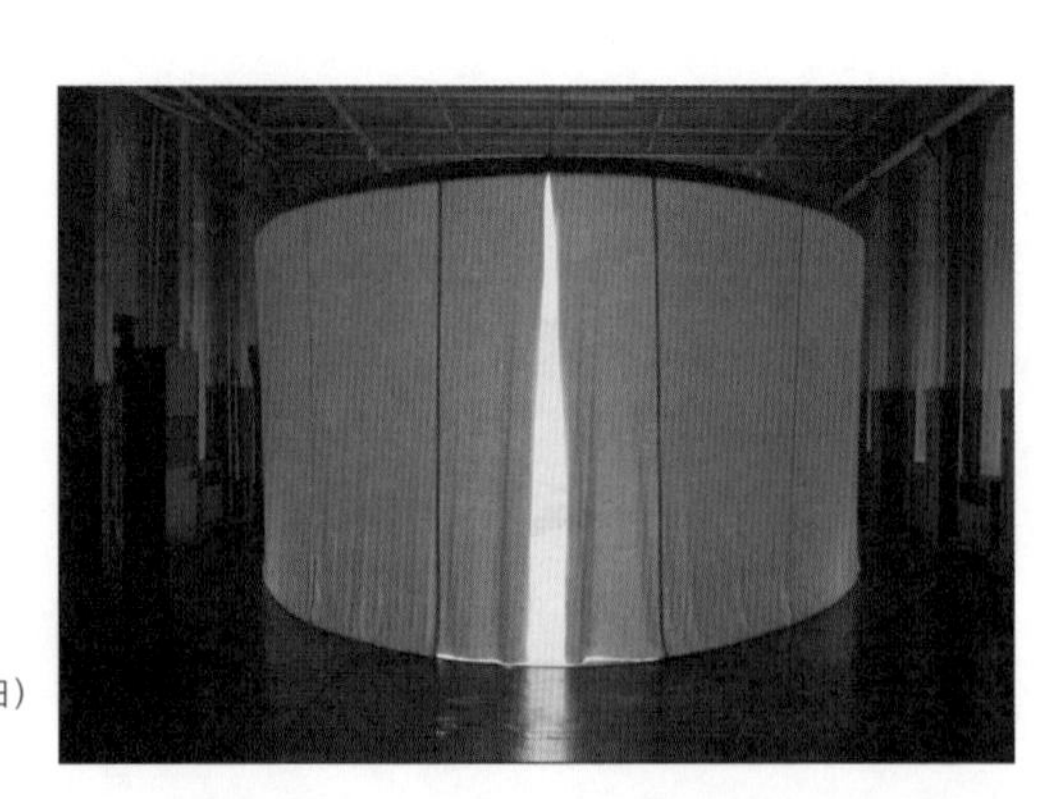

内藤礼展「地上にひとつの場所を」
（会期：1991年9月2日〜10月12日）
展示風景　撮影：小熊栄

のではないと思うのです。そこには他者に供する心、人に見てもらうことに対する思い入れや決意が必要だと思います。やはり他者に何かを見て頂くということだけでも大変なことですから、投げやりな仕事や中途半端な心構えは論外です。作品を生み出す行為はレストランでシェフがサービスの限りを尽くし、おいしい料理を作ることと似ています。また、できあがったものは綺麗、汚いの感覚で判断するような一般論で語ることはできないものです。第三者が見たら、ただのボロ切れと思うようなものが、見方を変えると人の痕跡を留めていて美しいという発見があるように、これが美しいから見て下さい、という作品の判断も含めた決意を持ち、人に提供することを学生の頃から意識することが大事だと思います。

例えば課題の発表でも、絶対にこの場所で見てほしいという欲求があると思います。そのような作家的な我が儘があって当然なのです。俗にいう「ホワイトキューブ」の真ん中に1つだけポツンと作品を置くと綺麗にみえるという幻想はもういらないと思います。どのように見てもらいたいかということも考えながら創る、それが制作者の日常的な姿勢なのではないでしょうか。

「作品をみせる表現力」小池一子
『武蔵美通信』2006年2月号

現代美術作家のアンゼルム・キーファーもまた、佐賀町でこの内藤作品に感応した一人であった。欧米はもとより日本からも何件もの展覧会依頼を受けていたキーファーが、人目を忍んで佐賀町を訪れていたのである。投機目的で作品がさかんに購入されていたバブル期のアート・マーケットに疑問を抱いていた彼は、純粋に作品を見てもらえる場所を望んでいたところだったのだ。友人の三宅一生と連絡をとり、三宅に誘われて訪れた佐賀町の空間を気に入ったキーファーは、ここで展覧会をしたいと申し出てくれたのである。これには小池も驚くとともに大いに喜んだのだが、これまでキーファーのような大家を扱ったことがないし、彼を迎えるに足る予算もない。

「自分もはじめは、エマージング・アーティストだった。佐賀町のアーティストの系譜と一緒だよ」

小池の戸惑いを勇気に変える、キーファーの感動的な返答。この言葉を有り難く受けとめ、セゾン美術館との共催という支援を得て、1993年、佐賀町でのキーファー展の開催が実現した。

「革命の女たち」と名付けられたインスタレーション作品は、フランス革命にかかわったシャルロット・コデーもマリー・アントワネットも、ともに鉛のベッドで眠り、そこには枯れた花が捧げられている。小池はこのキーファーの作品をロンドンのギャラリーで見て以来、佐賀町で展示することを夢想してやまなかったのだが、ようやくそれが叶ったのである。

「このときほど、自主・自営のスペースをつくり、運営を続けてきたことに誇りを持ったことはありません」

佐賀町のにぎわいは日本の現代美術界をわかせていく。1992年、佐谷周吾美術室、1996年、小山登美夫ギャラリー、1998年、TARO NASU GALLERY、20

回顧 '93 美術

国家、民族を見すえる世界 流れ見失った日本にも兆し

ワールドカップ・サッカーのアジア地区最終予選、日本対イラク戦が引き分けとなった十月二十八日夜、多くの人がテレビにくぎづけとなり、ため息をついた。私もその一人だ。翌日、平均四八％というこの時間帯としては驚異的な高視聴率を知った。

悲しいことだが、国際的な交流が進めば進むほど、民族や国の違いを意識しなくてはならなくなる。そうしたものに誇りを持たなくてはいきいきと生きてはいけない、という段階にまだ私たちはいるようだ。

●国同士が闘う美術展

美術も同じような闘争が世界中で繰り広げられている。例えば、世界の美術界のひのき舞台の一つ、ベネチア・ビエンナーレを会期終了直前の十月上旬に見たが、「ノマディズム（遊牧性）」のテーマとは裏腹に、結局国どうしが各パビリオンにこもって闘っている姿がそこにあった。

国家賞をとったドイツ館の、二作家の内の一人ハーケは、パビリオンの石の床を割ってがれきとし、壁には「ゲルマニア」の文字をほどこした荒涼としたインスタレーション（仮設展示）。ロシア館のカバコフは、自国の共産主義時代をちゃかしたと思われるインスタレーション。などというように、反語を含め複雑に屈折してはいるものの、大半は、自らの国や民族の歴史や文化を直接ぶつけあっているのだ。

目を転じて、今年国内で見た美術展で最も印象に残るのは、「メランコリア――知の翼――アンゼルム・キーファー」展だった。鉛などを多用した戦闘機のような立体作品の重厚さは忘れられないものだ。また絵画作品での、構図の求心性や、絵の具、ワラ、灰などを共存させた複雑な画面構造も強いものだった。

●歴史への思いが力に

だが何より強く伝わってきたのは、キーファーの祖国ドイツのにおいや伝統であっただろう。「革命の女たち」のようにフランス革命に材をとった作品でも、そこに表れてしまうものはいかにもドイツであった。彼の一連の発表には今世紀に二度の大戦の中心となったドイツの歴史に対する苦渋に満ちた思いがこめられているとは思うが、一方で、これほどドイツ浪漫主義の流れを意識的にくみとった表現も少ないと見えた。

やはり十月、ミュンヘンや、ボンなどの近・現代美術館を訪れたが、どこでもキーファーが前面に押しだされた展示がされていた。彼は昨年パリに住居を移してしまったが、よくも悪くもドイツ「一押し」の作家なのである。自国の苦い歴史を示しながらも、東西統一後のドイツでは、世界の美術界のスター的存在となっている彼を〝誇り〟にせざるを得ないのだろう。

世界の美術界ではそのように、私たちが想像する以上にナショナリズムを軸とした闘いが行われていると思う。自分のアイデンティティーを確かめる道具と言いかえてもよいかも知れない。五月に、ニューヨークで見たホイットニー美術館の隔年展でも主なテーマの中に、性、身体、家族と共に、民族があるように見えた。

●近代検証から「民族」

では、国内の表現や展覧会はどうだったのか。混乱の中で、中心の方向性はつかみにくい状況だ。ただし、傾向として目についたのは「斎藤義重による斎藤義重展」（横浜美術館、1月－3月。以後巡回）や「特別展 三木富雄」から始まり、「柳原義達展」などと続いた近・現代美術家の回顧展と、「国画創作協会回顧展」（京都、東京の両国立近代美術館）、「速水御舟展」など、特に、大正以後の日本画の見直し、発掘展であった。

それらは共に、この国の近代とは何であったかを、「ポスト・モダン」という流行語が色あせたあと、実直に考え直す企てであった。と同時に、西洋の受容の仕方を通して現れた特有の民族性をあぶりだす自分探しの役目も担っていたはずだ。

偏狭なナショナリズムがたどったついこの間の不幸な歴史は、だれもが承知しているだろう。だが、危険を踏まえたうえで、再び「民族」を表舞台に出して、語り合い、表現しなくてはたちゆかなくなる時期がきたのではないか。「パウル・クレーの芸術展」の圧倒的な純粋さや、「やまと絵 雅の系譜」（東京国立博物館。10月－11月）での土佐光信作の肖像画の真摯（しんし）さなどの至福の思い出にひたりながら、そんな転換のきざしが見えたのが九三年ではなかったか、とも考えた。

（田中 三蔵）

鉛製のベッドが並べられた「アンゼルム・キーファー」展の「革命の女たち」＝6月、東京・佐賀町エキジビット・スペースで

私の5点

選者50音順

小倉 忠夫（美術評論家）

▽「猪熊弦一郎卒寿記念展 心友イサム・ノグチとともに」（丸亀市猪熊弦一郎現代美術館。92年11月－93年3月）
▽「メランコリア――知の翼――アンゼルム・キーファー」展（ただし、東京展よりも会場が分散していなかった京都国立近代美術館展。8月－9月）
▽「柳原義達展」（東京国立近代美術館。9月－10月）
▽「生誕一〇〇年記念 速水御舟」（東京・山種美術館。10月－11月）
▽「ムンク展――〝ザ・フリーズ・オブ・ライフ〟愛と死――」（大阪・出光美術館。11月－12月。東京・出光美術館で開催のあとの巡回展）

柏木 博（デザイン評論家）

▽「アンゼルム・キーファー」展（東京・セゾン美術館、佐賀町エキジビット・スペース。6月－7月。以後京都、広島巡回）
▽「再制作と引用」展（東京・板橋区立美術館。9月－10月）
▽「現実の条件――EXPLORE REALITY」展（東京デザインセンター。9月－10月）
▽「モダン東京狂詩曲展」（東京都写真美術館。4月－6月）
▽「アンディ・ウォーホル映画回顧展」（東京・シブヤ西武シード。10月）

北澤 憲昭（美術評論家）

▽「特別展 三木富雄」（東京・渋谷区立松濤美術館、92年12月－93年1月）
▽「セバスチャン・サルガド展」（東京国立近代美術館、1月－2月）
▽「アンゼルム・キーファー展」
▽「油絵を読む――明治期名品の研究と修復」（東京芸術大学芸術資料館、10月）
▽「パラレル・ヴィジョン――20世紀美術とアウトサイダー・アート」（東京・世田谷美術館、9月－12月）

建畠 晢（美術評論家）

▽東京・原美術館のコレクション展での、草間弥生「ミラールーム」（92年10月－93年2月）
▽「アンゼルム・キーファー」
▽「パウル・クレーの芸術展」（東京・Bunkamura ザ・ミュージアム。7月－9月）
▽「パラレル・ヴィジョン」
▽「長沢英俊 天使の影」展（水戸芸術館現代美術ギャラリー。10月－94年2月）

たに あらた（美術評論家）

▽「長沢英俊 天使の影」展
▽「李禹煥」展（神奈川県立近代美術館。4月－5月）
▽「片瀬和夫－なげるかげ」展（東京・渋谷区立松濤美術館。6月－7月）
▽「川島猛－内府の視点－Observation」展（いわき市立美術館。3月）
▽「土谷武」展（東京・ギャラリー・ユマニテ＝1月－2月、現代彫刻センター＝6月－7月、愛宕山画廊＝9月）

アンゼルム・キーファー展「メランコリア　知の翼」
（会期：1993年6月3日～7月19日。第1会場：セゾン美術館、第2会場：佐賀町エキジビット・スペース）
紹介記事 『朝日新聞』1993年12月2日（夕刊）より

０１年には、RICE GALLERY by G2と、現代美術を牽引するギャラリーが次々と食糧ビル内に展示室を構えるようになる。RICE GALLERY by G2は、キチンから独立して銀座にギャラリーを構えていた小柳敦子によるギャラリー小柳とShugoArtsの佐谷周吾との共同企画ギャラリーとして活動した。日本における現代アートのコンプレックス（複合体ビル）の先駆けとなるこの建物を訪れて、佐賀町とギャラリーをぐるりと巡れば、現代美術の〝今〟を実感することができたのである。

佐賀町エキジビット・スペースという空間を保持したことで、注目するアーティストの定点観測が可能になった。作家の活動に密着し、その成長や次世代作家との交流や競合を促して、アート活動が有意義に拡大するための基盤となること、それこそが小池が期待していたことである。小池とともに活動するキチンのスタッフも献身的な働きで作家と伴走し、現代美術のうねりに身を投じていた。

２０００年に開催されたヴェネチア・ビエンナーレ建築展[*8]で小池は、日本館のコミッショナーを務める磯崎新からキュレーションを任された。妹島和世と西沢立衛が率いるSANAAを中心に、ファッションデザイン界でコンセプチュアルな動きをしていた津村耕佑らを選び、小池は「少女都市」というテーマを設定する。日本館において、東京の現在から未来への希望を託すのは10代のはみ出した少女たち、との表明でもあった。オランダの写真家、ヘレン・ヴァン・ミーンには、ガングロの渋谷の少女たちの肖像をも依頼した。また、指を用いて〝カワイイ〟図案を反復そして増殖させて描く新進作家、できやよいが注目されるなど、アートとカルチャーをつなぐ舞台でもあった。日本独特の感覚といわれる〝カワイイ〟が、〝ＫＡＷＡＩＩ〟と世界の共通語

*8 **ヴェネチア・ビエンナーレ建築展**
イタリアのヴェネチア市内の各所を会場とする、国際芸術祭「ヴェネチア・ビエンナーレ（La Biennale di Venezia）」（ビエンナーレはイタリア語で二年に一度の意）は、その歴史の過程で国際音楽祭、国際映画祭、国際演劇祭などの部門が設けられ、１９８０年からはじまった建築展は、現在美術展と隔年ごとに開催されている。日本は１９９１年（第５回）より参加、国別の金獅子賞では、スペインに並び最多受賞。

となり、欧米のカルチャー・シーンをにぎわせていた頃である。

「少女都市」の発想

小池一子

もし第7回ヴェネチア・ビエンナーレ国際建築展の主題が、Città: Less Aesthetics, More Ethicsでなかったら、私のような建築の領域外のものが日本館の構想に参画することはなかったかもしれない。また第6回の同展が「震度計としてのアーキテクト」の主題をもって建築家の問題意識に切りこんでいなければ、建築のことは建築家にという通念に私も疑問を持たなかったかもしれない。

今回の主題が問いかけているのは、「都市については美学よりもむしろ倫理的な考察が必要ではないのか」ということである。ここにはフォルマリズムの文脈から生まれる都市景観や都市計画の見直し、建築の問題を建築言語以外のさまざまなヴォキャブラリーで語ることなどが示唆されている。

日本館の主題設定については、そのような承前の了解をもとに、コミッショナーの磯崎新さんとの対話から焦点を絞りこんでいった。

日本の政治、経済、教育そして社会と生活の隅々にまで、現在見受けられるのは、戦後50年とそれを遡る近代国家としての構造疲労である。それを男性中心の機構の歪みとすべて断定するのは短絡としても、構造を支えてきた制度の中で、「性」の問題が放置されてきたことは明らかである。

エティカ（倫理）を制度への問い直しとしてとりあげ、ジェンダーをその中心にすえるという発想がここで生まれた。

さらに、ジェンダーの地平にゼロ地点という仮想を立て、制度に組みこまれる直前のヒトの存在として「少女」を打ち出すこととした。

少女については、ふたつの文脈から検討している。ひとつは感受性の豊かな時間帯。男性であれば少年時代をふり返ってみてほしい。どれほどの想いをこめて、生、性、生活、家族、未来に至る時間などについて、感じ、語り続けたことか。折しも14歳の犯罪が日本を震感させたが、見方を変えれば14歳なればこその事件であったともいえる。

たとえば少女は13歳で、生きものとしての知覚も本能も満開である。だが、大人ではなく、子供でもない。「豊かな感受性」にふり注ぎ、つき刺す情報網の中の時間帯。

ここにおいて、ふたつ目の文脈を見る。日本の都市で顕在化している少女現象である。これを磯崎さんは「世界のどこの都市よりも早くに、変質を開始しているメトロポリス・東京の深層部におこりつつある事件」とカタログに著している。

家族という括りの消滅に象徴される器（建物）の変容は、少女たちが外へ（都市へ）流れ出ていく存在となることを促してきた。いや個別の部屋を与えられていても流れ出ていく意識と言うべきかもしれない。

ケイタイ、ネット、メールなどなどの皮膚感覚化した通信網、カワイイという一言に集約される同世代感覚、その反映としてのおびただしいグッズ、ファッション。それらが一部のビジネスの活性化という結果をもたらしつつ、元気に、輝いてみえる「少女都市」が現出しているのだ。

「自由と高慢」。少女意識を批評の原点に据えた高原英理は、少女の特性をこう形容しているが、無制限でひとりよがりの自由とプライドを彼女たち自身、持てあまし気味に、それでも、他のどの世代の女性よりも男性よりも目立つ存在として日本の都市の顔を作っている。

建築家、妹島和世・西沢立衛両氏には、このような発想に立つキュレーションの核心を伝え、彼ら自身の構想とインスタレーションに託した。

身体と衣服の領域からデザイナー、津村耕佑。日本の少女の肖像を特写したヘレン・ヴァン・ミーンはオランダの写真家。そして少女都市の住民自身でもある新人できやよい。3人のゲストアーチストを含むキュレーションには、当然のことながら、領域外しの意図があった。デザイン、アートの領域、国家間の領域、それはヴェネチア・ビエンナーレの一世紀にわたる構造についても問われる問題である。第一次大戦前、あるいは第二次大戦直後の列強の国々の展示館が、２０

ヴェネチア・ビエンナーレ第７回国際建築展日本館「少女都市」
コミッショナー：磯崎新
キュレーター：小池一子
会場構成：妹島和世＋西沢立衛／SANAA
ゲストアーティスト：津村耕佑（ファッションデザイナー）、
ヘレン・ヴァン・ミーン（写真家）、できやよい（アーティスト）

日本館入口附近。樹木には白い布が巻かれ、白い造花が植えられた（クラフトワーク：渋谷清道）。
写真提供：国際交流基金

00年以降の世界の現実を映しとる表現の器として十分であり得るわけがない。また、建築展に他ジャンルのアーチストの導入を呼びかけたディレクター、フクサスの意図も今後の方向を見すえた領域外しの提言なのであった。

エントランス、ピロティ、インテリアと周辺の樹々、足もとのグラヴェルなどが等価値の白い空間を演出する「少女都市」は、エレガント、ポエティックなどの形容詞を繰り返し聞く人気のパヴィリオンとなった。

ヴェネチア・ビエンナーレ第7回国際建築展
日本館「少女都市」記録より

佐賀町エキジビット・スペースのおもしろさは、独特な空間に合わせて作品をみせることができること。小池がオルタナティブ・スペースを考えたときに、サイトスペシフィックな仕事ができる場を求めたように、その空間のたたずまいに妥協を許さなかった理由はここにある。美術館やギャラリーのホワイトキューブを抜け出し、力強く大胆で、自由な表現ができる場所が必要だったのである。

都市の建築物は壊して造ることが当たり前の時代に、老朽化した昭和建築に息吹をもたらし空間を再生したことは、美術界のみならず建築界にも影響を与えたといっていい。今や建築界でも、建物を生かして長く使う、ストック・アンド・フローの時代へと転換しているのである。

佐賀町の空間を舞台に、エマージング・アーティストによる仕事は既存の芸術のジャンルの境界線を消し、オリジナルの表現形態として展開されていた。だからどの展覧会にも物語があり、その場に留まっていたいと思える時間の流れを生んでいたのだろう。実際のところ、ほかのどの美術館やギャラリーよりも、佐賀町のスペースを訪れる人の滞在時間は長いという報告がある。

何もない荒れ地を発見するところから、佐賀町エキジビット・スペースははじまった。その地を改修して耕し、エマージング・アーティストという種をまき、その成長した姿が、現代美術という木となり、その枝葉をますます広げていったのだ。

キチンの仲間とともに育んできたこうした活動は、小池が訪れた１９６０年代、70年代の英国、欧米での体験が大きく影響しているだろう。体制に抗う若者や知識人から湧き起こった文化活動のうねりは、文学、演劇からファッションまでを飲みこんで都市を揺るがせていた。なかでも小池は、大衆が集まり、芝居や絵や音楽や食事を楽

京都東山の住宅、比燕荘。村野藤吾が手掛けた名建築に川俣正のインスタレーションを導入する企画を立てた小池はオーナーファミリーの中林のり子と相談し、実施に運ぶ。川俣は北山杉の間伐材を駆使、釘を使わずに和室の空間と外構を見事に変容させた。
撮影：畠山崇

比燕荘「KAWAMATA・比燕荘・京都」展示風景
企画：佐賀町エキジビット・スペース
会場：京都・比燕荘
会期：1988年7月1日〜7月31日

しむという多角的な文化活動に興味を抱いていたから、このような文化の新たな潮流を、東京の下町エリアで、自身の働きにより生みだしたのである。

「それが動きだとすれば、表現者としてクリエイティブでありたいと思っていたからです。今、生まれつつあるものを表現しなかったら、その場の存在意義はないでしょう」

●１９８０年〜90年代に、私が主宰してきた「佐賀町エキジビット・スペース」は日本初のオルタナティヴ活動を目指し、実践した。オルタナティヴの発想は60年代後半に欧米で強調されたが「もう一つの選択肢」といった意味を持つ。●たとえば音楽でいえば、ロックジェネレーションの台頭、モードにはストリートファッションの登場があるように、旧来の価値観に対する問いかけとしてアートシーンにも新しい場づくりの気運が高まった時代。今はＭｏＭＡに統合されたニューヨークのＰＳ１、ヴェルサイユにあったカルティエ財団の初期のスペース。触発された私たちを含めて何が「オルタナティヴ」の真髄となっただろうか。●第一にミッション（信条）が強いこと。アートが、人にとっては生きる歓びであり、社会にとっては環境の活性剤なので必要、という確信犯でなければならない。

「常にオルタナティヴな発想を」小池一子『メセナｎｏｔｅ』47号
２００７年１・２月号（公益社団法人　企業メセナ協議会）

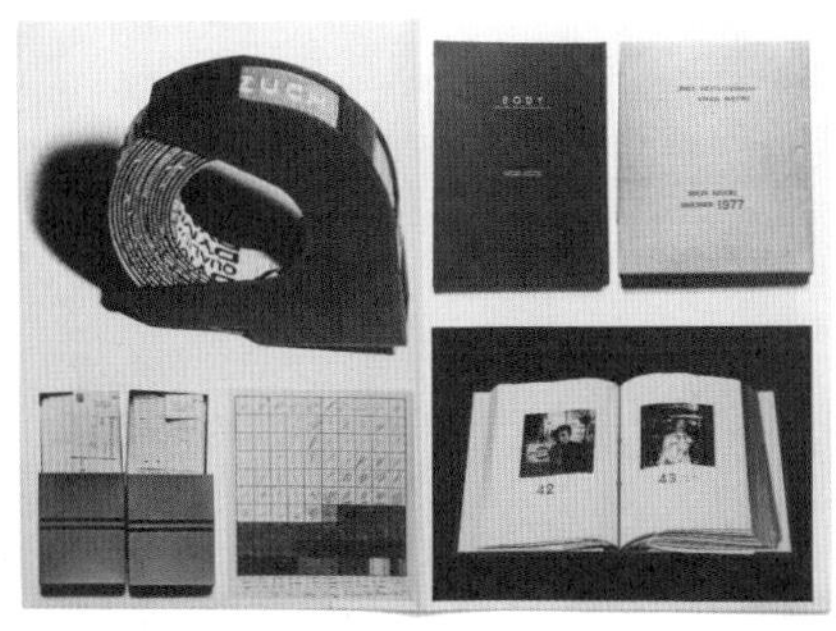

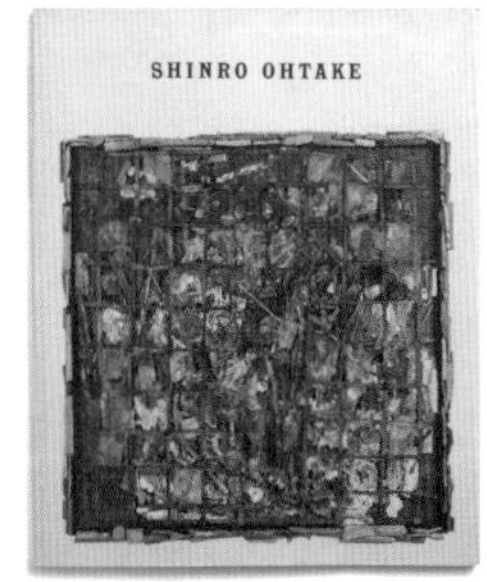

佐賀町エキジビット・スペースで制作されたカタログやリーフレット。左上から、シュウゾウ・ガリバー・アヅチ展「肉体契約」（会期：1984年11月2日〜11月18日）、岡部昌生展「STRIKE-STRUCK-STROKE」（会期：1986年9月2日〜9月27日）、「ARTIST'S NETWORK 1987 アーティスト・ネットワーク——福岡＋群馬＋北海道」（会期：1987年1月13日〜1月30日）、「YESART DELUXE」（会期：1987年7月7日〜7月25日）、「大竹伸朗　1984－1987」（会期：1987年11月11日〜12月20日）、「シェラ・キーリー展」（会期：1988年2月4日〜2月28日）、「下町唐座展　安藤忠雄の劇場建築」（会期：1988年4月8日〜4月30日）

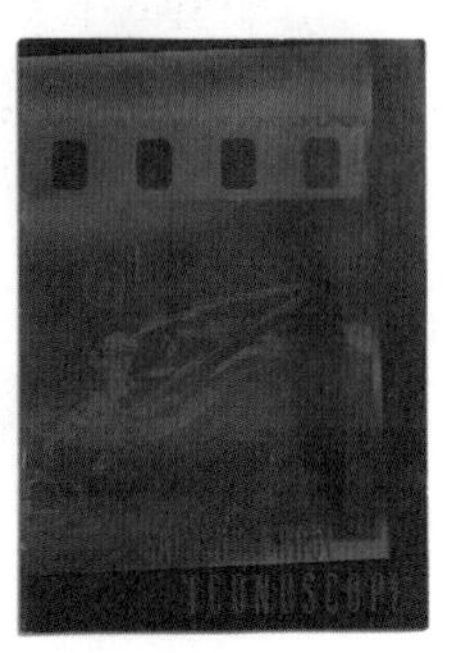

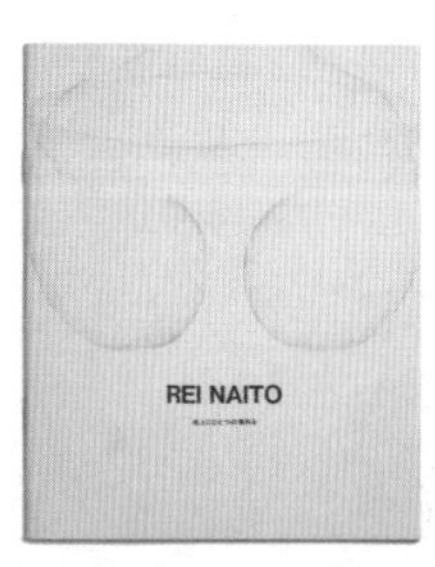

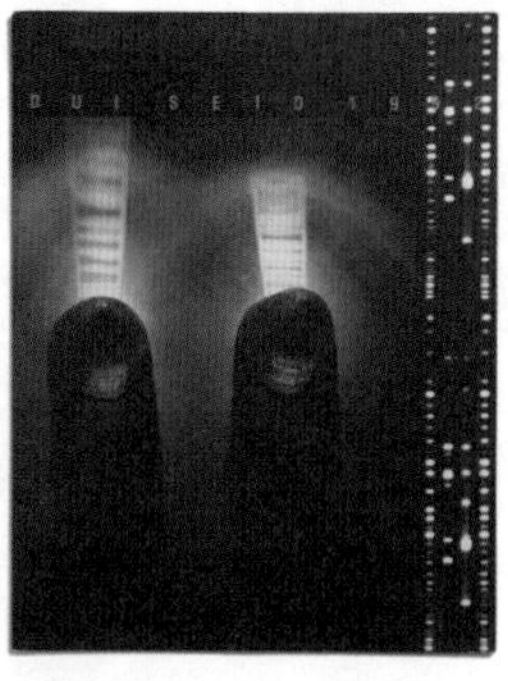

スティーブン・ポラック展「LUNA PARK」（会期：1989月11月28日〜12月23日）、森村泰昌展「美術史の娘」（会期：1990年2月13日〜3月16日）、古井智展「ICONOSCOPES 1990」（会期：1990年11月26日〜12月22日）、横尾忠則展「TEARS 瀧」（会期：1991年2月8日〜3月9日）、「滝口和男展」（会期：1991年3月18日〜4月13日）、内藤礼展「地上にひとつの場所を」（会期：1991年9月2日〜10月12日）、デュイ・シイド展「肉体と社会」（会期：1992年2月12日〜3月21日）

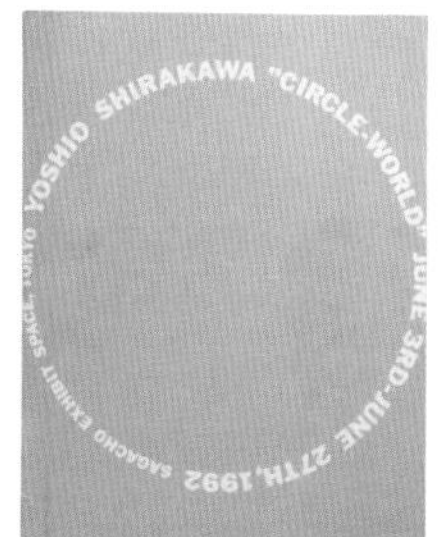

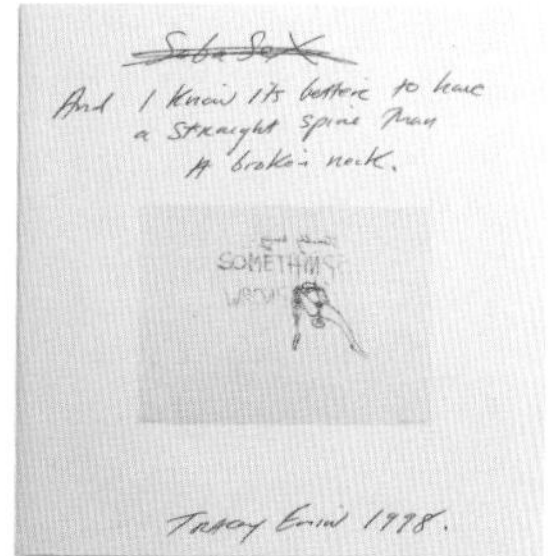

白川昌生展「円環―世界」（会期：1992年6月3日〜6月27日）、「駒形克哉展」（会期：1992年9月4日〜10月3日）、「出光真子・中辻悦子展」（会期：1995年9月12日〜10月10日）、「SOSIE」（会期：1996年5月27日〜7月21日）、ダニ・カラヴァン展「シャマイム　空　水はそこに」（会期：1996年9月30日〜10月27日）、トレイシー・エミン展「SobaseX　私は怖くて濡れている。」（会期：1998年10月10日〜11月14日）

4

1936〜59年

戦争と自由のはざまで

四番目に生まれた女の子だけれど、一子。なぜ一子と名付けたのかと、それとなく親に聞いてみたこともあったけれど、なんとなくはぐらかされたままだった。

昭和11年、教育学者、矢川徳光[*1]の家に生まれた。一子を出産してまもない日赤の病室で、母、民子は二・二六事件の出陣の音を聞いたのを覚えている。父は当時写真に凝っていて、愛機のライカは家族に焦点を絞り、生まれたばかりの一子は格好の被写体だった。五人姉妹で、一番上の姉と下の妹では14歳違う。世田谷の新町、同潤会の住宅地に暮らす仲のよい家族だった。

*1 **矢川徳光**（やがわとくみつ）（1900年〜1982年）教育学者。長崎県生まれ。京都帝国大学文学部英文学科卒業。戦前は日本大学工学部予科教授などを歴任。ロシア語を独学で学び、ソビエト教育理論や実践を紹介。1960年以降、ソビエト教育学研究会会長を務める。論文はもちろん、著書、訳書多数。

父もカメラが好きだった。ライカ、コンタックスを愛用し、現像も自分でやっていた。写真家としてのペンネームをつくりカメラ雑誌に投稿をくり返していた。私の幼いころの記憶には、お風呂場の前の脱衣室に置かれたホーローの大きなプレートが、独特のにおいを放っていたことが残っている。今でもあの現像液のにおいをかぐと、一瞬ふーっと別の次元へ、過去へつれもどされるような感じがある。プルーストのマドレーヌのような高雅な世界ではないが。

一九三〇年代後半、私が生まれたころが父のカメラ好きのピークだった。もう一つの趣味、登山にはカメラの装備を整え、山岳写真を執拗に撮り続けた。そして家では子供の情景をコマ写真で物語ができるほどに撮っていた。時にはファッション写真のようなものも試みていた。

矢川徳光、民子。1970年代はじめ。

「写真、服装、父たちの時代　日本の１９３０年代挿話」『ハイファッション』１９８２年６月号（文化出版局）

自由学園出身の母は村山知義から舞台の薫陶を受けて育ったが、その前衛芸術家仕込みの血を継いだのだろうか、一

矢川の父は、自宅に暗室を持ち、紙焼きもしていた。矢川清という名前でカメラ雑誌に投稿するほどの写真好き。写真は1930年代の世田谷の風景。

子が披露したはじめてのパフォーマンスは6歳。お気に入りのエプロンのポケットにピンポン玉をしのばせ、「コケコッコー」と鶏が卵を産むしぐさを演じて、皆を楽しませていたものだ。

姉たちと夢中になっていたのは、紙芝居をつくること。トールキンの『指輪物語』など海外文学を題材にしていたのは、六歳上の姉で次女、矢川澄子[*2]の影響があったのかもしれない。物語の絵は長女と次女が担当した。姉たちは絵が上手で、音楽も得意だったから、「あんなふうに絵が描けたらいいのにな」とうらやましく思いつつ、自分はどうかかわろうかと思いあぐねる。そこで一子は、完成した紙芝居を読む係、言葉とナレーションを担当することを思いついた。この頃から何かを演じたかったのだろう、演じることを意識して、魅了されていくはじまりである。「語り部」として、作品を見せるのに最適な舞台を構成するクリエイティブ・ディレクターの才も、ここから芽を出していたのかもしれない。

昭和初期の頃、目白の自由学園のすぐそばに、祖父が医院を経営していた。その周辺に母方の親族が暮らし、子どもたちは隣の家に自由に出入りするような大家族的雰囲気に包まれていた。伯父、小池四郎[*3]はリベラリストから衆議院議員を経て国家社会主義思想の指導者となった人で、クララ社[*4]という出版社を興している。洋裁の得意な伯母・元子は、四郎と下落合に興したクララ洋裁学院で洋裁を教えていた。矢川家の姉妹たちは二人から父母同様の愛情を受けて育ったが、とりわけ一子は小池夫妻になじみ、やがて養女に望まれることとなる。一子が7歳の誕生日の折に矢川の父親から書斎に呼びこまれ、「おじちゃん、おばちゃんから、小池の子どもになってくださいと言われたけれど、どうする？」と相談されるのである。父からの話を、「受け入れるのが家族、親類にとって一番いいと7

*2 **矢川澄子**（やがわすみこ）**（１９３０年～２００２年）**
作家、詩人、翻訳家。東京都生まれ。東京女子大学外国語科（後の英文科）、学習院大学独文学科卒業、東京大学文学部美術史科中退。１９６９年頃より文筆活動をはじめ、英仏独の翻訳家としても活躍。１９８０年、信州の黒姫山麓に移住。『ことばの国のアリス』『兎とよばれた女』『失われた庭』などの著書のほか、児童書をはじめとする訳書も多数。澄子は五人姉妹の上から二番目、一子は四番目。

*3 **小池四郎**（こいけしろう）**（１８９２年～１９４６年）**
社会事業家、政治家。衆議院議員。東京都生まれ。東京帝国大学卒業。神戸の帝国炭業木屋瀬鉱業所長となるが退社後東京へ戻り、１９２４年、クララ社を設立。その後、社会民衆党創設に参加、１９３２年には衆議院議員に当選、二期務める。

*4 **クララ社・クララ洋裁学院**
１９２４年、豊島区にクララ社が誕生し、１９３０年代にクララ洋裁学院が

歳の子が判断した。相談する親もすごいな」と一子は後日語っている。

牛込・山伏町の邸宅に移った小池の家にもしょっちゅう遊びに行き、お泊まりをかさねていた。作文好きな子どもで、「ふたりのおとうさんとふたりのおかあさんをもった世界一しあわせな一子より」と小池の家から矢川の家に宛てて手紙を書いたものだから、「へー、おばちゃんの家のほうがいいの?」と姉たちにからかわれたりしたけれど、養女となったことに当時はあまり違和感を感じていない。母同士が姉妹で、伯父夫婦には子どもがなかったから、「四番目が生まれたら、姉さんの家に」という会話が自然に交わされていた様子のゆるやかな環境である。

小池家の養女になるためのお祝いの席。

一子へのお土産として、伯父・四郎がタイから茶色い革靴を持ち帰ったことがある。あまりに嬉しくて、履くことをしないで、1週間のあいだ大事に枕元に置いて眠ったことを覚えている。小さな穴がレース模様のようにみえるTストラップシューズで、足の甲が少し見えるところもお気に入りだった。おしゃれやファッションについてはまだ意識のない時分だが、美しいと思うもののディテールを丁寧に観察する子どもで、そういった性分というものはかわることはないのだろう。

設立される。クララ社の出版物としては『ニジンスキーの舞踊芸術』のほかに、アプトン・シンクレア、マーガレット・サンガーなどの翻訳本や小池四郎の著書もある。1936年に雑誌『洋裁春秋』を創刊。その後下落合に移転し、出版を手掛けるクララ社は「洋裁春秋社」に改名する。

「クララと戦争」

●キャプションに代えて

立花文穂の『クララ洋裁研究所』の出版は作家本人と資料を託した小池一子の予想すらしなかった愛され方で若い人たちに広まっていった。消えていくものは美しい、としても消すのが戦争ということは二度とあってはならない。クララについては言いたいことがまだあると思っていた小池と立花が広島という符号で一致している。

『球体』號外　小池一子　立花文穂・著
２０１４年９月25日（球体編集・発行）

本書編注
２０１４年９月東京にて開催されたグループ展「反戦　来るべき戦争に抗うために」に小池は、アーティスト立花文穂と「小池一子立花文穂」名義で参加する。展示では立花が以前から発行する雑誌『球体』號外として「クララと戦争」と題された大判ペラが積み上げられた。先の文章は本紙に掲載された一文。キャッチコピーには「ARS LONGA VITA BREVIS（生命［いのち］みじかし　藝術はながし）」と記されている。立花はクララ洋裁研究所の活動に深く興味を持ち、２０００年に『クララ洋裁研究所』（バーナーブロス）という作品集にまとめている。

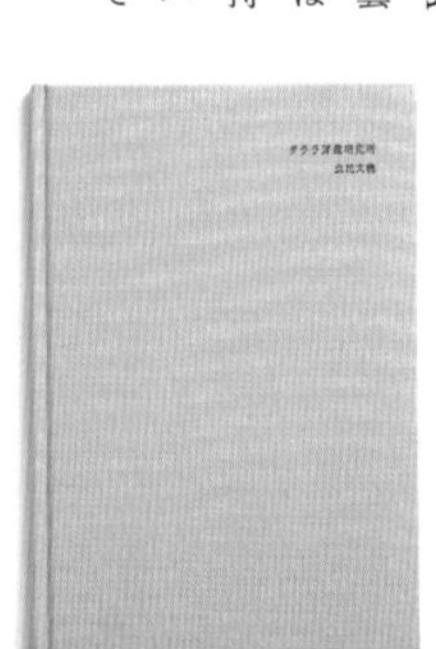

だが太平洋戦争勃発が家族の団欒をかえてしまう。個人疎開として伝手（つて）のある家族は子どもを東京から地方に避難させよという方針を政府が打ち出した。集団疎開という小学校学童全体の避難がはじまるまえに、一子は姉妹を離れ、小池家の養女として静岡の函南（かんなみ）に

疎開することになるのである。

父・小池四郎が函南の山あいに創設した施設、綿花栽培研究所は綿の栽培とその指導者を育成するための機関であったが、日本軍が侵略した外地において綿栽培を未来事業として興す、つまり宣撫（せんぶ）工作としての指導者を育成する場であった。

この施設にあった住居施設群はコロニアル様式を取り入れた和洋折衷スタイルで、中には洋館を移築したかのような家もあったから、山の懐にこのような瀟洒な空間が存在する様に少女の心はときめいて、空想の世界で羽根を広げて飛来する楽しみに耽っては、心細さを紛らわせていた。

家では母・元子がパンを焼き、羊のミルクとともに洋風の朝食がテーブルに並んでいた。ハイカラな家に突然やってきた早熟な子どもの存在は、地元の子どもたちにしたら異星人のごとく映ったかもしれない。彼らから「もらいっ子」とあしざまに言われたものだから、一子ははじめてのことにひそかに驚いた。

普通とは違った家庭環境だったとはいえるけれど、言われるまでは気にしたこともなかった。では、〝普通〟とはなんだろう。意味をなさない基準は、比較することで生じるだけである。一子がことさら気に留めることがなかったのは、人とくらべるということがなかったから。今もなお、くらべることをしない。旧約聖書でヘビの術中にはまったアダムとイブは比較する心を植えつけられ、ここから人間のかなしみが生まれたのだとされている。

「16ページの5行目から8行目まで」

教科書を広げた教師が涙ながらに墨筆を持った函南小学校の教室の光景を、一子は今も忘れることができないでいる。生徒らは言われるがままに、該当文字を墨で塗りつぶし、

1944年、姉・澄子が扁桃腺手術のため広尾の病院に通っていたときに父・矢川徳光と選んで、疎開先に送ってきてくれた本。戦争に入る家族の肖像のようなエピソード。川上澄生・著『明治少年懐古』。

軍国主義や戦意を鼓舞する内容は真っ黒に覆われていった。5年生の夏、玉音放送が戦争の終焉を伝えてすぐのことである。

終戦を迎えたが、小池一家はすぐには東京に戻らず、伊豆に居を構えた。東京政界復帰に備えていた父・四郎だったが、風邪から肺炎を患ってまもなく、元子と一子を残してこの世をあとにする。天に召されるにはあまりにも突然のことだった。四郎は自らの著作のみならず、文化、社会の発展に寄与した人々の著作を日本に導入すべく、自ら興したクララ社で精力的に翻訳、出版に尽力していた。出版することに留まらず、装幀、ロゴタイプまですべてを四郎が手掛け、休むことなく未来への啓蒙を続けていたのである。また、これからは経済的にも自立した女性の時代が到来すると予測していたから、洋裁学校を設立し、服飾専門誌の刊行ともども、母・元子に託し、女性が活躍できる土台をこしらえていた。

「モードの急所を視（み）つめて下さい」

「戦時洋裁心得帳　数少い服装で色々と賑かに見せる秘法」

「パリッ子らしい好みのきもの」

四郎と元子が主筆と監修を手掛けていた服飾雑誌『洋裁春秋』のバックナンバーから、ファッション写真とともに綴られていたこうしたコピーを、一子は慈しむように拾い読む。

一子、5歳頃。雑誌『洋裁春秋』のために小池元子手製のドレスを着たモード写真。福岡からきた美女の内弟子さんと。

この二人の生き方もかなり傑作だった。議論好き、政治好きの父が出版社と学校をつくり、その企画やカリキュラムを母に任す。服飾の分野を選んだのは、

クララ洋裁学院の雑誌『洋裁春秋』。戦争が始まると明らかに表紙の様相が変わっていく。

女が仕事をするのに一番入りやすく、また未開拓のジャーナリズムという面白さが父には見えたのでもあろう。

「洋裁春秋」は一九三六年創刊。一九四一年に「服装の科学」という誌名に変わり、四三年一二月で廃刊に追いこまれた。服装の科学などという振りかぶった誌名とした背景には主筆の義父、四郎の苦衷が感じられる。彼はサンガー夫人の産児制限運動を推進したり、「ニジンスキーの舞踊芸術」などを出版したり、母の学校の命名からしてアッシジの聖クララや英語の先生の名にあやかってクララ洋裁学院としている。それが戦争の勢いが強まるにつれ、国家社会主義のイデオローグとなっていく。（校名も小池洋裁学院と変わった）それでも服装という分野から女性の解放を願った立場だけは捨てず、国防服などというものを奨めるようになってからも、独特の正当化をしつつ、女性に現代的な服装をすることを語りかけていた。戦争と服装というテーマは私がこだわっている一つのことなのだけれど、もう紙数がつきてしまった。

「写真、服装、父たちの時代―日本の１９３０年代挿話―」
『ハイファッション』１９８２年６月号（文化出版局）

小池四郎はこの先にどんな世の姿をみていたのだろうか。彼の残した本を手繰(たぐ)りながら、一子としてもたしかめる術(すべ)なくとり残されてしまった。それでも、社会のために働き、先を見据え、道なき道を形成しようと進む二人の気質は、紛うことなき親子の証なのである。

残された伊豆、伊東の家は母と祖母の三人暮らしだったが、東京から客人が出入りする

クララ社の出版物の一つ『ニジンスキーの舞踊芸術』。憧れて育った本。1924年刊。

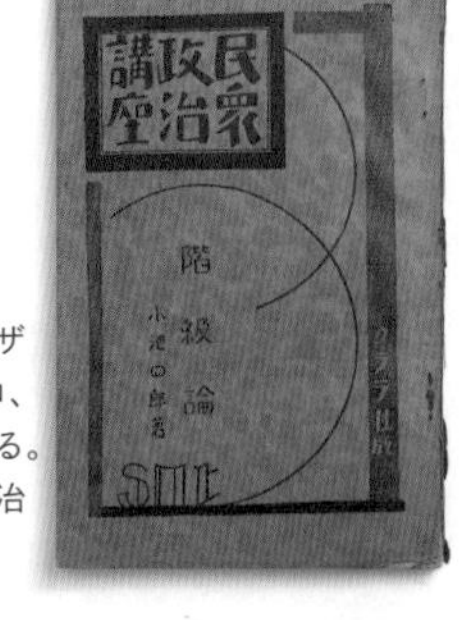

父・四郎は書籍、雑誌類のデザインも手掛けた。アールデコ、モダニズムの粋を吸収している。自身の著書『階級論 民衆政治講座 No.21』1930年刊。

ことも多かった。なかでも少女一子に濃厚な印象を残したのは、画家の三岸節子である。当時、別居婚で騒がれていた画家・菅野圭介との関係についての話は、伊東温泉にあったある出版社の社長の別荘の大浴場で聞かされて、援助者の好意にも平然としていた三岸の独立した女のイメージが湯気とともに脳裏に焼き付いた。風変わりな大人たちに囲まれて、早熟な少女は伊東での小学校生活を卒業する。

聖書はさまざまなイマジネーションを育み、賛美歌のハーモニーは脳を刺激する。キリスト教は情操教育にふさわしい。母・元子の希望から一子は東京の恵泉女学園中学に進学する。聖書と園芸を主軸に独自の教育方針を掲げた中高一貫校で、メイ・クイーンやサマーキャンプをはじめとするクリスチャン・スクールのカリキュラムは少女の好奇心を飽かすことはなかった。教師陣もユニークで、なかでも、授業中ずっとおしゃべりしていた一子と美術教師との応酬は忘れられない。

「おまえは絵を描かないのか」

「子どもの頃に、絵の上手な姉たちに太刀打ちできないと思ってからは、絵を描けないのです」

じゃあ、やりたいように。すんなりと放任されたものだから、一子はしばし考えた。

「明治神宮の菖蒲が5月に咲くのですが、皆でスケッチに行くのはどうですか」

学校を飛び出して写生会に出掛けるプランを伝えると、その美術教師はおもしろがって賛同してくれた。絵を描くことを強要されなかったことは、一子の心に特別な気分を植え付ける。さらに、仕込み人として皆を楽しませた経験は、プロデューサー、キュレーターとしての小池一子の素地をつくったのかもしれない。

絵は描かなかったものの、言葉を綴ること、舞台をつくって表現することに興味を持ち、演劇をはじめたのもこの頃である。しかし女子だけの演劇部で表現する世界に、閉塞感が募りはじめた。一子は教師に直談判して、同じキリスト教教育に根ざす男子校、明治学院高校の演劇サークルと共同で活動できるようにと許可を得て場をととのえた。両演劇部を集めた作業は順調に運び、公演が成功を遂げると演劇への興味は募るばかりである。

明治学院の演劇部を率いていた演出家の生徒は東西の演劇に詳しく、よく一緒に舞台を観に出掛けて、演劇の魅力をわかち合っていたが、一年先輩であった彼は、早稲田大学の演劇科に進学するという。一子も同じ門をくぐり、さらに演劇の世界に浸りたいと考えるようになる。

念願を叶えた大学入学後、しかし一子は高校演劇の指導者であった彼に反旗を翻（ひるがえ）すことになった。芸術至上主義であった彼の思想は、一子が描いた社会へのアプローチのある創作劇の世界とは違っていたのである。

「もっと社会に根ざした演劇をしたい」

入学した早稲田の文学部には当時、美術科と演劇科があったのだが、浮世絵物語をつくってナレーションをする美術科の授業に参加するなど、独自に創作できる環境を模索していた一子は演劇科だけに留まらず、演劇科2年を終えると今度は、英文科2年へと転科を果たしている。そのあいだも一子は創作意欲を高めて、自分が求める演劇に打ち込める場所を探し当てていた。

早稲田の「自由舞台」*5はプロ並みの活動が注目される学生劇団で、その開かれた世界観に一子はすっかり夢中になっていた。大学5年間在学中のほとんどの時間をこの自由舞台

1955年、卒業後に母校・恵泉女学園にて同級生たちと。共学である早稲田大学に心躍らせて通っていた頃。一子は左から2番目。

*5 **自由舞台**
戦後まもない1947年に早稲田大学内で設立された学生劇団で先鋭的な舞台に挑み続けた。秋浜や渡辺ら小池の同期が卒業した後も、1969年の解散までに、風間杜夫、大和田伸也など多くの才能が集まった。

1971年制作の秋浜悟史「冬眠まんざい 鎮魂歌抹殺」オフセット印刷のB1ポスター。アートディレクション：田中一光。 所蔵：DNP文化振興財団

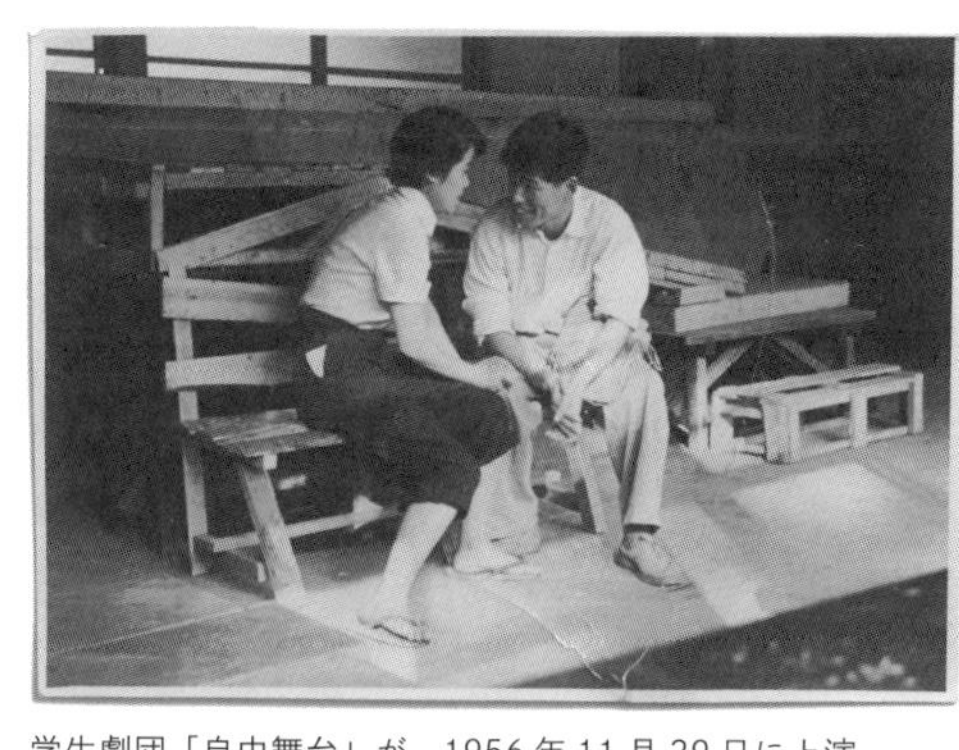

学生劇団「自由舞台」が、1956年11月29日に上演した、秋浜悟史作・演出「火の歌」の一場面。岩手の戦後の農民運動を描いた作品。早稲田大学・大隈講堂にて。

に捧げ、チェーホフやゴーリキーの作品上演に没頭する。演出助手を志願していた一子だが、病に倒れた女優の代役として、急遽主役を務めることもあった。戯曲はもちろん、音楽も美術もコスチュームもすべてについて理解が必要だったから、服飾の本を読みあさったり、翻訳を手伝ったり、見聞を大いに広めた時期でもある。翻訳に手を染めてから「言葉」の魅力にひかれ、言語の大海原へ身を投じていくことになるのも、自由舞台での活動が根幹にある。

自由舞台の同期には秋浜悟史[*6]や渡辺浩子[*7]、下級生には別役実、鈴木忠志、加藤剛、山口崇などの才人が集い、新たな土壌を耕すごとく芝居の未来に臨んでいた。なかでも岩手県渋民村出身の秋浜悟史の偉才ぶりは際立っており、その才能に惚れた一子は後に、秋浜の戯曲集『東北の四つの季節』を田中一光に紹介して自費出版するほか、上演ポスターも制作している。

英語の戯曲も数多く読んだ。好きだったのはアメリカの現代劇で、ソーントン・ワイルダーの『Our Town』、『Long Christmas Dinner』だが、

*6 **秋浜悟史**（1934年〜2005年）劇作家。岩手県生まれ。早稲田大学文学部卒業後、岩波映画製作所でシナリオライターとして在籍しながら演劇活動を続ける。1962年「劇団三十人会」を主宰。1994年、全国初の県立劇団「兵庫県立ピッコロ劇団」を創立、代表に就任。また、大阪芸術大学で教鞭を執り「劇団☆新感線」をはじめ多くの才能を育てる。岸田國士戯曲賞などの演劇賞、文部科学省地域文化功労者など受賞多数。

*7 **渡辺浩子**（1935年〜1998年）演出家。早稲田大学時代に「自由舞台」で演出を担当。卒業後の1959年、「劇団民藝」に入団。演出家としてベケットなどを導入する傍らミュージカルの翻訳・演出も手掛ける。1961年から2年間パリに留学し、「ジャン＝ルイ・バロー劇団」で研修。帰国後も幅広い戯曲を手掛け、1965年「ゴドーを待ちながら」で演出家デビュー。日本と海外の作家による多数の作品の舞台化を果たした。1996年に初代新国立劇場演劇部門芸術監督に就任。

社会主義リアリズムへも傾倒する。また、当時の自由舞台ではついぞ上演することはなかったが、シェイクスピア研究にも執心しながら、一方では創作劇を至上の仕事として打ちこみ、演劇を通して世界のさまざまな視点を自らの内にとりこんでいた。自分で世界を解明したいときに、ジャンルとして美術や演劇があった。そこに飛びこめば世界がわかるはずだと思う入り口である。

「私たちはこの世界に生を受け、そこから人間のさまざまな関係が生まれてきたり、もっと形而上的な刺激や考え方と出会ったり、非常に多くの疑問や悩みが出てきたりもします。私はそうした〝人間の環境〟にすごく興味をもっていて、中学、高校、大学を通してずっと演劇に関わってきました。というのも、ギリシャ悲劇に始まり、シェークスピアやチェーホフもそうですが、それぞれの考える人、書く人によって世界の見え方がぜんぜん違うことに気づいたからなんですね。非常に大きな理念で世界を捉える人もいれば、チェーホフのように、非常に小さなことをじっと見つめ続けて人生の真実に届くような人もいる。そういういろんな世界を端的に見せてくれるのが演劇でした。

もうひとつ演劇を続けた理由は、チームワークが好きだったから。〝世界＝人間の環境〟を知るという意味では、演劇作品をつくっていく〝場〟がそのまま世界の縮図になっています。演出家がいて俳優がいて、舞台装置家や照明家がいる。そういうプロダクションの魅力があるんですね。（中略）私はそうしたことをまず演劇で学びました。もっぱら裏方の〝仕込み〟専門で、たまに舞台に立っても女中役だったりでしたが……（笑）。〝仕込む〟ということは何かを意図することですから、それこそデザインなんですよね。」

小池一子・巻頭インタビュー　武蔵野美術大学　大学案内２００５

1980年8月号『太陽』（平凡社）にて、姉の矢川澄子と。
撮影：山口大輔

活気に満ちた学生時代を過ごすも、卒業が間近に迫ってきた。卒論はシェイクスピアの「オセロ」を選ぶ。スタニスラフスキーというロシアの演出家の上演プランが英文出版されたのを知り、同書の読破が卒論の中核をなしていった。ニューヨークとハリウッドでスタニスラフスキー・システムが迎えられたまさにその時期のことである。親友の渡辺浩子は卒業後の進路に劇団民藝[*8]入りを希望し、将来を演劇に捧げる道を選んでいた頃、一子はといえば、舞台装置や美術表現に興味はあったけれど、この先を演劇に向かうかどうかを決めかねていた。就職活動をすることは考えることなく、もっと自分にしっくりとくる現場がどこかにあるはずだという感覚を頼りにしながら、同様に独立心のある劇団の先輩に惹かれて、学生でいるあいだに結婚をする。

そんな一子の様子を眺めていた姉・澄子は、友人の堀内誠一を一子に紹介する。堀内がどんな仕事をしているかも知らず、訪れた堀内の自宅のスタジオからはジャズの音があふれていた。

*8 **劇団民藝**
１９５０年4月、民衆芸術劇場を前身とし、滝沢修、清水将夫、宇野重吉（じゅうきち）、岡倉士朗らによって創立される。１９５０年代末、日本で初めてソビエト現代演劇を上演するなど、現在までに創作戯曲、海外戯曲を問わず大衆劇や実験劇など多くの作品を上演。１９５９年法人化し、現在は１８０名ほどのメンバーが集う。

二つのせりふ

小池一子

PARCO出版

いまさらチェーホフか、いまこそチェーホフというべきか。春先にふとしたつむじ風が吹いた。

ことの起こりは、二十何年ぶりに大学時代の仲間が集まったことに始まる。え、もう二十年以上、と考えるわけでも立ちすくむような思いがあって、その連絡を受けた時は、おじさん、おばさんとなったであろう顔など見る気もしないと反撥した。だが一方で、一度だけ人々の現状を見てみたいという気持も強くなった。

その人々とは、大学の劇団で学生時代のほとんどを一緒に過ごした芝居の一味であり、劇作劇をつくったり、地方公演に出かけたりというセミプロ的な活動を共にした仲間だった。そのまま映画や演劇の専門分野に進んだ人たちの中には玄人間に名の通った俳優や演出家も多く、それらの顔が一堂に揃ったらさぞ壮観だろうという興味もなくはない。だが、学生時代の何倍もの時間を別々に生きている彼ら、ヤアヤアと顔をあわせ昔話にふけるようなことは私の趣味ではない。いつも同窓会というたぐいの案内を受けとるたびに私は戸惑うのだ。生きてきた時間のテンションが合うならばいいのだけれど、と。求めて会うからこそ今の人間関係があるのに、昔知っていたということが何ほどの意味をもつのか、と思う。

今回は年下の連中に新しい仕事を興したいというグループが現れ、賑やかな誘いにつられてでかけることとした。会場は新宿のホテル

PARCO出版

の地下で、ふだんはカラオケ酒場らしく、かつてアコーディオンで芝居の主題歌や愛と革命の歌などをうたっていた人々の、すんなりカラオケを楽しんでいる姿が流れた時間をかえって強く感じさせた。

かわるがわるにマイクが手渡され、たくさんの言葉が交わされた。テンションが合うかなどと思ってきたのが当方の固さと知り、ただすら飲み続けていた私の耳に二十年ぶりにきく声がとびこんできた。

「ヴァーニャ伯父さんの最後のセリフがKちゃんの声で体に入っていて、その時それが響いたんだ。」

ら"生きていかなければ"と、チェーホフがソーニャに言わせたセリフのことを指しているのだ。主演女優が稽古中に倒れ、演出助手をしていたKちゃんと私に突然代役がふりむけられた。自殺すら失敗した伯父と二人の生活に耐えることを決意したソーニャが言うのだ。「生きていかなければ。」

あの頃、この言葉への理解度がどれほど私にあっただろう。今の私には、このせりふは堪えがたいほど重い。ぶにはどうだったのだろう私と同じように、あの頃はイノセントにせりふに触れていたのだろうか。もしや、その、私の声が響いたという瞬間は社会人になってからのぶの、危機ででもあったのだろうか。

会合のあと、二日ほどしてぶから手紙が届いた。最近の仕事である長編記録映画の案内に添えて一言、書かれていた。

「三人姉妹のイリーナの働くわ」のせりふをKちゃんの声で入っていたことに驚いています。
私自身、ついに離れることのなかった二つのせりふを、別の人生を持つ男が反復している同じ関心に結ばれることもまた、愛だ。

PARCO出版

80年代はじめに執筆された未発表の手書き原稿。

COLUMN−1

住まい

流れる時間と生活

小池一子

1950年代〜1960年代

私の確かな記憶は、クララの洋館の瓦礫（がれき）が残る土地に小さな家を建てようと打合せをはじめる母の姿と共にある。

文字どおり物資のない時代に、大工さんと相談して母がつくったのは6畳の和室と小さなダイニング・キッチン、そして広い洋間が洋裁の教室のために用意された簡素な家だった。北側のアプローチから洋間に両開きのドアで入るのだが、内側に沓脱ぎの小スペースがあるだけの玄関ロ。それを見すぼらしくさせていなかったのは、30年代のクララのドアが母によって活用されていたからだ

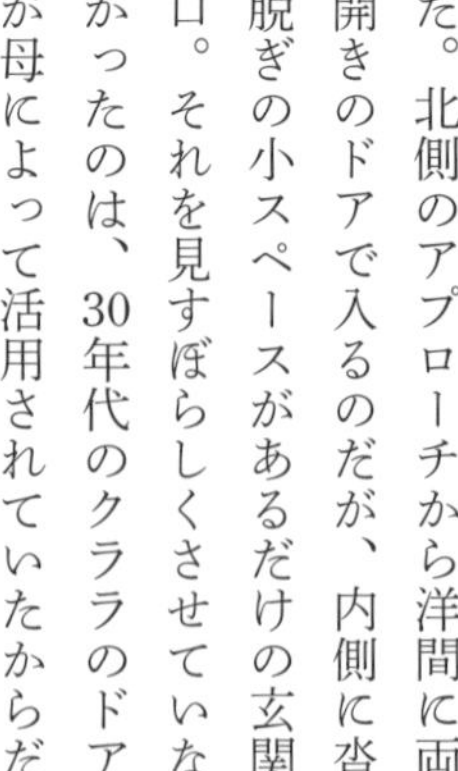

（上・右）1969年～70年頃。『ジャパン・インテリア』に掲載するために撮影された自邸。ビートルズのApple Recordをモチーフに織られた植松国臣作の自慢のカーペットと、リバティの生地を縫った自作のソファカバー。撮影：藤塚光政

った。

１９５５年、敷地の南側が空いているので小さな実験住宅をつくろうという話がもち上がった。私の実姉夫婦の音楽ファミリーが稲田尚之氏に設計を依頼し、ダイニング・キッチンと音楽室の間をペチカが二分する小住宅の誕生を見た。

この建物は、60年代終わりに母屋を撤去して北側に移動するというプランに基づき、一部が保存再生された。

１９７０年代～１９８０年代

足立文夫さんには芸大の建築科在学中に、宮脇檀（まゆみ）さんらと共にわが家に遊びにきてくださったご縁で、小さな手直しを含めて「家」のことについて20年あまりお世話になった。単純な白い長方形の箱という私の

1977年、西側の2階建て（B棟）ができた頃。小池の後ろに植えられた木の枝をつたって、赤塚不二夫から受け継いだ愛猫バーボンが2階の窓からジャンプして出入りしていた。撮影：土方幸男

希望は、鉄骨ALC構造2階建てとなって実現した。1階がキチネットを含むワンルームで、浴室・寝室・書斎を2階に収めた独立家屋である。コピーライターの仕事を本領としつつ、デザインとアートの接点という領域に踏み出しつつあった私自身のキャリアのはじめのころで、仕事仲間とほとんど毎夜、制作・議論・深酒。仕上げは夜更けから朝方までのわが家という生活をここで私は展開するようになった。

母屋との関係をふり返ると、学生時代から一貫して常に私は下宿人のごとく振る舞い、母の生活に依存してきた。1900年生まれで、80歳代後半まで裁断、縫製の現役ドレスメーカー兼教師であったその人は、私の身辺にどのような変化が起きようとも動じず見守っていた。本来、子のいない伯母夫婦の養女という関

係であったため、適当な精神的距離が保てたのであったかもしれないと、今にして思う。

明治の女性は強いなどというが、当然のことだ。富国強兵の施策で遂には敗戦にまで導かれ、日常生活の激変にさらされてきたのだから。だが私が明治生まれのその母との生活に、ほんの一片でも快適さを加えることをミッションとしようと不遜にも思うようになったのは、彼女たち（母と同居人）の晩年を考えるようになってからだ。

具体的には、長命が予測できた母の生活空間と動線を基本として、病いを得ても自宅治療のできる態勢を整えておくことなどを念頭に、母屋へのアクセスをさらに変えることとした。隣接するふたつの建物をつなぐ空間を、リビングルームを広げることでつくり出す。北側の片流れの屋根に南勾配の同量の屋根がかかり、テラスが部屋となり、母屋に向けて開いていたＡＬＣの建物のガラスドアは屋内用の木製ドアとなった。南勾配の屋根につけられたふたつの天窓、庭に面したガラス戸と厚い木製のブラインド仕上げの雨戸の仕様は、この70年代後半の足立さんの快作である。サンルームのような居間で、母はますます元気な80歳代を過ごすことになる。

１９８０年代〜１９９０年代

80年代後半から90年代前半には、佐賀町の維持のための事務所運営に集中して働くという構図が続き、ＡＬＣ棟の手狭さに不満をもちつつ、自分の住空間への欲望は抑え込んでいた。母の動線を変えずに、傷んできた台所と浴室の改装を行ったのもその間のことである。

内藤廣さんとはセゾン美術館時代にいくつかのプロジェクトで出会い、会話の時間と作品を拝見する機会に恵まれるようになった。次に住居を構築するとしたら内藤さんに依頼したいという願望が、徐々に固まってきていた。

１９９７年の晩秋に、97歳で母は他界した。

２０００年〜２００２年

内藤さんのはじめての来訪は１９９８年の秋のことで、その折にＡＬＣ棟へのアプローチとリビングルームからの庭の眺めを気に入っていただいた。私は新築願望も強くもっていたので、そのときの打合せでは、「この部分は残せますかねぇ」などとお答えしたと思う。更地に小さな

集合住宅を建てて収益を図るといった考えも、なかったわけではない。リニューアルのプロジェクトとして取り組みたいと、内藤さんの結論をいただいたのはそれから数カ月後のことだった。

再生されたB棟は稲田さん以来の合わせ梁が、内藤さんの今回の色彩計画の中心をなすグラファイト色に塗られた。黄ばんでいた壁面は真白に、黒ずんでいたフローリングも洗われて白い。随所に活かされた木部の以前からの表情も生き生きとしてきた。そのような空間には、今まで出番のなかった美術作品も生かせるようになった。家人のアメリカの係累から受けついだナバホなど先住民族のカーペットコレクションや、私の1960年代からの発見物なども、水を得た魚さながらの佇まいを見せるようになった。新築のC棟の階段

2000年、建築家・内藤廣の監修により、既存スペースのリニューアルに加えＣ棟が生まれ、現在の住居の姿となった。撮影：新建築社写真部

にはインドのグラフィカルなイカットが収まった。このような〝サイトとアートワーク決め〟の楽しみは、自らのキャリアの中から生まれたコレクションを再確認・再活用することを可能にした。アーキテクトは私のその行動を予想したかのように、いくつものサイトを仕込んでくれている。

このリニューアル・プロジェクトには、関係者のライフスタイル観の一致という通奏低音がある。

『新建築　住宅特集』
２０２０年７月号（新建築社）より抜粋

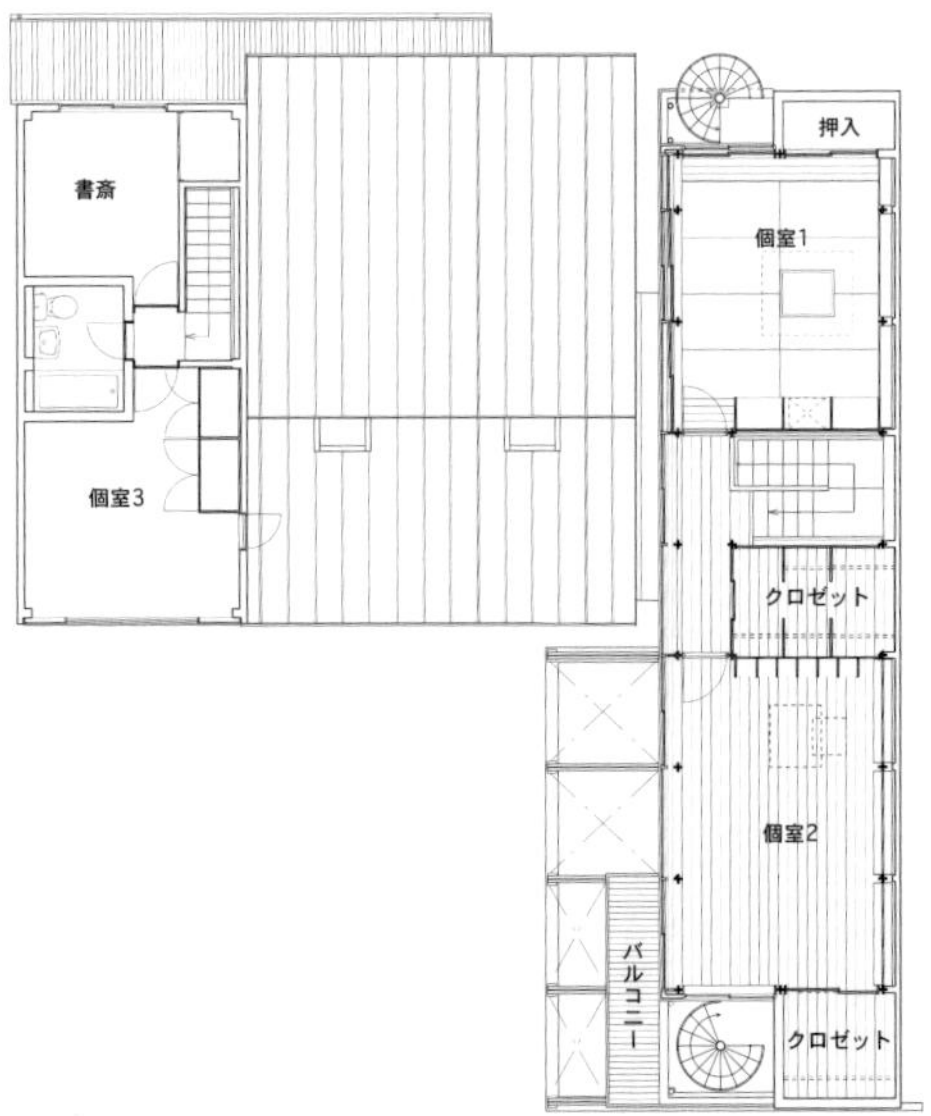

2階平面

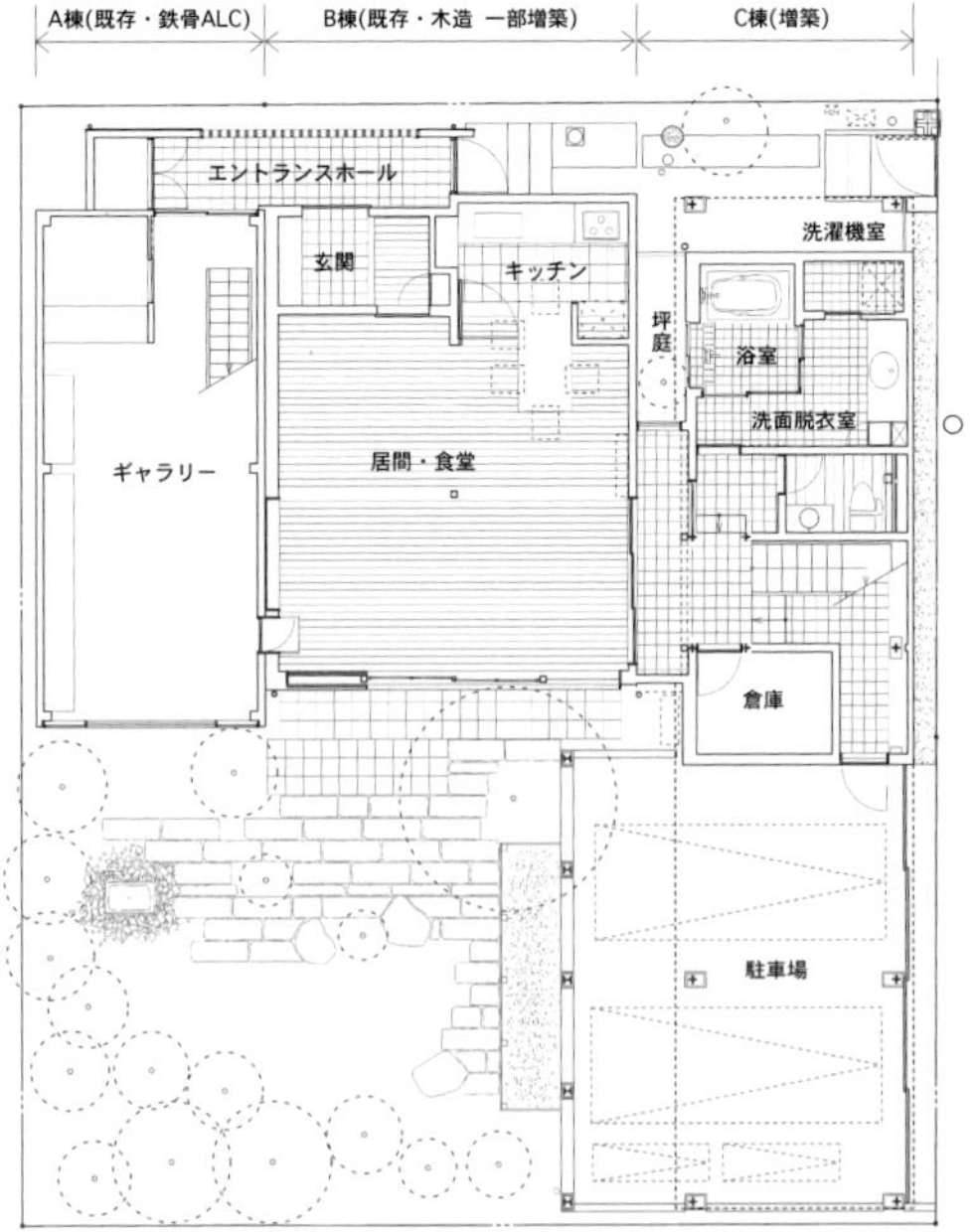

1階平面　縮尺1/200

提供：内藤廣建築設計事務所

目立たず、渋く、いぶし銀

内藤廣

洋裁教育者として著名だったお母様が、大工さんと相談して建てたという木造平屋の住宅の奥に鉄骨2階建ての増築部分がある。木造部分はかなり傷んでいたが、戦後のモダンでハイカラな暮らしが空間に染み込んでいて貴重な文化遺産だ。半世紀の歴史を刻んできた空気が漂っている。これを残さない手はない。この部分を保存修復し、道路側手前のわずかに残された敷地に、鉄骨2階建てで増築することにした。難しかったのは、その下に2台分の駐車場を設けなくてはならないことだった。ある程度スパンを飛ばさねばならない。ご主人のケンさんはバイクと車が趣味なので、ここは必須アイテムだった。近年、倉庫が必要になり、やむなくこの駐車場の一部に増築をした。

Lアングルを組み合わせて十字柱を作り、それにブレーシングを入れて鉄骨造とし、それを角波の薄板鋼板で覆った。オーソドックスで何の変哲もない構成だが、小池さんの自宅なのだから、やはり微妙に他とは違う一工夫が欲しい。道路に面する外壁は、目立たず、それでも存在感のある壁にするために、外壁の鋼板は塗装屋さんに色を調合してもらって微妙に光る鈍い黒の現場塗装とした。

いずれにしても、主役は中央に残された木造部分であり、鉄骨部分はそれをサポートする脇役の位置付けだ。目立たず、渋く、それでもなくてはならないもの、いぶし銀とまでは言えなくても、建物はそんな役割が果たせればいい。竣工後、小池さんの友人の何人かのアーティストがオブジェを置き、インスタレーションを加え、空間に彩りを添えている。脇役はそれらの背景として何とか役割を果たせているようだ。

内藤廣・著『内藤廣の建築 1992―2004 素形から素景へ1』（2013年、TOTO出版）

自宅取材はよく行われる。『家庭画報』2015年6月号（世界文化社）では、アーティスト作品に囲まれた生活の様子が取り上げられた。撮影：小野祐次

『BRUTUS』2016 年 5 月 15 日号（マガジンハウス）。
撮影には、かつて演劇に明け暮れた時分からの旧友・
平野甲賀の息子、平野太呂が担当。

5

1959~80年代

ひとりで歩きだす

60年代の新宿の街はジャズに占拠されていた。文化的な刺激を求める人々、あるいは体制に憤りを感じていた面々はもれなくジャズの虜になり、ジャズ喫茶は若い世代でにぎわっていた。アートディレクターで絵描きとしても活動する堀内誠一[*1]は、なかでも「汀（なぎさ）」を好んだジャズ通で、彼らの事務所、アド・センターはそのほど近くにあった。

「明日からいらっしゃい」

堀内から声を掛けられた小池は、翌日から堀内の秘書として仕事を手伝うことになる。アド・センターは戦後海軍から戻り出版業に着手した起業家の鳥居達也が興した会社で、伊勢丹宣伝課で装飾デザインを手掛けていた堀内誠一をアートディレクター

*1 **堀内誠一（ほりうちせいいち）**（1932年~1987年）
アートディレクター、絵本作家。東京都生まれ。小学1年生で私家版雑誌を作る。1947年、14歳で伊勢丹百貨店に入社。1957年、アド・センター設立に参画。1974年、フランスに移住。平凡出版（現マガジンハウス）時代にデザインした雑誌『アンアン』『ポパイ』『ブルータス』『オリーブ』のロゴは、現在も使われている。絵本作家としても多くの名作を残す。

に迎え、広告をはじめ雑誌の企画・デザイン・編集を手掛ける、クリエイティブ・スタジオと呼ばれる集団の先駆けであった。クリエイターという呼び名もない頃のこと、新進写真家の立木義浩[*2]も在籍するこのスタジオは、得意分野で腕試しに挑む、新しい才能が集う場でもあった。

個性豊かな人物が集うのは何も仕事場だけではない。実家で暮らしていた小池が家に戻ると、母の友人である作家の野溝七生子（のみぞなおこ）がしょっちゅう母を訪ねて来ていた。野溝のパートナーがモテて困る、といったのろけ話のような愉快な愚痴を聞くことを楽しみにしていたのだが、その野溝がホテル住まい、という部分にも小池は惹かれ、彼女の真似をしてホテルで自らを缶詰にして仕事をしてみたこともある。野溝のような独立した女性像を間近にして、「結婚しなくてもいいんだ」と自由主義に基づく生き方に影響を受けて、実存主義に迫っていくと、ジャン＝ポール・サルトルやシモーヌ・ド・ボーヴォワール、カミュなどの思想家に辿り着くのであった。

小池がアド・センターに入社した1959年は、勝見勝（まさる）、柳宗理、亀倉雄策、丹下健三らが中心となり、世界27か国のデザイナーや建築家を招いた世界デザイン会議[*3]が開催された年である。「デザイン」という言葉が社会的に認知され、グラフィック、建築、クラフトなど各デザイン分野が横に連携をとり、国際的にもつながりを持つ契機となった。

当時の日本は高度経済成長を迎えた頃で、広告や出版業界の景気指数は鰻上りを続けていたから、アド・センターにも膨大な企画が押し寄せていた。化粧品の広告から

*2 **立木義浩（たつきよしひろ）（1937年〜）**
写真家。徳島県生まれ。1958年、東京写真短期大学卒業後、アド・センターに参加。1965年に『カメラ毎日』の巻頭写真が注目を浴び、1969年、フリーランスに。以降、広告、雑誌などで活躍する。

*3 **世界デザイン会議**
World Design Conference
1960年5月、日本初の国際デザイン会議として、27か国から200名以上の建築、グラフィック、インダストリアル、クラフト、インテリアの各分野のデザイナーが東京に集った。「WoDeCo」の通称で知られる。海外からはハーバート・バイヤー、ブルーノ・ムナーリ、ルイス・カーンらも参加。

雑誌の記事やコピーまで、スパルタさながら過酷に訓練を積んだ小池はもはや秘書ではなく、即戦力のクリエイターである。堀内のデザインと助言を求めて訪れる多士済々、奈良原一高、佐藤明、東松照明などのフォトグラファーから受ける刺激は格別なものがあったし、無から有を生み出す現場での学びと実践は心地よくさえ感じられた。すべては堀内学校の自由なゆりかごに揺られながら。

ファッションがこれからの産業で重要な役割を果たすと考えていた鳥居の発案で、週刊誌に向けたファッション・ページを制作するや大きな反響があった。「ウィークリー・ファッション」と銘打ったその連載企画は、堀内のアイデアと立木義浩の美しいファッション写真でストーリーを描くように巧みに構成された、斬新なファッション・ページである。小池はここでファッションの奥行きを描くテキストを担当した。写真のライブ感と知的好奇心をくすぐる内容はこれまでにはない温度を放ち、それ以降のエディトリアルの分野に変革をもたらすことになる。こうした実験的なエディトリアルの試みは、堀内誠一がこのあと手掛けていくことになるマガジンハウスの雑誌群の基盤であったといえるだろう。

クレイジーともいえる多忙さのなか、記事執筆からファッション・コーディネートまで、広告、編集の手習いのあらかたを会得したと感じた小池は、更なる高みを目指したい。編集、執筆の仕事はおもしろかったが、もっとビジュアル表現に寄る仕事を

『週刊平凡』「ウィークリー・ファッション」1960年6月15日号より。小池が初めて編集・ライターとして担当した仕事。平凡出版（現マガジンハウス）が1959年5月14日に創刊した『週刊平凡』の1号より連載。アートディレクション：堀内誠一、写真：立木義浩。

手掛けたいと思っていた。思案しつつ目配りすると、コピーライターという仕事に辿り着く。時は広告が世間をにぎわせはじめたあたりで、銀座にはすでにライトパブリシティ[*4]があり、日本デザインセンター[*5]が創設された頃であった。ここからいよいよ広告デザイン業界が隆盛を極めるのである。

そんな折、久保田宣伝研究所（現・宣伝会議）がコピーライター養成講座を開講しているのを聞きつけ、昼はアド・センターで働きながら、夜は講座に通い、寸暇を惜しんでコピーライターとしての技能を学びはじめた。言語の深遠さを知ってしまってからは、言葉を仕事として立ちたいという思いがますます募っていく。

「フリーとしての立場で、コピーライターの仕事をはじめたい」

会社員としての安定した身分を捨て、夫という伴走者とも別れ、先行きは不安定だが可能性を感じる未来を選んだのである。小池25歳、新たな船出を決意する。

フリーランスとして活動をはじめた矢先、大学の演劇仲間であった高野勇から、「何かおもしろいことを一緒にやろう」と声がかかり、二人でプロダクションを興すことにした。才能の「才」と動物の「犀（サイ）」を掛けて、事務所名を「サイビューロー」と名付ける。どんな環境にいても迷うことなく直進する動物として釈尊がたとえた動物がサイであるから、小池の気分にぴったりだ。アド・センターで仕事をはじめた頃からの友人であるイラストレーターの和田誠[*6]が、新事務所のためにサイの絵を描いてくれた。

アド・センター時代、「東京藝術大学からグラフィックデザインのすごい才能がでた」という話で盛り上がったことがある。藝大三羽ガラスと言われたデザインの雄は、

*4 **ライトパブリシティ**
1951年、日本で初めての広告制作会社として、名取洋之助が主宰していた日本工房に在籍していた信田富夫、村越襄、波多野富仁男が設立。小池とも交流のある、田中一光、浅葉克己、和田誠、山下勇三なども在籍経歴がある。

*5 **日本デザインセンター**
1959年、亀倉雄策、原弘、田中一光、山城隆一を中心に、「新しいデザインの時代において、各社の宣伝部を共同で持つ」を趣旨に、トヨタ自動車、アサヒビール、野村證券など8社の出資により設立された広告制作会社。

*6 **和田 誠（わだ まこと）（1936年〜2019年）**
イラストレーター。大阪府生まれ。多摩美術大学卒業。1959年ライトパブリシティにデザイナーとして入社し、翌年、たばこ「ハイライト」のパッケージデザインが採用される。1968年よりフリーランス。1977年から『週刊文春』の表紙を手掛け、書籍の装画、著書も多数。出版した書籍は200冊を超える。また映画にも造詣が深く、4作の監督作品がある。

福田繁雄、仲條正義、江島任[*7]で、なかでも江島に早速白羽の矢を立てた鳥居はアド・センターに彼を招き、よく仕事を頼んでいた。

誰をも圧する才を備えるが気難しくもある、とは仕事仲間の江島評だったが、小池は江島にコピーを見てもらうことが多く、職人気質なところも含め気の合う相手だった。その江島から、「一緒に会社を」という誘いがあったので、サイビューローに江島をアートディレクターとして迎え、三人で新たな会社を立ち上げることにする。これからはコミュニケーションやコマーシャルの仕事が求められると見込み、コマーシャルとアートを合わせた造語から、事務所名を「コマートハウス」と名付けた。

江島の手腕は業界でも評判で、文化出版局の名編集長、今井田勲の希望により江島は文化出版局のアートディレクターに就任する。コマートハウスでも、小池は『装苑』別冊の企画編集、中吊り広告をはじめ文化出版局の仕事を多く手掛けるほか、江島から容赦ない量のコピーライトを任されるスタイルは相変わらずであった。

アド・センターの仲間から西武百貨店系列のカタログの仕事を紹介されるほか、小池はさまざまな仕事に奮闘する。より早く書くための訓練として交通公社の案内書を手掛けたときは、旅館案内のコピーを同じ言葉が重ならないよう努めて、一晩に100軒ちかく書くことに勤しんだ。積み上げた山々をクリアしていくと、気づいたことがある。コピーライターとしての表現よりも、その産業や商品の成り立ちや構造に興味を持ってしまうのだ。物事を掘り起こすことに喜びを見いだす自分は、コピーライターよりもプロデューサーの気質が勝っているのではないかと、漠然と感じはじめていたのである。

*7 **江島任**（えじまたもつ）**（1933年〜2014年）**
アートディレクター。東京都生まれ。東京藝術大学在籍中から多くの賞を受賞。1957年、雑誌『装苑』編集部属託、1961年、江島デザイン事務所を設立し、雑誌『ミセス』創刊からアートディレクションを担う。1968年、男性雑誌『NOW』創刊からアートディレクションのみならず編集にも携わる。以降、『週刊文春』『諸君！』『PLAYBOY日本版』など多くの雑誌のアートディレクションを手掛ける。

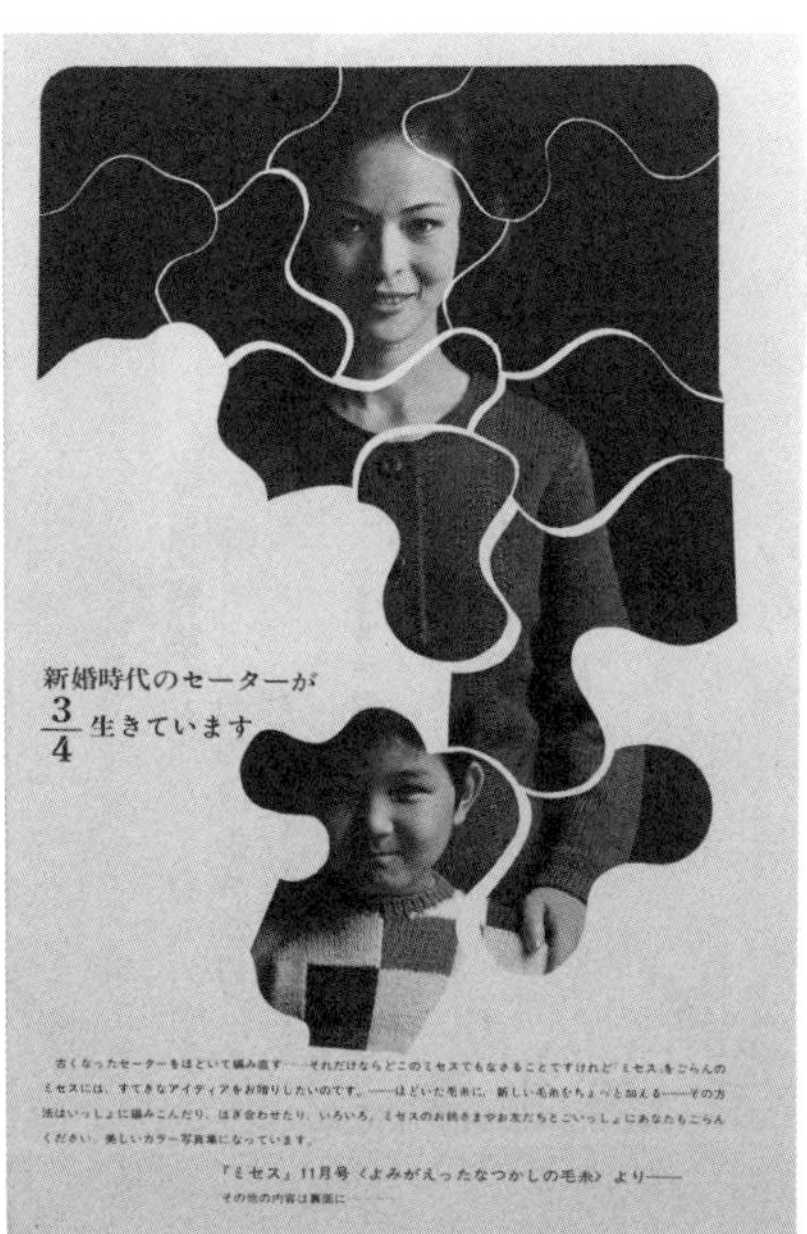

1961年創刊の『ミセス』（文化出版局）のための広告ページも江島任と手掛けた（掲載図版は1965年11月号）。

1966年9月号臨時増刊『装苑』「あみもの集」（文化出版局）は、特集全体で編集を請け負った一冊で、アニマル・ニット（ゼブラ）（左ページ）を創案し、桑田路子に制作を依頼。

ファッションはまず背広軍団の追放から

小池一子

一枚の写真から話を始めよう。

文金高島田の新婦と正装した新郎がよりそって収まっている、結婚の記念写真。典型的な日本の、とつけ加えることもできる、写場での記念写真。そんな写真の一枚がある日、新聞にのった。

写真が使われている記事は、あの「浅間山荘事件」だ。写っている夫婦は、ライラ・ハリドの日本名をつけた子供をのこして〃血の粛清〃に消えた山本順一と、ライラを託して生きのびた山本保子の二人である。すでに風化しつつあるこの事件の記憶の中で、この一枚の写真が私に与えたショックと疑問は、いまもなまなましく重い。

体制の転覆を企てるほどのラジカルな意識を持つ人間にとって、結婚衣装を着るとはどういうことだったのか？ 信念の前には結婚も擬装にすぎないのか？ そうではない。二人はきちんと向き合って愛し合う男と女であった。とすると〃運動〃のさ中で挙げられたらしい結婚の儀式について、二人はどんな会話をかわしたのだろう。

「ウエディングドレスにする？」

「二人とも和服の方がかっこいいんじゃないかなあ」

ゲリラ戦の密議の帰り道にこんな会話が交わされる。これは、子供たちのしていることには一切関知しない親が、しきたり通りにことを運び、挙式・撮影いっさいが進められるという状況を想定するより、いっそう不気味だ。

〃世直し〃が発想の根底にある動きであれば、無関心でいられず、だがその行方の恐ろしさに打ちのめされた思いがしたあの時期以来、この一枚の写真が象徴するものについて私は実にさまざまな思いをめぐらしたものだ。周囲を欺くためさ、と説明してくれる友人もいた。そうか、ごくろうさまな話、とすると衣装は儀式を意味し、儀式があれば世間は納得するのか、というのが私の感想だ。

山本夫妻の写真は、感性のある人間が具体的に生き続ける次元から遠く離れている。獄中の永田洋子が「これからは人民について学ぶ」と言ったという記事があったが、これは私の写真への疑問に糸口をつけるパラドックスだ。自分は人民ではなかったのか？　友だちは人民ではなかったのか？

彼らは抽象の世界に生きていたので、食べるとか着るとかいうことはどうでもよかったのであろう。角かくしは何なのか、しきたりをどう受け止めるかということなどを、自分たちの行為に即して考える発想などなかったのだろう。もっと重要な、考えるに値する命題があったのだろう。

「特集 変わる女・変わらぬ女」
『朝日ジャーナル』１９７７年3月25日号（朝日新聞社）

コマートハウスの経営担当でもある高野の以前の職場が印刷インキ会社だった縁から、印刷インキ業界のための広報宣伝物を制作する仕事が続いた。さらに印刷インキ業界全体の広報誌を提案することになり、小池はこの『プリンティングインク（PRINTING INK）』誌のアートディレクターとして田中一光への依頼を考える。その頃田中は日本デザインセンターに在籍するデザイナーで、精彩に富む田中の仕事ぶりはデザイン業界でも関心を集めていたから、小池もそのデザインを拝しながらデザイン誌に寄せられた田中の原稿のおもしろさに惹かれて、面会を申し込んだのである。田中はまた、舞台芸術のポスターを多数手掛け、舞踏の土方巽（ひじかたたつみ）と親しいと聞くから、演劇への興味も含め話を聞かずにはいられない。

緊張して田中の仕事場を訪れたが、ヴィジュアル表現の話から、小池が早稲田の自由舞台出身で芝居に熱中していることに及ぶと、「急速に親しみが湧いてきた」と田中が振り返ったように、舞台芸術が二人の出会いを仲立ちしたのである。こうして当代随一のデザイナー、田中一光に『プリンティングインク』のアートディレクションを委ねることになる。

『ライフ（LIFE）』のような大判で、グラフィックを思いきり楽しめるものをつくろう」

この広報誌でヴィジュアルの実験表現ができると見込んでいた小池と田中一光が目指すイメージに相違はなく、迫力のある誌面構成に取り組んで打ち合わせを進めていった。

『プリンティングインク』3号の特集「日本の色」では、若手クリエイターによる「若い日本の色」というテーマの座談会を企画し、小池らは有望な新人を探すために奔走をはじめていた。造形を代表する若手は伊藤隆道らに決定していたが、ファッションデザイナーは誰を入れるか？　庄野ミチルや今井美恵子らモデルから得る情報を重視して、小池はリサーチを開始した。

「ふわっと布を纏わせるだけなんだけど、すごくかっこいいよ」

「天才、変わってる」

モデルたちがこぞって名をあげるデザイナーがいた。企画の相談をしたライトパブリシティの村越襄（じょう）も彼を注目しているという。まだ多摩美術大学の学生だというその絶賛の渦中の人は、三宅一生であった。

早速面会がかなった小池と三宅は、ファッションをアートに並ぶ造形として捉える視点、創造のための思考、そのどれにも共鳴する感動を覚えながら感性の交換をかさねて、時間を忘れて話し込むことも多かった。ほどなくして三宅はモード研鑽のために渡仏する。

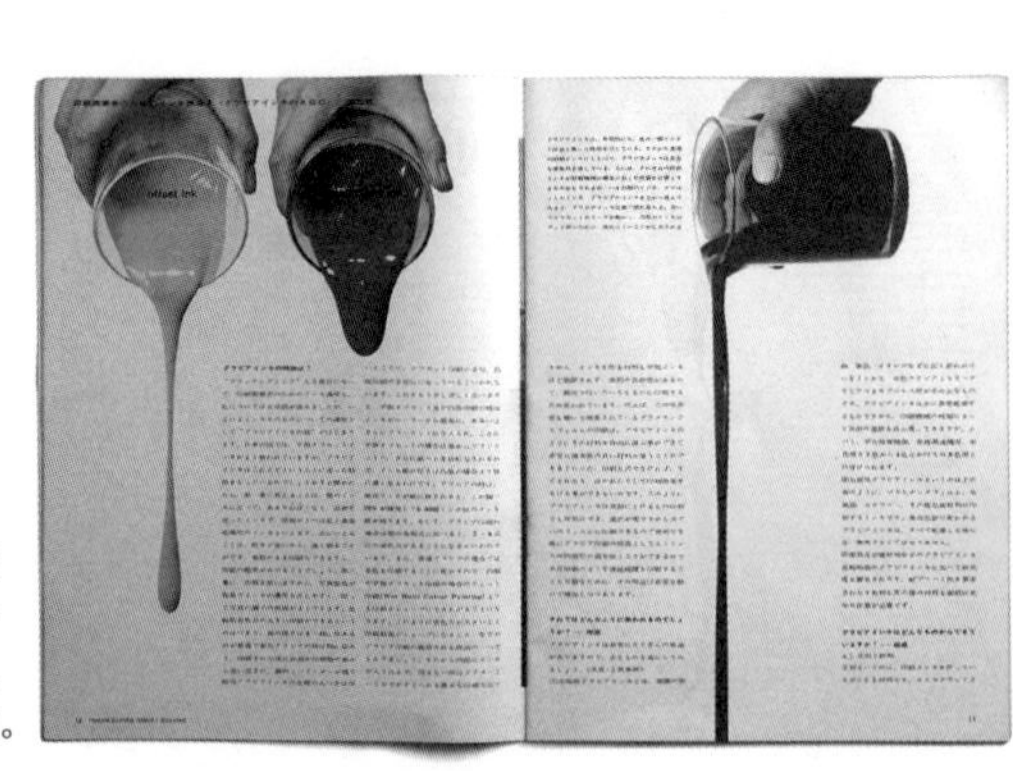

『プリンティングインク』（印刷インキ工業連合会）1965年・3号より。『プリンティングインク』は、AD田中一光のもと、小池一子、高野勇の編集で1962年に創刊。

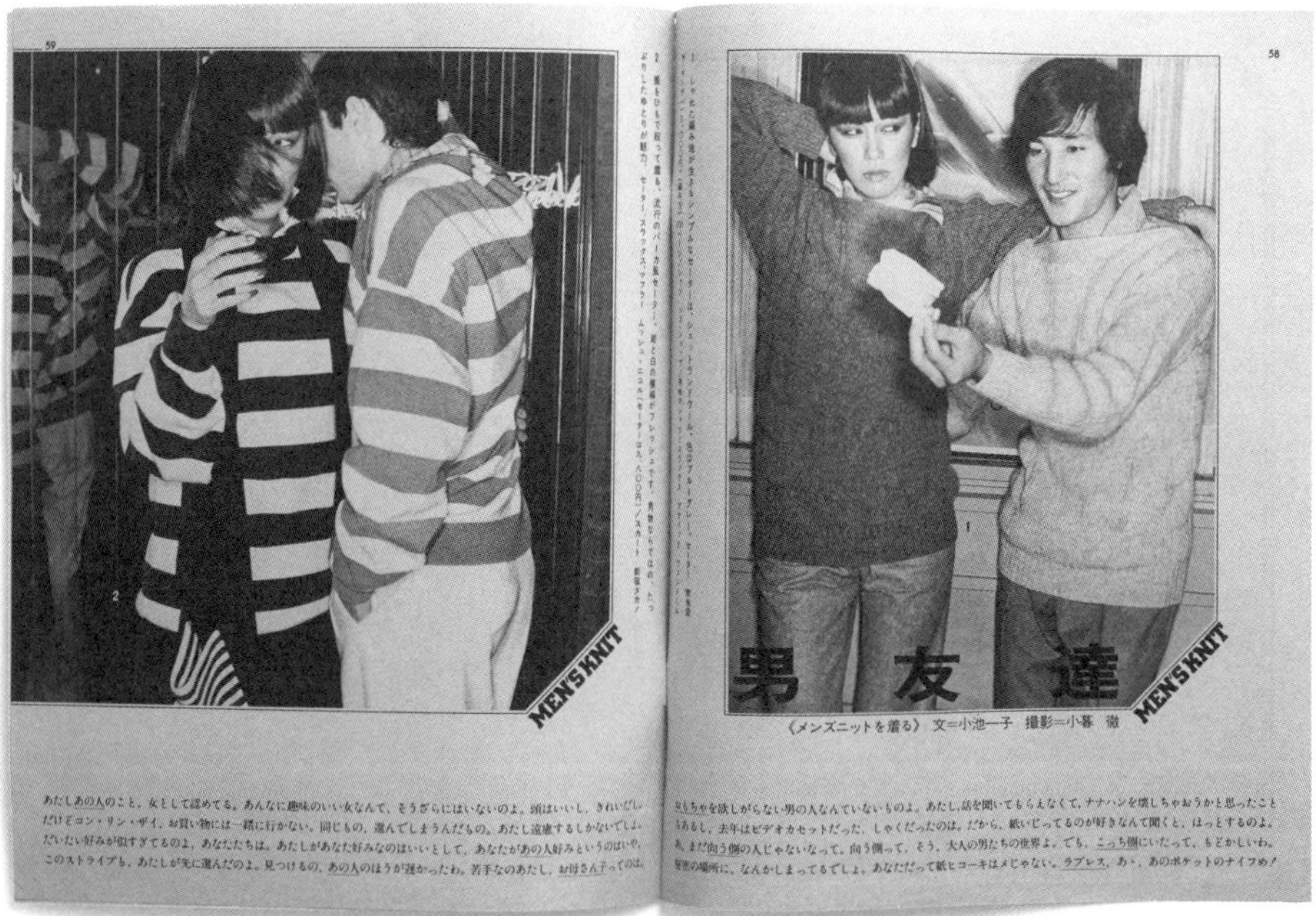

男友達

MEN'S KNIT

〈メンズニットを着る〉 文＝小池一子　撮影＝小暮 徹

あたしあの人のこと、女として認めてる。あんなに趣味のいい女なんて、そうざらにはいないのよ。頭はいいし、きれいだし、だけどコン・リン・ザイ、お買い物には一緒に行かない。同じもの、選んでしまうんだもの。あたし遠慮するしかないでしょ。だいたい好みが似すぎてるのよ、あなたたちは。あたしがあなた好みなのはいいとして、あなたがあの人好みというのはいや。このストライプも、あたしが先に選んだのよ。見つけるの、あの人のほうが遅かったわ。苦手なのあたし、お母さん子ってのは。

おもちゃを欲しがらない男の人なんていないものよ。あたし、話を聞いてもらえなくて、ナナハンを壊しちゃおうかと思ったこともあるし、去年はビデオカセットだった、しゃくだったのは。だから、紙いじってるのが好きなんて聞くと、ほっとするのよ。あ、まだ向う側の人じゃないなって。向う側って、そう、大人の男たちの世界よ。でも、こっち側にいたって、もどかしいわ。秘密の場所に、なんかしまってるでしょ。あなただって紙ヒコーキはメじゃない。ラブレス、あ・、あのポケットのナイフめ！

テキストを手掛けた 1976 年 12 月号『装苑』「男友達《メンズニットを着る》」（文化出版局）撮影：小暮徹

友人・宇野亜喜良のお遊びで。1972 年頃。

服づくりは誰のためのものかということについて三宅は声高に語ったことはないが、明らかなのは社会生活において自立する女性がこの国を牽引するという確信を早くから持っていたことである。

『イッセイさんはどこから来たの？　三宅一生の人と仕事』
（小池一子・著　ＨｅＨｅ）

三宅一生、田中一光、小池一子。三人がはじめて括り束ねられたという意味で、この媒体が果たした存在意義は大きい。アートワークを存分に活かしながら緻密に構成された誌面が高く評価され、『プリンティングインク』誌はグラフィック業界の賞を独占するのである。

　この頃田中はグラフィックデザイナーとして独立し、青山一丁目に最初の仕事場を構える。小池が足繁く通い詰めた田中の仕事場はこの小さなデザイン事務所にはじまり、青山を俯瞰する交差点のビルに落ち着く。折しも東京オリンピックのためにルート２４６の青山通りが整備される頃であり、マラソンの走者に声援を送ることができた。１９６４年の東京オリンピックで田中一光は、施設シンボル（施設を示すピクトグラム）のデザインに携わっていた。青山の事務所で数多の仕事を残した田中は後進をも育て、なかでも廣村正彰（まさあき）は、２０２１年に予定されている東京オリンピック、パラリンピックのためのオリンピックスポーツピクトグラムのデザインを手掛けており、田中デザインの継承を担っているのである。

天賦の才を備えた人物に反応する小池のアンテナは、次なる才媛を捉えていた。当時、若手デザイナーの登竜門であった日宣美のコンクールで賞を受けた作品が、気になって仕方がない。シャープなデザイン処理の裏に、温もりのある知性を感じるのだ。

「こういうものをつくる女のひとって、どんなひとなんだろう」

その才能の持ち主は、資生堂のデザイン部に在籍していた石岡瑛子[*8]である。東京藝大出身の友人の紹介で石岡とつながり、はじめての会食以来親友としての交遊がはじまった。聞けば三宅一生とは美術予備校時代の同窓だという。その縁もあり、小池と石岡がヨーロッパを旅行した際、パリの三宅の住まいを二人で訪れている。

トロカデロあたりの小さなアパートで、三宅はたいそう歓待してくれた。日本からパリで服飾を学ぶ裏には、厳しい技術鍛錬と思索の海に放り出される毎日で、さぞ過酷な状況を泳いでいたにちがいない。

「僕がパリでいちばん触発される博物館は、ミュゼ・ド・ロム（Musée de l'Homme　人類博物館）なんだ」

三宅が心酔する博物館に向かった小池の前に、あざやかなブルーがまぶしい、アフリカのテキスタイルが並んでいた。素朴な綿素材の中に普遍的な力強さと美しさが宿り、素材を重要視する三宅の原点が見えてくる。多国籍多文化を超えた先にある、ボーダーレスな美を求道する三宅の姿勢は、東洋から孤軍奮闘しながら学ぶうちに培われたのだ。

街に出て流行の兆しを見つけることもあり得たのに、三宅の関心が当時の文化人類学的観察に向かったのは、彼が自己のアイデンテ

*8 **石岡瑛子**（**1938年～2012年**）
アートディレクター、デザイナー。東京都生まれ。東京藝術大学卒業後、資生堂に入社。1970年に独立し、角川書店やパルコなどの広告、編集ディレクションを手掛ける。1980年代より拠点をニューヨークに移し、映画や舞台などの美術や衣装デザインと、その活動を広げる。1993年、映画「ドラキュラ」でアカデミー賞衣装デザイン賞を、1987年には、マイルス・デイヴィスのアルバム『TUTU』のジャケットデザインで、日本人初のグラミー賞を受賞するなど、国際的な活躍を見せる。

石岡瑛子（左）、三宅一生（中）と。撮影ヨーガン・レール。箱根から伊豆へ４人の旅。当時の移動手段が思い出せない不思議な旅。1971年。

イティに根ざす考察を抱いていたからに他ならない。日本の表現者として何をどうつくるのか。休むことなく問い続ける求道者のような三宅一生がそこにいる。

『イッセイさんはどこから来たの？　三宅一生の人と仕事』
（小池一子・著　HeHe）

おんなの一週間　小池一子

日よう日

また窓の外の声に起こされる。猫のバーボンなのだが、朝帰りを必ず二階の寝室の前の木の上から告げる。こちらはしかたなく起きて窓を開けると、木から飛んで入ってくるのだ。小猫のうちから彼がいつのまにかつくったルールで、初めは「うちの猫は空を飛ぶのよ」などと自慢していたが、前夜が遅い時などはたまらない。私は一度起きるとまた眠りに戻るのが苦手な人間なのだ。それで、最近では前夜のうちに彼を家の中に入れておくことを励行しているのだが、昨夜はうっかり確かめないで寝てしまったのだ。

とんとんと台所に走るバーボンに朝食をやり、人間二人の朝食づくりに久しぶりに取りくむ。日曜だからのんびりブランチといくか。コンビーフ・ハッシュをと思いつき、買いおきのコンビーフ缶をとって見ると、〝ニュー〟とあって馬肉・牛肉半々の表示。馬肉牛肉馬鈴薯いため、か。トマト・ジュースをブラディマリーにして勢いつけて食べてしまおう。

月よう日

明日にファッション・ショーを控えている。企画に主体的に関わっている仕事ではないので、どうもギクシャクしてだめ。海外のデザイナーのブランド二つを一度に大会場で見せる、という仕事なのだが、話がきた時点でどうしてもうひとふんばり断れなかったかという思いで唇をかみ通し。こんなことに関わってはいけない、と思いながらする仕事など、地獄だ。なのに、なぜする。いろんな事情で。

　以前もどこかに書いたけれど、日本のビジネスマンとの仕事はまさに「事情の反映」だ。

　九時。ショー使用のスライド・チェック。

　十時半。スタイリストとの長電話。小道具が思うように集まっていないのだ。

　十一時。ラジオのニュースで台風の様子をきく。今夜のリハーサル時に東京を直撃するかもしれない、とは。すでに会場で仕込みにかかっているスタッフの顔を見て打合わせねば、と事務所を飛びだす。

　十二時以降。会場で、できあがっていくステージの横で各スタッフとの打合わせを続ける。気象台発表を刻々チェックして、結局本日のリハーサルは中止とする。モデル全員に連絡はいきわたったろうか。こちらは何としても前夜のリハーサルをしておきたい。当日の本番前にするのだけではとても足りないのだ。だが「安全第一」。不発の気持のもやもやがお腹にたまってどうしようもない。

　七時から九時。ステージの造作が気に入らない。照明の色が見られない。台風は来ない……。

　十一時半。帰って寝るしかすることがないらしい。ショー前夜だというのに、今からできることが最早ない、とは。

火よう日

　この日のことは忘れないだろう。マクベス夫人のように、手を洗っても洗っても、つまらぬ仕事に加担した悔いが我が身を責める。

　七時半、スタッフ、モデル会場入り。

　八時からリハーサル二回。

　本番、三時、五時、七時、と三回。

　『ローラーボール』という映画があった。国家とか国際間の政治がなくなって、コーポレーション（企業体）が世界を分割する時代という設定で、ジェームス・カーン主役。彼は〝ローラーボール〟というモーターバイクまで使う荒っぽい球技のスター・プレーヤーで、どのコーポレーションにも属していない。『ローラーボール』はコーポレーション・チームが対戦しあい、都市的単位のコーポレーション間で激戦の末、世界制覇のチームができることになるのだが、カーンの役はフリーであるがためにひどい迫害を受ける。コーポレーションを認めなければ人にあらず、ということなのだ。

国家よりもコーポレーションが支配権を持つというのはＳＦではなくて、もう現実になりつつあるのではないか、などと思いながらコーポレーションの人と仕事をしている私。

水よう日

ひどい疲れで背中が痛む。ゆっくり事務所に出て、たまっていた書類に目を通す。電話数本。こちらからは一本。神戸の陳舜臣（ちんしゅんしん）さんに、私が仕事をしている美術館の機関誌への寄稿を依頼する。来年一月に『中国出土文物展』をするので、陳さんにどうしても書いてほしいの、だ。古美術鑑賞などは古い美術評論家にまかせておけばいい。どんな風土で、どんな人々があの美しい仕事を残したのか、を陳さんの大らかな目で、分りやすい語り口で書いてもらいたかったのだ。電話の向こうの声は、ゆっくり、やさしい「はい」であった。

一時半、三宅一生のスタジオへ。今、彼の作品集づくりに加わっているのだ。彼の仕事は学生時代から見ているのだが、出版というかたちでまとめることができてうれしい。いわゆるファッション界の人たちよりも、その外にいる人にイッセイの仕事を見てもらいたいのだ。約七年間にわたる活動を、特写に加えて、日本・海外での記録とジャーナリズムやアーチストとの関わりの中から生まれた写真一千枚以上の中から選ぶ作業が、えんえんと続いて夜に及ぶ。

木よう日

京都の敬愛する友人、河野卓男氏（ムーンバット社長）の自費出版や藍授褒賞を受けるなどの活躍ぶりを祝おうという会に出席する予定であった。が、迷った末にとりやめる。例のコーポレーションが、ショーに派生して印刷物のひどいものをつくり、私の原稿が載せられてしまった。慌しい時の発注で、どんなスタッフがどんなものをつくるのかも聞かずに受けたのが、大失敗。しかもその印刷物は、当方が愛着を持って作ってきた媒体にとって代わる予算をコーポレーションから受け、そちらは廃刊を宣告されるという始末。みそもくそも一緒くたという言葉そのままに腹立しい。京都には祝電とお花を贈って、東京でひとふんばり。

金よう日

ある雑誌の依頼でリチャード・バックにインタビューする。十二時から四時まで予定がとれているということだったが実質は二時間弱。

前作の『かもめのジョナサン』より新作『イリュージョン』のほうが私には面白かったというと、大変うれしそうに笑った。ものすごいノッポで、相当、いかれている。世の通念みたいなものからまるで離れた自由人なのだ。

夜、久しぶりに外苑マラソンに加わる。

土よう日

週末のブランチを初めて行く店で試みる。つれあいが二人分をオーダーする。ボーイが私にきき返す。と、「私がそういいました。私に聞いて下さい」とつれあい。異人種の日本語は不安なので、同じ日本人に聞き返すのか？　食べもの屋十軒のうち七軒までがそうで、その度に「私の目を見て返事してください」と叫ぶ彼。

黒柳徹子さんが、そういう時はイチコさんはニャアクニャアファンポンスーなどと分んない言葉を使えば？　と言ってくれたが、ちょっと照れくさい。それでこういうのだ、「これは彼の自尊心の問題なのです」たいていのボーイさんは呆れた顔をする。

『わたしは女』１９７７年12月号（宝島社）

小池の初渡航は東京オリンピックの翌年に遡る。五輪開催の半年ほど前から、訪日する客人を乗せた飛行機の復路便の空席を防ぐために航空券が格安価格で振る舞われていたから、この機会を利用しない手はない。世界の動向を探りたくて仕方のない友

人のクリエイター、横尾忠則や和田誠らはこぞって海外に飛びだしていた。ロンドンの演劇の取材を口実に、小池も早速旅立った。アメリカ西海岸からニューヨークを経由して、パリ、ミラノ、ロンドンへと横断する。今、何が起こっているのか、世界の趨勢を見極めるために。

小池が渡航する直前のこと、モデル、庄野ミチルが海外の撮影から持ち帰ったレコードが記憶に新しい。そのジャケットには、〝ビートルズ〟とアーティスト名がクレジットされていた。日本ではまだ誰もその存在を知らない頃である。彼らの聖地、ロンドンを訪れると、衝撃の体験が小池を待ち構えていた。

1960年代の英国はストリート・カルチャーが全盛を極めた、スウィンギング・ロンドンの時代。体制に反する若い世代を描いたオズボーンの戯曲「怒りを込めて振り返れ」を契機に、その名称を引用した「怒れる若者たち」と呼ばれる体制批判のムーブメントが作家や批評家らから沸き起こり、社会を揺るがす様相を呈していたのである。演劇の舞台の中心はやがてピーター・ブルック、ピーター・ホールらが演出するロイヤル・シェイクスピア劇団が担い、名舞台、名俳優らが排出されていて、現地の渦に飛び込んだ小池も百花繚乱の興奮を味わった。

演劇、文学のみならず、ファッションをはじめ、音楽、アート、映画などポップカルチャーも隆盛を誇り、街は刺激にあふれていた。チェルシーの友人宅に転がり込んだ小池も、ミニスカートやサイケデリックアートに迎えられ、日毎に短くなっていく流行りのスカート丈に対応するため、ウエストをひとつずつ折り返しては街に繰りだしていた。

1965年、初めてのパスポート写真。

『カメラ毎日』1968年3月号の取材のために、ロンドンの写真家・与田弘志を訪ねて。

しかしロンドンがおもしろいのは、ただ新しいスタイルをみせるだけでなく、古着などをうまく取り入れて、まるで王政復古のようなスタイルも同様に楽しんでいたことだ。ファッションとメイクアップで非日常の演出を凝らすなど、戯曲の国らしい土壌から、古典的スタイルを逆手にミニスカートが生まれたともいえる。この流行を後押しするように、高価な素材の資質を備えた安価な新素材の開発も進み、より自由にファッションを楽しむ素地もこしらえていた。あえて華美にせず、反骨精神さえ伴う力強い表現が魅力のファッションはロンドンという街にふさわしく、誇り高く自信に満ちていた。

このムーブメントがフランスに渡ると、アンドレ・クレージュが張りのあるウールの新素材を用いたミニのスタイルを「宇宙ルック」として発表するのである。パリはいつだって、流行を鋭利に昇華してみせるのだ。

女の自由は足の自由　小池一子

●20世紀の洋服とアシ

アシ。あなたが持っている二本の足。パンタロンをはいたり、いろんな丈のスカートをはいたりしているそのアシが、5〜60年前までは、今ほど自由でなかったという話です。

西洋の女性が19世紀まではロングスカートをはいていたということぐらいは、誰でも知っていることですが、コルセットでしめつけた身体をロングスカートの上にのせていた時と現在の洋服との違いを、西洋人自身がどれ程、意識していることを、実は私もこの展覧会（本書註：「現代衣服の源流」展）の仕事を通してはじめて実感として知りました。日本人がきものから洋服に着がえたのと同じだと、彼ら自身が述懐するのが、スカートの下から足が見えるようになったことと、パンタロンが市民権を得たことなのです。洋服には昔からの、一つの歴史があって、多少の変化もその中のさざ波に過ぎないと東洋の私たちは思いがちです。けれども20世紀の衣服というものが、それまでの衣服とどんなに違うかということをアシが証明している、というわけです。

女の自由は足の自由よ、と、今回の展覧会で来日したメトロポリタンの一人も言っています。そんな話に夢中になった時の彼女は、パンタロンの足を椅子の上に投げだして、〝やんちゃ坊主〟そのもののポーズ。私もあぐらをかくのは好きですから、意気投合したいい年の女が二人で話しあっている図は昔の人が見たら信じられないようなことでしょう。

●昔のきものはミニ丈

ところで、日本の女の人が足を見せるようになったのは丈の短い洋服が輸入されてはじめてかというと、そうでもなさそうです。きものが今のようなかたちに定着してしまったのは江戸の終りごろからのこと。戦国時代の女の人は、ミニ丈のきもので山野をかけまわっていたわけですし、下着もそれに応じた着かたをしていたはずです。衣服の着かたは、その時の社会生活によって決まるものですから、きものも、21世紀に近づこうとしているこの時期に、今までのままの着かたがふさわしいのかどうか、大いに疑問のあるところです。

話が外れますが、この頃の成人式のきものの行列は何ということでしょう。私はきものを非難しているのではなくて、むしろ儀式用の民族衣裳にのみ着られるようになったきものを可愛そうに思っています。

満員電車や街の雑踏の中の振袖ほど醜いものはないのです。一様に絹の振袖でその日だけ小股に歩く20才の娘たちを見ていると、その人たちが翌日からどんなにファッショナブルな服装をしようと、そのセンスを信用するわけには行きません。おしゃれは着方であり、着方は心の持ち方に関わっているからです。

『エレクトーン』1975年5月号（ヤマハミュージックメディア）

すでにベトナム戦争がはじまっていた頃で、反戦運動の盛り上がりを肌身に感じながら欧米をぐるりと巡った小池は南回りで帰国する。洋行での実り多き体験を活かす機会は、東京に戻りほどなくしてやってきた。文化出版局の今井田勲編集長から小池と江島が呼び出された先へ向かうと、そこにはファッションデザイナーの森英恵の姿があった。

「森英恵の名を冠して、『ウィメンズ・ウエア・デイリー（WWD）』のようなファッション業界専門紙をつくろうと思う」

江島をアートディレクターに据え、小池を主筆編集者として、ファッションをジャーナリズムの視点から捉えた紙面を考えていると今井田は構想を明かす。ロンドンでの経験で、社会現象化したファッションの文化的位置付けに興味が芽生えていたから、小池にとっては願ってもない話であった。こうして日本初のファッション・ジャーナル、『森英恵 流行通信』は産声をあげる。小池によるスウィンギング・ロンドンの報告やミニスカート論のほか、友人の編集者がメンズ・ファッションの論考を担当し、8ページにわたるタブロイド版として刊行をはじめた。

小池の盟友、ヨーガン・レール[*9]と出会うきっかけはこの冊子の取材である。パリからテキスタイルデザイナーが訪れているから会ってほしい、と彫刻家の向井良吉から連絡を受けたのだが、当

流行通信
森英恵流行通信
特集
ショートスカート
それはどこからやってきて、どこへいくのでしょうか――
この現代服飾界最大のテーマの背景と展望！

1969年に雑誌となる以前の、冊子として創刊された『流行通信』。今井田勲が江島と小池を森英恵に引き合わせ、1966年に発行。小池が森英恵と電話で打ち合わせ、ほとんど一人で執筆した。ここから編集やファッションの仕事が本格化する。

のデザイナー、ヨーガンは、日本のテキスタイルには興味を示さず、グラフィックデザイナーの仕事を追って日本のグラフィックデザインのポスターを集めて回っているという。その頃彼は、ワンピースに大きな模様を配したテキスタイルをパリで発表して話題を集めるデザイナーであった。当時のインタビューは残念ながら記事にはならなかったのだが、小池はヨーガンのテキスタイルデザイナーとしての資質に着目し、彼が滞在していたパリのアパートへ遊びに行くなど、交遊は途切れることなく続いて、その後も長きにわたり、ヨーガンの活動を支えていくのである。

ファッションをカルチャーとして論じる真摯な紙面が評判を呼び、さらなる紙面拡張を求める声もあったからだろうか、タブロイド版『流行通信』が号を重ねるうちに、森英恵が声をあげた。

「『ウィメンズ・ウエア・デイリー（WWD）』じゃなくて、『ヴォーグ』みたいな雑誌をつくりたい。アートディレクションは田中一光さんがいいんじゃないかしら」

新雑誌への移行に伴い、小池は『服装』編集長であった二川昭子（ふたがわあきこ）を編集長に推薦し、アートディレクターは田中一光に決定した。さらにライトパブリシティから独立間近であった浅葉克己がデザイナーに加わり、タブロイド版からはじまった『流行通信』は雑誌として装いあらたに始動するのである。

1982年8月6日発行『とらばーゆ』（リクルートジョブズ）にて、浅葉克己と、キチンの台所にて。

*9 ヨーガン・レール
Jurgen Lehl（1944年〜2014年）
テキスタイルデザイナー。ポーランド生まれのドイツ人。パリとニューヨークで活躍し、1971年に来日。1972年、ヨーガンレール社を設立。オリジナルのテキスタイルやジュエリー、また家具や器などの幅広いデザインを手掛ける。2006年、環境に配慮したブランド Babaghuri を立ち上げる。

＊＊＊

ロンドンでの熱気に満ちた経験は、ファッション記事の制作に留まらず、学生時代から小池が執心する舞台芸術の興奮を呼び覚ましていた。最初の訪英から幾度となくロンドン行きをかさねていた小池だったが、1967年の滞在時、「怒れる若者たち」のムーブメントを率いたアーノルド・ウェスカー[*10]に対してインタビューを申し込んでいたのである。小池が気にしていたのは、ウェスカーらが興した新しい文化運動「センター42」が活動中枢に決めた場所、ラウンド・ハウスのなりゆきであった。

ラウンド・ハウス。十九世紀半ばに建てられたこの円型の建物が、ウェスカーをリーダーとするイギリスの新しい文化運動・センター42の理念の実現の場として選ばれてからもう六年になる。センター42のメンバーの一人であるトニー・ゴールドが『二十世紀』という雑誌に書いた文章から引用するなら「大衆が集まり、飲み、食事をし、芝居を見、絵を見、音楽を聞くことができるような、多角的な文化の行為が可能な〈センター〉を創ることが本来の理想である。あらゆる芸術分野の最良の作品を、一堂に集めて、それらのものがそのセンターの存在する地域社会の生活と切っても切れない位置にあるのだということをデモンストレートする必要がある」。見たところ、国技館を小さくしたような、前世紀の、疲れ古びたなりに美しい工場の廢屋がこのような大きな目的に沿う建物として生まれ変わるた

*10 **アーノルド・ウェスカー** **Arnold Wesker（1932年〜2016年）**
劇作家。ロンドン、イースト・エンドのステプニー生まれ。ユダヤ系の家庭で育ち、いくつかの職業を経て、映画技術学校で学ぶ。1958年から60年に初演された「大麦入りのチキンスープ」「根っこ」「僕はエルサレムのことを話しているのだ」は労働者階級の闘争を描いた3部作として脚光を浴びる。40作以上の劇作品を手掛け、エッセイや詩作も発表。2005年、サーの称号を授与される。

1975年8月号『劇場 3』（西武劇場・現 PARCO 劇場）。ウェスカーから届いたはがきに解説をつけて掲載。
資料提供：東海晴美

めには、当然のことながら、莫大な資金を要するのである。

「ウェスカー書簡〈センター42〉をめぐる希望と怖れ」
『六月劇場3』1968年6月号

小池がウェスカーと交信していることを耳にした劇団、六月劇場[*11]から、その書簡を原稿にして劇団が発行する雑誌に発表してほしいと依頼を受ける。六月劇場は岸田森と悠木千帆（樹木希林）、津野海太郎、平野甲賀、佐伯隆幸ら、次世代を担う気鋭の劇団であった。

小池がウェスカーから受けとった返信は、芸術活動を継続していくうえでの窮状が綴られており、文化運動が直面する現実の壁を思い知らされるものであった。ウェスカーとの交流を機に、小池は彼の戯曲の翻訳を手伝う仲となり、津野、平野らとは「ウェスカー68」と名乗る運動に参加するほか、『季刊同時代演劇』の編集、刊行に参加して、ともに舞台芸術の興隆のために助力を続ける。

ウェスカーの戯曲の翻訳は、自由舞台以来の友人、渡辺浩子に誘われて参画した。彼女とはそれ以前にも、東宝芸術座のミュージカル「ファンタスティックス」の翻訳に携わり、小池は主に訳詞を担当していた。ミュージカルの翻訳は、原作読解、日本語への落としこみ、楽曲に忠実であることなど、三重苦に苛まれたが、書くことを生業とするうえでは言葉への造詣を深める得難い経験となったのである。

後に博品館劇場で公演したミュージカル「キャバレー」の翻訳を手掛けた際はドイツへ飛んだ。ナチスの支配下にあった1929年のベルリンが舞台の芝居のこと、その時代の都市の様相を知るために向かったのだが、小池が訪れた81年は東西ドイツが

*11 **六月劇場**
1966年に結成された日本の劇団。当時文学座を辞めた岸田森、悠木千帆（樹木希林）、草野大悟と、早稲田大学や東京大学にいた津野海太郎、村松克巳、佐伯隆幸、長田弘らが参加。平野甲賀や稲葉良子、山元清多も加わる。「六月劇場」という劇団名は、「稽古ごとは6月6日にはじめる決まりになっている」という悠木の発言から命名された。

分断している状態で荒廃ぶりも凄まじく、「戦争の形骸と予告の両方を見せられるかのような」強烈な印象として小池の心に刻まれた。

ベルリンへは、ただ空気を吸いたくて、いえ、動機があって行った。ミュージカル「キャバレー」の訳出をして、その上演準備で資料を漁るうちに、未知であったこの都市に触れたいという気持が募り、やはり、空気を吸いにいったのだ。

「キャバレー」は二〇年代終りのベルリンを描いたもので、その頃の都市の顔をいまもとめることのおかしさと難しさを承知で、私は走りまわった。そして短い滞在の間に見たり経験したりしたことの累積が胸にたまって、それが沈澱して二〇年代のおりを構成しているような気配なのである。

国境の検問（西独と東独の出入りの度の）。その検問の一つで見たポーランド行きの車の列。〝壁〟に沿った地域の両ドイツの廃墟、暗闇。カリフォルニアから飛んできたかと見まがうジーンズ主体のファッション。ストリップ・ティーズ。突き刺すような視線。

東側行きを含むとベルリンの旅はタイム・トリップであり、私は過去の戦争と現在の緊張と過去の退廃と現在の享楽と、それらのかけあわせのイメージに翻弄された。そして、オットー・ディックスを見たのだった。

LIVING MUSEUM 1「オットー・ディックスのベルリン」
『ハイファッション』1982年2月号（文化出版局）

渡辺浩子訳・演出、小池一子訳詞のミュージカル「キャバレー」。憧れのホテル・ケンピンスキーに滞在した証に、台本にシールを貼り付けて。1982年2月3日〜2月21日、博品館劇場での上演を皮切りに、再演が続く。

＊＊＊

チェコスロバキアで民主化運動「プラハの春」が起こった1968年を経て、ベトナムでは依然として戦争が続き、中東の情勢も不安定なまま、1970年を迎えた世界は騒然としていた。こうした世界の動きに敏感になっていたこともあるのだろうか。コピーを書いていても身が入らず、小池にはめずらしく、なげやりに感じることもあった。では自分が取り組むべきこととはなんだろう？　そう考えている頃、原糸メーカー、旭化成との出合いが訪れる。銀座にある研究所に出入りをはじめ、のちに旭化成のテレビコマーシャル制作にも参加することになる。研究室では、色彩の傾向やトレンドについて掘り下げ、繊維にかかわる探求は興味深かった。ここにニューヨークのファッション専門学校ＦＩＴ（Fashion Institute of Technology）で学んだ小指敦子がいた。小池をはじめ小指が見込んだユニークな人材が研究室に集められていたのだが、そのうちのひとりに、川久保玲の姿もあった。当時はスタイリストとして参加していた川久保は控えめな女性であったが、のちにCOMME des GARÇONSを興す力強さを宿していた。

「川久保さんのデザインには、何か謎をかけられるおもしろさがある。本当に飽きることがないの」

小池もまた、川久保玲が繰りだす造形の魔法を称賛してやまないひとりである。

旭化成の研究室にいるあいだには忘れられない出来事もあった。1970年11月、コマートハウスの高野から、「今すぐテレビを見なさい」との電話を受けると、画面には市ヶ谷の自衛隊に乱入し演説する三島由紀夫の姿があった。国を憂い、大義のために死を選んだ三島が知見した、到達するはずだった世界は、果たして未来に存在するのだろうか。

小池と堤清二[*12]の交流もこの頃にはじまった。大学時代の友人に堤清二を紹介されると、小池は堤に田中一光を紹介し、以降、田中は西武流通グループのアートディレクターとなり、小池とともに西武グループの仕事を支えていくことになるのである。西友の広告では、イタリア移民のクラフツマンをアメリカに訪ねてポスターを制作するなど、これまでの流通業の広告にはない、ものづくりの文化的な背景を提示する小池の慧眼が注目を集めて、新店舗開店を知らせると同時に新しい風を吹かせていた。

堤清二については、西武グループを率いる実業家というより、詩人の辻井喬といったほうが、小池と田中にとってはしっくりくるかもしれない。敏腕実業家である前に、純粋に芸術を尊ぶ人間としてのつきあいがあったから、三人は理解を深め合うに至ったのだろう。この後、西武グループが東京の文化を支える中心的存在になっていくのだが、この躍進は、芸術家としての思想を持つ辻井喬ひとりの決断によって成ったともいえる。

西武百貨店が池袋にあらたな商業施設をオープンすることになり、小池もその立ち上げメンバーとして企画会議に参加していた。堤清二の学生時代の同級生で、教職を経て西武百貨店の社員となっていた増田通二[*13]がその指揮者であった。父親が日本画家という増田もまた、芸術の心を理解する人物であったから、どこにもなかったユニークな商業施設の構想はたちまち膨らんでいった。

*12 **堤 清二**（つつみ せいじ）（**1927年〜2013年**）実業家、小説家、詩人。東京都生まれ。辻井喬（つじい たかし） 筆名で多数の著書も残す。西武セゾングループの創業者の長男として、1954年、西武百貨店に入社。1966年、同社社長に就任。以降、西武、西友、パルコなど、西武セゾングループを形成し、多大な文化貢献をする。

*13 **増田通二**（ますだ つうじ）（**1926年〜2007年**）経営者。東京都生まれ。堤清二とは高等学校の同級で、学生時代から西武セゾングループで働き始める。1969年、池袋パルコの開業に携わる。その後パルコ社長、会長に就任。各店舗設計に携わるほか、劇場や出版活動など、パルコのイメージ戦略の要となる。

57

58

1981年、西友小手指店オープン時のポスター。アメリカに住むイタリア移民のクラフツマンを訪ね、台所用品で作るワーリーギグ、避雷針などをメインビジュアルに。アートディレクション：佐村憲一（田中一光デザイン室）、写真：広川泰士、コピーライト：小池一子。

増田の掛け声で、小池、イラストレーターの山口はるみほか、宣伝部のスタッフらが温泉宿に集められた。ゆるやかで温かな軟禁状態のなか、商業施設の名称のアイデア会議がはじまるのである。池袋はまだ何もない田舎の地といった風情だったから、何か明るいイメージの言葉を選びたい。皆でいろいろな国の言語をあたって探していくと、耳あたりのよい響きがみつかった。イタリア語で「公園」を意味する、「ＰＡＲＣＯ（パルコ）」[*14]の誕生である。

オートクチュールの時代が終わり、プレタポルテの台頭を迎え、自由であたらしいファッションを渇望していた時代の空気をパルコは逃さない。小規模ながらおもしろい洋服を生産していた、いわゆるマンションメーカーという既製服制作の担い手に焦点をあて、「公園」をにぎわせたのである。こうして小さなブティックを集めた、かつて見たこともないおもちゃ箱のようなファッションビルは、たちまち若者の心を捉えていった。

さらに小池らは、これからのファッション業界ではスタイリストという仕事が重要になるだろうと予測して、スタイリングに重点を置いたキャンペーンを展開していく。「私のスタイリング」と題して、時代感覚を纏うファッションで街を行くイラストレーターやデザイナーなどクリエイティブな人種をフィーチャーし、さらにスタイリスト・コンペを公募すると、まさに求めていた人材が現れる。スレンダーな体型にパン

渋谷パルコ開業の折に制作された贅沢なつくりの冊子。アートディレクション：松永真。

*14 **ＰＡＲＣＯ（パルコ）**
前身の百貨店「東京丸物」から１９６９年、西武百貨店が買収し、池袋パルコが開業。１９７３年に渋谷パルコが開業し、西武劇場（後のＰＡＲＣＯ劇場）やギャラリーを併設。ファッション複合施設としてのみならず、近隣にライブハウスの入ったビルを構えたり、渋谷のメインストリートに「公園通り」「スペイン坂」などの愛称をつけるなど、渋谷の街づくり戦略も率先した。

ツルックと白いタートルネック、まっすぐな黒髪と切れ長の艶やかな瞳。そこに佇むだけで存在感を放つその女性は、モデルになったばかりの山口小夜子[*15]だった。ファッションを文化へと昇華させる役者がまたひとり揃ったのである。こうして女性ばかりのクリエイターチームが発信する画期的なイメージは、街の景色を軽やかに塗り替えていった。知性と感性を活かして活躍する姿がまぶしく受けとめられていく。

たくさんの人が四方八方から押し寄せてくるのに、誰ひとりぶつかることなく、するりと横断していく渋谷のスクランブル交差点。ざわついているのに秩序を保っている様は、若者がムーブメントを生み出す渋谷ならではの混沌を表わしているようだ。

この自由なにぎわいのはじまりを生んだのは、パルコが次なる出店地を渋谷に定めた頃に遡る。渋谷パルコ開業に向けて企画の一端を担っていた小池は、すでに路面店を構えていた東京を代表する若手デザイナー、川久保玲のCOMME des GARÇONS、山本耀司[*16]のYohji Yamamotoを増田に紹介し、流行を牽引する目玉店舗の出店の道を開く。

渋谷パルコは9階に西武劇場（後のＰＡＲＣＯ劇場）を設け、消費だけではなく文化を創造する場として１９７３年に誕生した。翌74年にはパルコ出版も産声をあげ、ファッション、シアター、出版を揃えてカルチャーの垣根をはらい、若者がおもしろそうだと手探りする先に、パルコはあった。ただ洋服を着るだけでなく、メディアとして楽しむという意識が芽生え、そのための「場」が必要だったのである。

時代にインパクトをもたらすデザイナーをとの増田の要請を受けて小池は石岡瑛子を推薦する。石岡がアートディレクションを手掛けた広告ポスターシリーズはパルコ

*15 **山口小夜子（１９４９年〜２００７年）**
ファッションモデル。神奈川県生まれ。１９７１年、モデルとしてデビュー。黒髪のおかっぱヘアで、日本の美を世界に発信する。１９７７年にはアメリカ版『ニューズウィーク』で「世界の6人のトップモデル」のひとりに選ばれる。パリ・コレクションなどに出演し、国際的にも活躍。舞踏にも関心を持ち、身体表現のプログラムを実践した。

*16 **山本耀司（１９４３年〜）**
ファッションデザイナー。東京都生まれ。慶應義塾大学法学部卒業後、文化服装学院を卒業。１９７２年、株式会社ワイズを設立、１９７７年にY'sにて東京コレクション・デビュー。１９８１年、パリ・プレタポルテ・コレクションに参加、Yohji Yamamotoをスタートさせる。１９８４年、株式会社ヨウジヤマモトを設立。２０１１年、フランスのレジオン・ドヌール勲章最高位コマンドゥール受章。

の斬新さを大胆なグラフィックで表現し、またシャープな官能美の女性像をエアブラシで描いた山口はるみのイラストレーションのシリーズは、今なお色褪せることなく新しい。

当時小池が衝撃を受けたアーティストは、フェミニズムの旗手、ジュディ・シカゴ[*17]である。セクシャルな要素を冷静にとりこんで女性の歴史を繙いた作品が話題となった美術家で、ジュディが女性アーティストの顕在化を目指して発言するようになった背景には、アメリカにおいて、優れた女性作家やデザイナーの存在があるにもかかわらず、いまだ男性中心の美術界の構造があったからだという。同様に女性クリエイターらと切磋琢磨している小池は、ジュディの言葉に深く感銘を受けていた。キュレーターであった小池の義母、デクストラ・フランケルも南カリフォルニア大学フラートン校のギャラリーディレクターとしてジュディの考えに共鳴し、連携して活動をしていた。

彼女の自伝『Through the Flower』を翻訳したいと増田通二に伝えると、時代の要請を直感的に理解する彼のこと、すぐさま出版の手はずを整えて小池を後押ししてくれた。こうして、『花もつ女——ウエストコーストに花開いたフェミニズム・アートの旗手、ジュディ・シカゴ自伝』は、１９７９年、パルコ出版より刊行されたのである。

「ジュディ・シカゴの作品を自著の装丁に使いたい」

この本を手にとった社会学者、上野千鶴子からの連絡を受けて、小池のまわりに硬派な朋友がまたひとり増えた。俊英な女性たちは、ますます輝きはじめるのだ。

*17 **ジュディ・シカゴ Judy Chicago（１９３９年〜）**
美術家、作家、フェミニスト、教育者。アメリカ・シカゴ生まれ。出生時の姓名はコーエンだが、１９７０年、普遍性を求めて、出生地であるシカゴに改名。１９７０年代のフェミニスト・アートの先駆者となる。最も有名な作品《ディナー・パーティー》は、１９７４年から１９７９年の間に、何百人ものボランティアの参加を得て作成され、大きな話題となる。現在はブルックリン美術館に永久設置されている。

ジュディ・シカゴ・著『花もつ女』パルコ出版、1979年刊。デザインは戸田ツトムをメインに、小柳敦子が担当。

「“交感スルデザイン”に集まった5人のデザイナーの活動と小池一子」として毎日デザイン賞を受賞、3月28日東京・日比谷の帝国ホテルで行われた贈呈式を報じた『毎日グラフ』の記事（1986年5月4日号、毎日新聞社）。書籍『交感スルデザイン』（六耀社）の5人とは、安藤忠雄（建築家）、川久保玲（ファッション）、杉本貴志（空間デザイン）、黒川雅之（建築・プロダクトデザイン）、喜多俊之（工業デザイン）の各氏。

1984年、「日本のデザイン　伝統と現代展」がモスクワのソ連邦美術家同盟中央作家会館で開催される。社会主義圏での日本展。当時は中曽根時代で外交は閉ざされていた。西武の堤清二が文化の門は開いておくとモスクワ大学の講演依頼を受けたのがきっかけとなり実現された。それにあわせてイメージカタログ『Japan Design』（リブロポート）制作。アートディレクション・田中一光、編集・小池のデザイン本シリーズの1冊。

小池がコピーライトを手掛けたポスター「PARCO感覚。」（1972年9月）。アートディレクション＆デザイン：石岡瑛子、イラストレーション：山口はるみ、写真：操上和美。

80年代に入り、渋谷にパルコの新店舗としてパルコPART3が誕生した。多目的スペース「スペース・パート3」では、こけら落としとして「ヴィスコンティとその芸術」展[*18]を開催する。「現代衣服の源流」展で懇意になったティレッリが所有する、ヴィスコンティの衣装を華やかに展示した小池の企画である。東京の今を象徴するストリート・ファッションと終焉する貴族文化への挽歌をうたう衣装美と、双方が違和感なく混在する渋谷の街は、かつて小池が刺激を受けたロンドンを彷彿させる。

多彩なファッションが街を席巻すると同時に、それをみせる空間デザインにも鋭敏さが求められるようになる。ファッションがインテリアデザインを牽引し、倉俣史朗、杉本貴志、内田繁[*19]らシャープな感覚のインテリアデザイナーが空間に丁寧な肌理をほどこし、イメージを立ち上げていく。ファッションデザインとインテリアデザインの蜜月時代が育んだクリエイティブな動きは、空間からやがて街の建築へと拡がりをみせるようになる。

80年代のクリエイティブの制作現場では、インテリアをはじめ、グラフィックからイラストレーションまで、デザインの各分野が細分化しながら互いに連携し、発展を遂げてきた。また、創作を支えた影にはテクノロジーの貢献も大きい。スティーブ・ジョブズがiPadの到来を予測する発言をしていたのは、1983年にアスペンで開催された国際デザイン会議においてであった。iPhoneが登場する23年も前の話であるから、ボタンのないコンピュータを想像できた人はいなかったかもしれないのだけれど。イメージとテクノロジーの相互作用が、ポップカルチャーをますます増殖させていくのである。

*18 **「ヴィスコンティとその芸術」展**
会期：1981年9月11日〜10月4日。会場：パルコスペース・パート3。「現代衣服の源流」展の企画中に、衣装デザイナーでもあり衣装コレクターでもあったウンベルト・ティレッリとの交遊が深まり、彼のコレクションから展覧会が実現に至る。

*19 **内田 繁（1943年〜2016年）**
インテリアデザイナー。神奈川県生まれ。桑沢デザイン研究所卒業。1970年、内田デザイン事務所設立。主な仕事に、山本耀司のブティックやクレストタワー内部空間デザイン、国内外のホテルの総合的デザインなど。メトロポリタン美術館、サンフランシスコ近代美術館、埼玉県立近代美術館など国内外の美術館に永久コレクションされている。

ファッションと都市をめぐって——叔母の甥に語れる。

『ユリイカ』１９８６年3月号（青土社）

「きのう山手線に乗っていて、目の前に座っていたハタチぐらいの二人を観察していたの。髪の毛が上の方はツンツンに立っていて横は首筋位までの方が男の子。女の子の方はどちらかというと印象が薄いんで、まあ髪は横分けの、地肌にソリを入れた跡がある。二人に共通しているのは、きったないということ。私はああこれだ、この穢なさから何かが生まれると思った。ちょうど二十年前のロンドンで感じたことと同じ。

その時私はマクベスの幕開きシーンの魔女のせりふを引いて服装雑誌に原稿を書いたっけ。

きれいは　きたない

きたないは　きれい

ところであなたもいよいよロンドン留学ですね」。

『ロンドンはますますきたなくなっているという人もいる。その時のきたなさが特に意味があったわけ？』

「二十年前だとあなたがまだこの世に居ないよね。ああ年月の恐ろしさは通過した人にしかわからない。スインギング・ロンドンという、ロンドンが一瞬の輝きを見せた時が、現在であったということ。その説明を過去形でしたくはないのだけれど。

たとえばキングズロードのこと。あそこに毎土曜の午後、なんだか変わった服装の連中が集まってきているから行ってごらんと、ファッション写真家の友人に言われて出かけていったのが最初。それがミニスカートのスインギング・ロンドンとしてアメリカやヨーロッパの注目を集めることになる動きとなっていく。一口で言えば、期待される英国像を裏切るような古着による仮装。ルネッサンス・スタイルを思わすようなもものあたりをおおう程度の丈のワンピース。下にはパンタロンなど組みあわせるのだけれど、それはおばあさんの衣裳たんすから引っぱり出してきたようなきたならしい感じのきれが多くて。実際 Granny takes a trip（グラニー・テイクス・ア・トリップ）というブティックもできた。

　ローリング・ストーンズ、ビートルズ、マリー・クワントなどのいわば同級生である人々がファッション・デザイナーとなり、ブティックをどんどん作っていく。同世代のお客が集まる。そしてファッショナブルといわれる街が形成されていく。六〇年代から七〇年代にかけてのロンドンは、キングズロード、ハイストリート・ケンジントン、フルハムロードなどと中心が移動するけれど、ファッションが都市の様子を変えるという現代の世界の各都市に共通する現象の原型を見せている。

〝きたないは きれい〟は価値感のひっくり返しよね。かげってきた大英帝国の経済が市民生活のレベルに亀裂を生んでいる、階級社会の枠組みは変わらないし、何よりそれは階級的スノビズムとして固定してしまっている。いき所のない不満で、大人の市民は我慢できても若い人は受け入れなかった。その勢いがビートルズ・ジェネレーションだしヒッピーだった。そんな話し方してナニ気どってんのさ、そんなものが美しいんですかねという、感覚の下剋上」。

『ファッションがそんなに表現力を持てたのかな。六〇年代が初めてのことなの？』

「ロンドンではその少し前に演劇の分野で動きがあって〝怒れる若者たち〟と総称される劇作家、俳優たちがいた。アンチ・エスタブリッシュメント、ということだけれど、ロンドン・ファッションの活気はそういう動きと無縁じゃない。私はロイヤル・シェイクスピアのハムレットを六七年に見たのだけれど、その印象は強烈。キングズロードで肩張っているお兄ちゃんが舞台のそでにエレキ・ギターを置いて出てきたという位のアクチュアルな存在感を持っている。俳優が舞台の外の現実をしっかり受けとめているからそのアクチュアリティがある。ビートルズもそういうところは腰のすわった音楽家たちだった。

　その頃王立美術大学で、〝親父がトロリーバスの運転手でないといばれない〟というジョークをきいた。マリー・クワントへの皮肉なんだけど、グラスルーツの根強さを基盤としているという意味では服装史上の画期的な時代と都市が六〇年代のロンドン。下剋上のファッションはいまやパターン化して、パンクに至っているけど」。

『そこでこれから暮らすんだから、パターンなんて言うなよ。そっちがしょっちゅう出かけるパリはどうなのよ』。

「ミニスカートをアンドレ・クレージュがパッと世界のジャーナリズムに発表したのが象徴している。ファッションの提案はどこかの街で行われていても、パリにファッション・ジャーナリズムが集中しているという状況がいまだに変わっていない。そこでパリで変化が起きればこれは大きいわね。

実際、オートクチュールの死などと言われるほどの変化が起きた。プレタポルテ、まあ今一般に見られる既製服。そのブティックがセーヌ左岸にポツ、ポツと出てきたのが六〇年代後半ね。プレタポルテ革命とも言っている。六八年には五月革命という大揺れがあって、学生たちがサンジェルマンあたりのレンガの敷石をはがして暴れまわった。イヴ・サンローランはその後の仕事にジーンズ指向のものを出し、五月の嵐のことが発想の転換に関係あることを語ってもいた。三宅一生さんも同じ意味のことを時々話している。いまあなたたちが歩きまわるカルチェ・ラタンのブティック街はみんなその頃から今の姿をつくり始めたのよ」。

『ひっくり返したものは、いずれひっくり返される。そっちが満足しているそういう街の顔だって変わってきてるよ。

そういう関係じゃない街づくりってなかったの。世紀末とか、二〇年代とか、よく話しているでしょう』。

「ウィーンの一八七〇年代から一九三〇年代までの文化を主題とした展覧会〝夢と現実〟を見てうなって帰ってきたのを知ってる?

オットー・ワグナー、クリムト、エゴン・シーレからマーラー、シェーンベルク、そしてフロイトと、建築、美術、音楽、心理学それに政治までも含めて、ウィーンで開花したまぶしいばかりの仕事を紹介している。その展覧会のことを話している余裕はいまないけれど、その時期に〝ウィーン工房〟というデザイン運動があった。

クリムトの絵を思い浮かべてごらん。どの女も胸からすとーんとすそまで、直線で流れる衣裳を着ているでしょ。ほとんどテキスタイル・パターンの華麗さに目を奪われて服のかたちを見そこなうほどだけれど。ウィーン工房は、古代ふうともエンパイアスタイルとも呼ばれるような、そのクリムトの女たちが着るであろうファッションもつくりだしていた。身体を束縛しない服というのはその時代では大変な前衛だったはず。ウィーン工房は、現存するプロダクトを見直し、アーティスティックな感覚がすべての商品の根底になければならないと宣言したうえで、家具、金工芸品、織物、衣服、装身具、テーブルウエアまでつくりだしていく。ヨゼフ・ホフマン、コロ・モデルなどという建築家やデザイナーが職人と一緒になってね。

ウィーンでその時代に起きたことは、もしかしたらファッションと都市のことを考えるうえでひどく大切なんじゃないかと思う。なんというか、建築などの環境、思想、美術、デザイン、いろいろひっくるめて、ひとつの時代の美学の表現としてのファッションが成立している。過小にも過大にも評価されず」。

『ウィーンなんて年とってから行くって言ってたんじゃないの。いつだって行けた街なのに、なぜいまそんなにウィーンなのか』。

「そのこと！　こっちの感覚が動いている。生きている時間の中で、どの都市かがキラッと、まるでミラーボールのように輝いて見えることがある。二〇年代のベルリン、パリ、六〇年代のロンドンときまった感じもあるけれど、世紀末のウィーンは、私たちの感覚にいま一番響くものがある。近代デザインがつくってきたもののマイナス面が見えてしまって、その前は何をやっていたのかということが気になる。なまじっかなものでは響かない。執念のこもるような、こちらが振りまわされるような美学を求めていて。クリムト、オットー・ワグナーに惹かれる私たちの中の、この沈澱した願望というか。鬱屈というか。これはやはり次の世紀末に至る飽和の時代の中の感情なのかな」。

『はじめの、きたなさはどうなの。それが自然だということと、ウィーンが響くことが結びつかない』。

「それは東京って何なんだということでもある。八〇年代は東京が世界のファッションの中心だなどと言われるし、賛成の部分もあるのだけれど、なんだか煮つまってないのよ。経済の力が強すぎて新陳代謝が激しすぎる。蓄積ができていかない。垢がつかない、ゴミがない、無菌の町、無菌の人間たち。

このきれいさはちょっと違うと私はいつも思っている。玉置浩二に似た、その山手線で見かけた子は、まわりの中流ふうの装いと自分たちとを区別したがっているように見えた。

小ぎれいと小ざっぱりとは違う。小ぎれいな社会的集団はもうたくさんと異議をとなえる人たちが多くなって、不満が沸騰点に達した時に日本のファッションに大揺れがくるんじゃないかと思う」。

『ぼくがファッション・デザインを勉強したいといった時、あなたは複雑な反応を示した。あれはなんだったの』。

「いま一番活気のあるのがファッションで、それは何人かの特にすぐれたクリエーターがいま仕事をのりにのってしているからなんでね。ここまで彼らが引っぱってきた結果、東京が注目されている。彼らにとっては、この人間の肌に一番近いデザインというものが過小評価されてたからこそ、取り組んだという無言の了解がある。昔だったら建築家や芸術家になりたいと思ったろうけど、いま日本ではコミックとファッションに若い人の目標が向いてるんじゃない？　ファッションって、服だけのことではない、時代感覚の表現なんだから、着るもののことばかり考えるなって逆に言いたいのよ。ウィーン工房はそれだけでは成立しない、ロンドンはミニスカートだけじゃなかったという、街ぐるみの美的知的興奮というか、そういったものがあってファッションがある。東京の今は、ファッション・デザイナーの何人かが触発して他のジャンルも活性化しつつある状況だと思う。これをじっと見ているアジアのどこかの都市が、混沌の中から何を生むかわからないよ。

ま、貪欲に何か探してらっしゃい」。

キャリアウーマン登場●ワークルック・レポート

女・ディレクター
小池一子

撮影　細谷秀樹

現代の若い女性のあこがれの職業といわれるスタイリスト、あるいはコピーライターであり、時にはディレクターにも――赤坂にデザイン事務所を置く「コマートハウス」のリーダー、小池一子さんの職業である。ちなみに小池さんの代表的な仕事、仕事ぶりを紹介すれば次のとおり。あのニューヨークから毎回新しいモデル

る）で我々を楽しませてくれる「パルコ」のポスター類、レコードの訳詞からミニコミ誌、新聞などへの寄稿、NEWS誌の編集から「ザ・ポスター展」のプロモートetc……。自分で直接手がけるものもあれば「コマートハウス」のメンバーに任せてしまう場合もままある。「あるデパートのオープニングのパンフレットなど、三日間で製作したのよ」とさらりと言ってのけるあたり、相当のバイタリティの持ち主のよう。ディレクターとして最も采配を振るったのは「ISSEY WITH KANSAI」（三宅一生さんのデザインを寛斎さんが演出した「健康に注意しよう」）。そして今シーズンパリで大成功の、三宅一生パリ・コレクションの陰の協力者として。強い個性と意志、限りない実行力。キャリアウーマンでなければとう

常に自分が最高に生かせる場所に身を置いていたい、とは小池さんの弁。事実、「過去も現在も実にすばらしい上司、先輩、仕事仲間、友人たちに囲まれて生活しているの」と誇らしげに語ってくれる。「私はそういう面（それらの人々と出会うこと）では動物的感覚が働くらしい」とも自分自身を分析し、ディレクターとして今日あるのもその鋭い動物的感覚によって得たものだ、とも言う。それも切磋琢磨しいうにいわれぬ努力があったからこそ、現在のようなうらやましいほどの環境に身を置くことができたにちがいない。早稲田大学英文科卒業後入社したアド・センターでは、雑誌「アンアン」を創刊当時手がけた堀内氏の下で働いているし、その後本誌のアートディレクター江島氏に師事し、現在はデザイン畑のオーソリティ、田中一光氏や石岡瑛子さんなどと一緒で、ラッキーなペアを組んでいる。さわやかなふんいきやその優しい表情からは想像もできないほどのキャリアウーマンらしいパーフェクトな仕事ぶりはこの人たちから学んだものにちがいない。

1975年2月号『ハイファッション』（文化出版局）「現代衣服の源流」展の仕事が注目され、取材が相次いだ。ボーイフレンド達との交流のショットも。撮影：細谷秀樹

関係ない。「ロンドンのBIBAの洋服など憎らしいほど安価なのが好き」とは掘出し物について喜々として語る小池さんの女らしい一面。しかし衝動買いはしない。色、形、コオーディネートを常に心がけている、とのことである。1　黒、グレーの横縞のセーターはソニア・リキエル、スカートはBIBA。2 3　三宅さんのニット。4　六年も愛用のトレンチ。

5 7 十年来の友人、テクスタイルデザイナー、ヨーガンさんを彼の原宿のお店に訪ねて。その時々の傾向を気にしない、コオーディネートファッションを追求し続ける姿勢に深い関心を。2の三宅さんのワンピースに、銀ぎつねのマントで。

6 「現代衣服の源流展」打合せ後、原宿で三宅一生さんと。縞のストールは彼自慢の作品。8 「現代衣服の源流展」のシンポジウムのために亀倉雄策氏にインタビュー。アールヌーボー、アールデコ、その時代の音楽について等々。9 TD6(119ページ参照)のレセプションに出席して。お気に入りのジーン・ミュアーのドレスで。夜の集まりにひときわ映えるナウな装い。

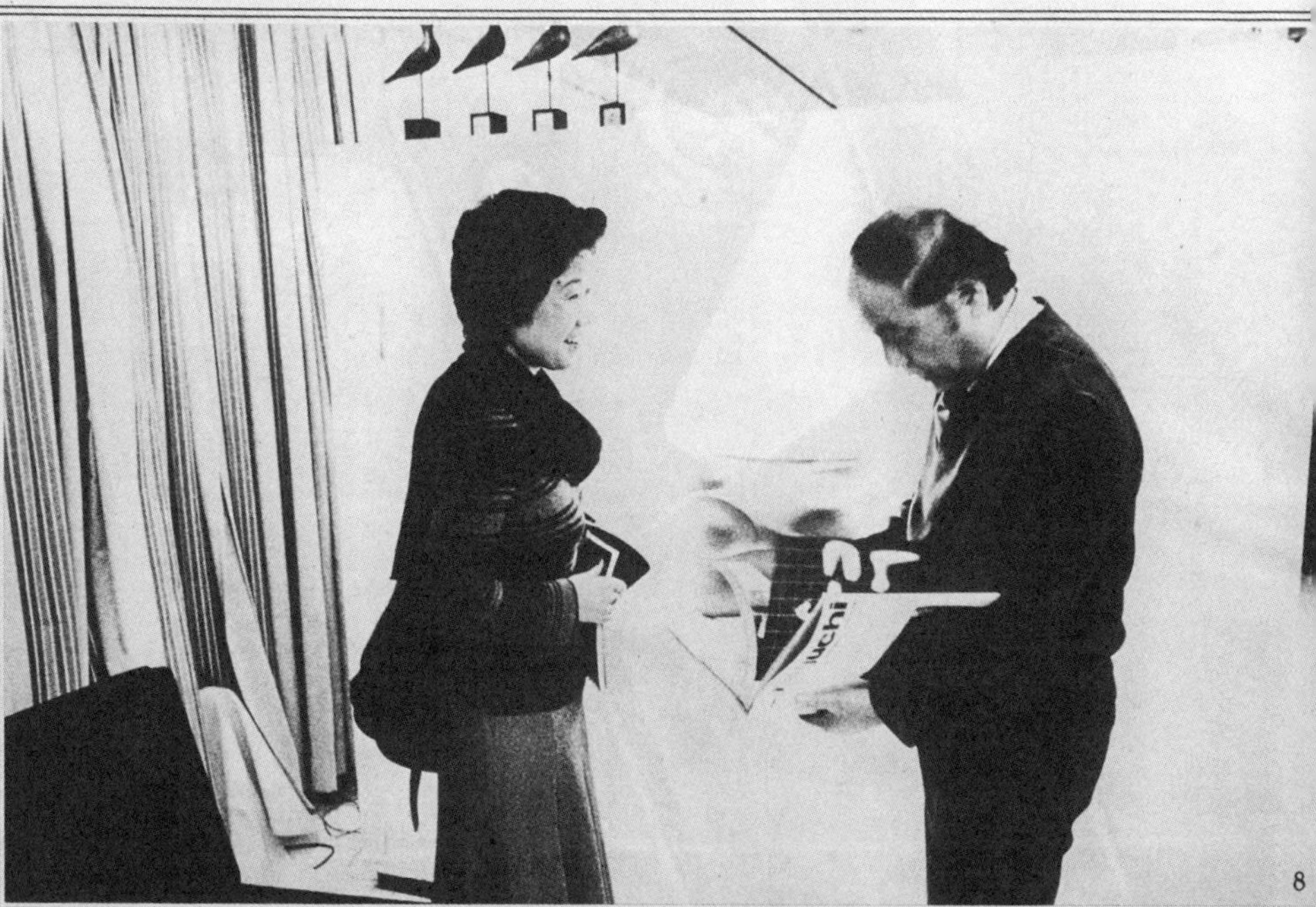

8

キャリアウーマンである小池さんがある意味で「今までの私の仕事の集大成になるだろう」と寝食を忘れて心を傾けるのは、三宅一生さんとともに手がける、京都商工会議所主催「現代衣服の源流展(インベンティブ・クローズ展)」(詳しくは本誌'74年一二月号をご参考に)のプロデュースである。メトロポリタン美術館と同じ条件で開催するという厳しい契約を進行させながら、三月末の開催までの短期間にしなければならない仕事は山積している。展示用のマネキンの準備から田中一光氏デザインによるシンボルマークの作成、展示場に流す音楽の打合せ、そして、そのシンポジウムの準備。亀倉雄策氏とのインタビューもその一つという。ニューヨークからは、電話でヴリーランド女史からのメッセージが次から次へと届けられる。ヴリーランド女史は、メトロポリタンでできなかったことをぜひ京都で成功させてほしいというのだ。息も詰まりそうなハードスケジュールの中で、週三日間は京都に来てほしいと要請も出ている。〝私の領域は私のイメージが証明する〟小池さんのお気に入りの自作コピーが、いみじくも今の心境をさわやかに語ってくれる。忙しければ忙しいほど、キャリアウーマンと呼ばれることも、働いていることも、充実感となって小池さんにこう言わせるのにちがいない。「現代衣服の源流展」は、大ぜいの協力者がなければ成功することはできない。彼女の例の動物的感覚を働かせて、キャリアウーマンの面目にかけても成功させてほしい。また、小池さんならこの大仕事をやり遂げるにちがいない。よき先輩や仲間に励まされて。

9

COLUMN－2

武蔵野美術大学

外苑前の入り組んだ路地の奥、寺の境内に位置する隠れ家のような場所に、小池の事務所、キチンは落ち着いていた。都心とは思えない静けさと木々をのぞむ借景が魅力の瀟洒なスタジオは、もとは三宅一生が住まいとして使用し、隣家は画家の今井俊満のアトリエだったタウンハウスで、作家の角田房子夫妻が所有する家作である。

1986年のこの日、キチンを訪れていたのは、当時、ともに武蔵野美術大学の教授を務めていた彫刻家の向井良吉と、この後に学長となる美術史家の水尾比呂志であった。

「学生の感性は新鮮でいいですよ」

武蔵野美術大学にファッションデザイン課程をつくる構想があり、この専攻科で小池を教授に迎えたいという意向を、二人は明かしていた。

その頃の小池といえば、佐賀町エキジビット・スペースを開設してようやく軌道に乗り、若い世代に囲まれて現場の実感に浸っていたことから、はじめに丁寧に申し出を辞退する。それでも美術大学のこれからについてなごやかに語り続ける二人の言葉に耳を傾けるうち、美大で学ぶ若い情熱への興味が小池の心にあふれてきたから仕方がない。またしても好奇心が勝ってしまった。

空間演出デザイン学科の主任教授だった向井は、キュレトリアルな仕事の可能性に先見の明があり、ファッションデザインを基盤に学科内の改革を望んでいた。そこで、キュレーター、プロデューサーとしての視点を持つ小池に、多様性に富むファッションデザインの未来をゆだねたのである。演劇との出合いをきっかけにこれまでの活動があり、〝空間〟を重要視して佐賀町エキジビット・スペースを興した小池が、演劇で用いる〝演出〟という言葉で構成された「空間演出デザイン学科」で、ファッションを専攻するコースの教鞭をとることになろうとは、できすぎためぐりあわせである。

「私が三宅一生さんに近い立場にあるから、教授にと声を掛けてくれたのだと思うけれど。『将を射んと欲すれば先ず馬を射よ』でしょう?」と謙遜してみせる小池だったが、1988年の春から教鞭をとると覚悟を決めると、〝考えるデザイナーづくり〟を目標に、キュレーターとしての立場を活かした学究的な手法を用いて、これまでにないファッションデザインへのアプローチをはじめる。

学習課程の中の長期にわたる授業として組みこんだのは、作品とそれを見せる場について理解を深めながら実践するための「展覧会をつくる」という課題であった。展覧会のテーマを考え、今という時代を意識した議論をかさねて、展示する作品制作はもちろん、展示、広報、経済のすべてを、チームワークで手掛けて完成させなければならない。

「学生には、『発想を練ること』を繰り返し伝えます。自分が何をつくるかを明確にし、発想を鍛えてほしい。そのためには同時代の人たちがつくるコンテンポラリーなものをできるだけ多く見て、どう感じるか、自分だったら何をテーマにしたいのかといった、主題の発掘をしていくように教えています。さまざまな芸術分野から得る刺激も大事です」

時代感覚をとらえて感性を磨くことに加え、美学や歴史といった学問へも意識を向ける。技術教育については、バウハウス以来の課題でもあるように、もっと現業に近づけるべく職人のマエストロから学ぶ機会を、高田喜佐ら小池のデザイナーの友人たちの協力を得て実現していった。特別講師としてほかには、イーリーキシモト、ミントデザインズ、シアタープロダクツのデザイナーら、ファッションの現場に身を置く学生に近い世代のクリエイターを招いて刺激を与えることや、森村泰昌やトレイシー・エミン、ヨルク・ガイスマール、マリ=アンジュ・ギュミノといったアーティストによる特別講義を可能にしたことは、小池ならではの仕掛けであった。

ファッションとデザインとアートの有機的な結びつきを１９７５年の「現代衣服の源流」展で示した小池は、ジャンルを設けないアートの実験場として佐賀町エキジビット・スペースを興し、アートの卵を孵化させてきた。現代美術の世界を率いる立場ではあるが、アーティストが唯一の時代の批判者であるかのようなアート優位論には賛同しない。たとえばファッションの世界では、意識の高いデザイナーらは、生産のみならず消費の構造にも取り組み、社会や世界の状況を見通しながら自ら手掛けたプロダクトへの変革に挑んで成功させてきたことを知っている。

「洞察力次第で道がひらける領域として、好奇心に裏打ちされた教養が要求されるのです」

　教育によって学問や社会構造への理解を深めれば、時流をとらえた意識の高いクリエイターへの成長が期待できる。小池の視点はものづくりだけではなく、デザイン教育では盲点とされる、ものづくりを下支えする基盤へも意識を向けることを促して、多様な観点を培うことを目的としていたのである。

　いわゆるデザイン学校のカリキュラムとは異なる小池のシラバスを支えたのは、第一助手であった松村光である。武蔵野美術大学の小池ゼミで助手としての経験を積んだ後は、三宅デザインスタジオでプロダクトの開発に携わり、BAO BAO ISSEY MIYAKEを手掛けてデザイナーとして独立を果たす。身に着ける人間に寄り添うプロダクトは数学的な視点から生まれたものだ。学究的手法から独自のデザインを生みだすところ、小池ゼミの懐刀らしい真骨頂である。

　小池のもとで学んだ学生のうち、衣服デザインの分野では、ファッションを新しい視点でとらえ直した仕事を展開するプロフェッショナルが数多く生まれている。

「MAUFD」武蔵野美術大学造形学部空間演出デザイン学科 ファッション専攻。
小池が通称エフディと呼んでいる武蔵野美大のファッションコース卒業生は1988年創設以来400人以上にのぼる。小池自身が教鞭をとった17年間に在籍した学生とは現在も連絡をとりあっている。何人かの親しい友人として一部をここに紹介するが、仕事師はほかにも数限りない。

魚谷勇人　TRICOTÉ
大田垣晴子　画文家
萱場真鳥　mtrism
木村勇太　MAROBAYA
國時誠　SUTOA
小松真弓　映画監督
坂倉弘祐　YANTOR
澤田石和寛　衣装デザイン
遠山夏未　HORO Kitchen
野口綾　aya noguchi aya
古澤奈央　コスチュームデザイン
松田沙織　LTshop
真鍋友芳　Tomo
守谷周庫　New Balance
森亮介　tobari
山田邦雅　KuPE inc.
李鋭丁　コスチュームデザイン

発信 ムサビF.D研究室
Tel. 0423 42 6066
Fax. 0423 42 5172
〒185 小平市小川町1-736

FAX TO. Ken-san

ノミ新聞
1月19日 1号
編集兼発行人 大田垣晴子

エヌUはどうですか? ふゆは さむいけれど、そらも うみも とうめいで きれいでしょう。

2コマ ことわざマンガ

なんで「ノミ」かというと 以前、フランスの特殊メイクの レイコ・クリュックさんがね、パーティ会場ではしゃぐわたしに 言ったのですよ。

「あなたみたいな女のコを フランスでは 〜〜〜(フランス語) っていうのよ」だって。ちいさなノミ。ショック。でもノミはノミなりに、オトナたちにかぜりつくつもりでやろう。読んで下さい「ノミ新聞」。

森村泰昌展
MMM マイケル マドンナ モリムラの関係
ザ・ギンザ アートスペースにて
一月六日〜二月二七日
レセプションパーティがあった
PSYCHOBORG

モリムラさんは今日は何だか「ウォーリーをさがせ!!」みたいだ……。マイクもってあいさつ。少々キンチョウしているらしい。

モリムラヤスマサ展は「うたう写真」だ、といえば、えー、正しいと思います

ああ、素顔なのだろうけれど、思わず疑ってしまいたくなる容貌をしていらっしゃる……。

コイケさんがシノヤマキシンさんに紹介してくれた。

シノヤマさんに「コリャ、動くモリムラ人形だな」と言われてしまった。ガーン。その他に「ニュースな女たち」でもできますか」って。

それから久しぶりにケンさんにも会えたし、同級生にも会ったし、ウキウキしてはしゃいでしまった。これが「ノミ」といわれてしまう所以なのだよな。注意注意。でも楽しいときは楽しいのだもの。

帰り際、傘がなくなっていて、しかも友だちのもなくて、ハラがたつ〜ー。オトナのくせにヒトのカサもってゆくなよ〜ー。

でも盛況で、よいレセプションでした。

アートスペースも「カラオケボックス展」でおもしろい。モリムラ氏による「テイクアバージン替え歌」がきけますよ。

大田垣晴子が研究室から発行していた「ノミ新聞」第1号。

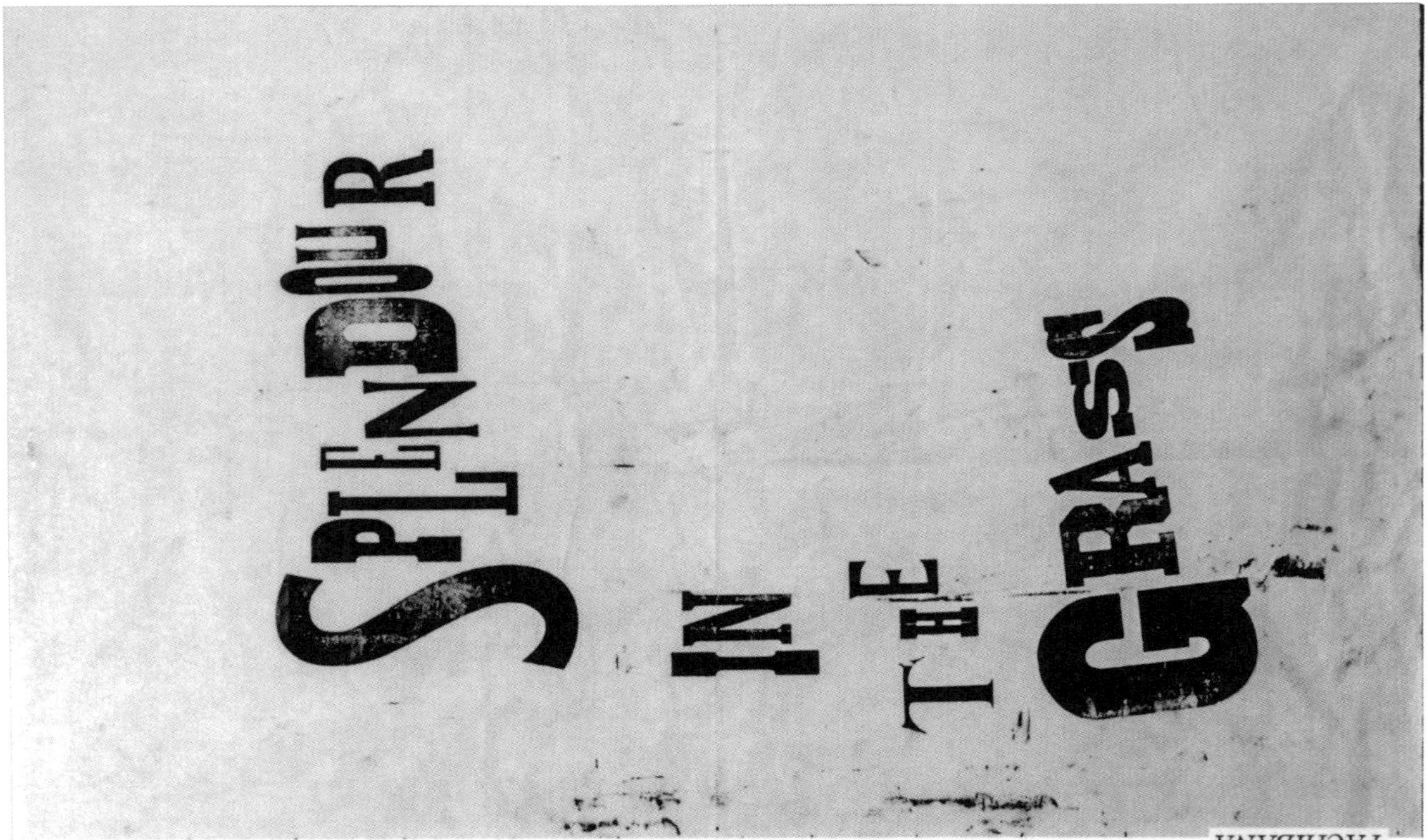

SPLENDOUR
IN
THE
GRASS

FUMIO
TACHIBANA

What though the radiance
which was once so bright
Be now for ever taken from my sight,
Though nothing can bring back the hour
Of splendour in the grass,
of glory in the flower,
We will grieve not, rather find
Strength in what remains behind;
In the primal sympathy
Which having been must ever be;
In the soothing thoughts that spring
Out of human suffering;
In the faith that looks through death,
In years that bring the philosophic mind.

William Wordsworth

クサ　ノナカニ　ヒカリヲ　ミタ
ハナ　ノナカニ　キラメキヲ　ミタ
ソノジカンハ　モウ　カエッテコナイ
トシテモナゲクコトハナイ
デアッタコロノ　キョウカンガ
ツヨク　ノコッテイルノダモノ

コイケカズコ　ヤク

25 MARCH, 2006

立花文穂が小池の退任祝いに制作した大判のカード。小池が訳したウィリアム・ワーズワースの詩がデザインされた。

思考の柔軟性を育むプログラムからは多彩な人材の活躍がある。第1期の学生には、イラストレーションと言葉を用いて構成した作品を「画文」と名付けて制作する大田垣晴子（おおたがきせいこ）がいた。おおらかなタッチの絵に添えた鋭い言葉選びに深い観察眼をみた小池は、『週刊文春』の表紙を担当していた和田誠と朝日新聞社に勤める友人に当時大学3年生だった大田垣を紹介した。すると、早速双方から仕事の声が掛かり、現在においても独特の画文はメディアから重用されている。

　大田垣と同じ頃、視覚伝達デザイン学科に在籍していた立花文穂は、小池の空間演出デザイン学科によく出入りしていたこともあり、小池が目を掛けている現代美術家である。職人的手仕事をストイックに作品へと昇華させている立花は、自身のメディア『球体』を持つなど出版に関する作品も多いほか、小池の母・元子の洋裁の仕事を追った作品集『クララ洋裁研究所』を手掛けて、クララ社の痕跡を立体的によみがえらせている。立花のものづくりへの姿勢に共感する小池は、クララが蓄えてきた素材を彼の手にゆだねていた。

　映画・映像業界には、2020年春に封切られた映画「もち」で監督、脚本を手掛けた、第5期生の小松真弓がいる。東北の文化を残したいという使命とも思える衝動で作品に取り組んだ姿勢は、心を動かされるままのものづくりで感動を起こしてきた小池の足跡ともかさなる仕事ぶりである。武蔵野美術大学で共感できる若い世代と出会えたことは、社会をよりよく動かしたいという小池の気概をますます鼓舞している。

「美術を勉強したいと思う彼らの意思と、よいものを持つその人の役に立ちたいと願う、こちらのベクトルがつながる出合いです。そして大学の存在理由は、〝人と場の出合い〟を提供できることにあると思います」

　場を提供するのは学内に留まらず、小池の自邸に学生を招いて食卓を囲むことも多かった。空間をととのえ、旬の食材を用意して、食事に合わせた食器や飲みものを選ぶ。美術、デザイン、工芸が生活とともにあり、その背景には文化や歴史が横たわっていることを自然に学べるこの体験を、小池ゼミの学生らは〝パーティ学〟と呼んで親しんだ。

「根底にあるのは、人をこころよくさせるという、サーブする心。私たちときたら、パーティが学習の中核のように力をこめてきたかもしれません。〝衣・食・住〟と人間の関係

13期生の遠山夏未、松田沙織、古澤奈央による卒業制作。遠山のオリジナルレシピで、3か国を表現した3種のスープが給された。ロシア＝サーモンとジャガイモのウハー。ルーマニア＝鶏肉のチョルバ。フランス＝ほうれん草とそら豆のポタージュ。

をよりよくするのが、空間演出ではないでしょうか」

こうして小池が提供した心豊かな時間を共有しながら学んだ学生らは、その真意をおおいにくんで、ユニークな作品へと実を結ぶのである。

「小池先生の授業はまさに校舎を超えていて、いつも経験のきっかけを与えてくれました」

佐賀町エキジビット・スペースが活動する最後の年に入学してきた13期生に、遠山夏未（なつみ）、松田沙織、古澤奈央の三人がいた。彼女たちが3年生の時には、佐賀町エキジビット・スペースが舞台として使用していた食糧ビル全体を展示室として、このビルで活動した4つのギャラリーとともに、これまでの仕事を振り返るアートプロジェクト、「エモーショナル・サイト」があり、三人もボランティアスタッフとしてかかわり、食糧ビルの終焉に立ち合っていた。

「よりよく生きるために創作を考え、デザインをその手だてとする時、衣・食・住の三局面すべてが実験領域となります」という、衣・食・住を俯瞰して考える小池の教えを受けて、三人は旅した欧州の文化を題材にビストロを仕立てて、パフォーマンス／インスタレーションとしてあらわした。三人の意識の明るさから到達した作品〈bistro 冬物語〉は、２００３年の卒業制作優秀作品賞を受賞する。土地に根ざす文化を尊重しながら、ファッション感覚を食・住の環境にまで演出した三人の姿勢を小池は高く評価している。共同制作という形式や食品を扱うことなど、卒業制作としては異例のスタイルを遂行できた陰に小池が奔走する姿があった。

この作品は小池イズムを学んで得た、あるべき回答であったと、松田ら三人はかえりみる。

「ファッションデザインの世界を志して選択した学科でしたが、ファッションのあり方も過渡期にある時代でした。ファッション産業の過剰生産やサイクルの速度に疑問を感じはじめた頃で、ライフスタイルショップというカテゴリーが生まれる直前のことです。既存のファッションの世界への迷いの回答として、衣・食・住の境界のないとらえ方というのは、時代の流れに即していたのだと、今ふりかえると納得します。

そして、同じ時代に同じ感情を共有できる仲間に出会えたことは、小池ゼミがつないだ大きな財産です」

美術大学での学びに、作品づくりが大事であるのはもちろんだけれど、そのバックグラウンドを支える人間が重要であることを、小池は折にふれて伝えてきた。心おもむくままに制作をするならば、あとはただ流れに身をゆだねればいい。理解しあえる人間が、必ずあらわれる。

「キャリアがかさなっていくうちに、貴重な友人や仕事仲間がふえる。それがコンテンポラリアン、同時代に生きている人間の交流です。学生時代に真の仕事師の交流ははじまっています。はじめから有名なアーティストなんかいない。認め合う仲間の存在が先にあるのです」

〝新しい友だちをふやし、古くからの友人を大切にしろよ
友だちは、片方が銀なら、もう一方は金だよ〟
少女時代に覚えた歌が、このところしきりに口をついて出てきます。
大学時代の友人はまさに金。やがて仕事の中で会う友人たちがふえていく。
銀と金のこの世界にしか、私たちのリアル・ワールドはないのです。
コンテンポラリーとはそういうことです。

「Fashion display scenography: Musashino Art University Department of Scenography Display, and Fashion Design Graduation Works」
（武蔵野美術大学13期生有志による卒業制作作品集より）

動詞が生みだす文様

『家庭画報』1992年8月号

はじめて石の庭に対面したのは10代の半ばのことだった。

夏の夕方で、今よりは監視もずっとゆるやかだったから、私は一人で長い廊下に座ったまま白い庭のモノクロームが暮れなずむのを眺めていた。退出をうながす若い僧侶がやがて現れて、私が立ち上がるのを見届けると庭に降り、白い小石の表面を整えにかかった。

それをゆっくりと拝見することはその時の私には許されなかったのだが、竹の道具で掻く、という文様のつくり方を垣間見たことがひどく心に残った。

最近になって、アフリカ・ザイールのクバのテキスタイル展を準備した折に、ゆくりなくも少女期の、その石庭の印象が甦った。

クバ族はアフリカのすぐれた染織の仕事の中でもとりわけ独創的な文様をつくり続けてきたことで知られ、画家マチスがそのコレクションを愛蔵していたことが、写真家アンリ・カルチェ・ブレッソンのカメラ・アイに収められている。

クバ族のテキスタイルは、〝草ビロード〟と呼ばれるカットパイルの布と儀式用の礼装から成り立つのだが、いずれも驚くべき幾何学的なパターンを表現している。とりわけ葬式の供え物であるカットパイルの四角い布にとらえられた図柄の抽象性は彼らが〝世界を幾何学的な記号の組み合わせとして解釈する〟という研究家の言葉を如実に現している。

その研究家・コレクターの友人メアリー・ハント・カーレンバーグはさらに興味深いエピソードをもたらしてくれた。

かつて宣教師がクバの王への贈り物としてオートバイを持参したが、王は何の関心も示さなかった。そこでオートバイを引き下げようと動かした時、王の目が輝いた。タイヤの残した模様が、新しいパターンとして採り入れられることになった。

この話はさまざまに聴く者を触発

するが、私は小躍りして、ひとつの持論を出す。文様はまず動詞がつくってきた、と。

平面あるいは表面に、彫ル、刻ム、などの動詞が関わって生まれる文様について古代からの文化遺産の例を引くまでもない。仏像のまとう布は、畳ムことによって生まれるひだの文様の神々しい例だろう。

そぎ落トス、削ルなどの意味を持つ「はつる」という動詞もある。一九八八年のヴェニス・ビエンナーレでフランスを代表したダニエル・ビュランは自国のパビリオンの建物の肌を見せることを作品としたが、それはほぼ一世紀前に建築家が残した文様すなわち、石壁の「はつった」面と、動作を加えない面とが構成する、それは美しい細い縞文様の素顔をむき出しにして見せることであった。水紋、風紋は自然が仕かけた動詞のつくりだす文様と言えるだろうか。

では動詞でなく名詞で文様を見るなら、これまた花、鳥、草、木、動物。自然界を模したものだけでも無限に存在している。そこでまた私だけの定義になるが、名詞からは模様が生まれている。

ばらの模様、つる草の模様、鯉の模様、ライオンの模様、のこぎり・かんなの模様、サムライの模様、子どもの模様。すなわちかたちと名のあるものたちの模様。

枯山水もまた自然を模したものではあるのだが、そこにある文様の力はほとんど謎である。

小石の海の表面を掃くことで水の流れを現出し、小石を円錐形に積みあげることで山を現すと、はじめに案出した人は宇宙の再構築を無意識のうちに行っている。日本の庭園で心が静まるのは、プリミティブ・アートを前にするのと同じといったら驚かれるかもしれないが、根元的な力をとらえた文様、という共通項がある。

クバ族は自然の事物を単一の記号に省略し抽象化する。私が見た一枚は、村落や田畑と思われるものが線による幾何文様として地面をつくり、その随所に一段と厚みのあるモノリスのような長方形のパターンが浮き出たもので、私は一つの庭——東福寺光明院の、印象を思い返していた。

四角いクバの布は死者の霊に捧げるものですぐれたデザインでなければ昇天できないと、クバ族は図案を競いあう。成果をあげた文様は未来的なイメージさえかき立てる。

寺院の庭の文様にも、鎮魂の思いはこめられている。無心にそれを掻く人になりたいなどと、この頃は思う。

消えるバンドもイカス

1989年8月6日『朝日新聞』（TV時評）

テレビ時評が、番組をたくさん見た上で評することを前提としているなら、私などこの欄を書く資格はまったく、無い。

人に会って、人と共にする仕事の多い私の場合は、放映中の番組を見るのは朝か深夜だけ。録画も試みているけれど、ある日、新聞の山積みのようにたまったビデオを前に、それをすべてクリアする時間の長さを思って、ぞっとした。そして、あんまりがんばらないでいいと、逆にふっ切れたのである。

あれもこれも見なければいいと考えるから焦るのであって、それを見られなかった自分の時間の充実度を思えばいい。

テレビの中側の方にとっては、おそらく競争相手は他番組ではなく、この忙しくてワイ雑で、あらゆることが起きつつある現実の都市生活そのものだ。

先日アメリカの美術記者の友人が、私どもの動くように動いてみた東京での何日かの後で、この都市では1日に36時間が必要だと言った。

え？　それは私たちが20年前のニューヨークで感じたこと。あの都会で、私たちはアメリカに触れるというより、アフリカ、中南米、中近東、ヨーロッパの西と東、アジア、あらゆる国の美術、音楽、映画、演劇の洪水にのみこまれた。それと同じような状況が今の東京に起きている。いわばビジュアル・アートとパフォーミング・アートの祭りの同時多発的展開。

その中から1つを選ぶのが困難なところに、衛星放送も加わってテレビ番組が羅列しているわけで、いまや〝過ぎたるは及ばざるが如し〟の、アパシー（無関心）現象さえ見受けられる。

ところで今年の8月13日はウッドストック・ミュージック・アンド・アート・フェアの20周年にあたるという。

このことと土曜の夜の「イカテ

ン」（ＴＢＳ　平成名物ＴＶいかすバンド天国）を私は重ねあわせて思った。ロック共和国には依然として、同時代の熱気が集中する、と。

　日本のウッドストック世代の子供にあたる連中の「イカテン」を、私は楽しんできたのだけれど、最近になって友人にも親類にも親子で見ている家の多いのが分かったり、私の大学の研究室仲間も学生も言わずもがな、見ていた。

　司会の三宅裕司、審査員、ゲスト。それぞれの人臭さが自然に伝わってくるし、応募するバンドが必死でキメてくるカッコが安っぽくていい。では、どのバンドが一番好きですかと、まともに学生にきかれて困った。

「良いと思っても本選に残ってなかったりするでしょ」と、とっさに答えたが、この〝消えていく〟グループまで見られるからこの番組が私は好きなのだ。

　音楽産業に組みこまれる前、というとオーバーかもしれないが、表現したくてしようがないバンドの原型が、いかすのだ。ギンギンのパンクだって、泥臭くてキレイじゃないから、いかす。女のグループの元気さもブリッ子じゃないから、いかす。

　ポップや歌謡の番組が、まるで音楽産業とファッション産業のショーウインドーのようになっていて、「それでお前さん、なにを言いたいの？」とあきれる日常の中で「イカテン」はロック共和国の継承者を生んでいる。

6

1979年〜

自然は、印し無しで生まれた

無駄を廃し、心地よいと感じるもの、上質なものに囲まれたくらし。今でこそ、それが当然といえるくらしのありようが浸透しているが、自然で良質なライフスタイルを40年前に提唱し、贅沢とは違う真の豊かさを生活の中心に置いてきたのが、「無印良品」[*1]である。

そのはじまりの背景は70年代後半、街は建設ラッシュに湧き、日本の経済は上昇を続けていたが、豊かさを謳いながら目的地を見失っているあやうい時代でもあった。欧米ブランドのロゴをあしらい、過剰包装と過大広告をコストに上乗せした商品があふれ、好調をたどる経済にかこつけた当時の流通産業の動向は、大切なものを見え難くしていたともいえる。

「経済の上昇ばかりの風潮に楔(くさび)を打つ、というのかしら。本当の豊かさとは、そうではな

*1 **無印良品(むじるしりょうひん)**
1980年、株式会社西友のプライベートブランドとして、食品31品目、家庭用品9品目の40品目からスタート。1989年に株式会社良品計画を設立。1991年、MUJIとして海外1号店をロンドンにオープン。1995年に家電製品をラインナップ、次いでヘルス・アンド・ビューティなどへと商品領域を拡大する。2004年より「無

いでしょう」

その頃、小池は田中一光とともに、西友の衣服部門の広告制作にかかわっていたが、ここでの仕事は二人が目指す衣服のあり方であるとは言い難かった。くらしのなかのファッションについて試行錯誤をした小池は、「何気ないのだけれど、着るひとの存在がみえるようなもの」、これを衣服の理想として導きだす。画家の合田佐和子と娘をモデルに、シンプルな白をまとわせ、衣服が着る人の内面の輝きを表わすことをポスターにして伝えたのである。

日常をともにする普遍的な服づくりへの思いをますます深める小池は、ファッションのみならず、衣・食・住に共通した生活における美学を求めることが必要であると思索を広げていく。そしてたどり着いた〝ライフスタイルの原点に立ち返る〟という新しい生活様式の提案は、はじまりの予感と期待をふくらませていった。

時代の潮流を空虚に感じていたもうひとりは、西武流通グループの堤清二である。欧米の高級ブランドを扱う堤の流通ビジネスは好調そのものであったが、この先に真の豊かさがあるとは思えない。消費者の満足度を考えるこ

無印良品発売以前の西友でのファッション仕事。当時衣服部門に試行錯誤していたなか、服は着る人間の内面の輝きを表わすという指摘をこめるポスター制作に打ち込む。画家・合田佐和子と娘をモデルにシンプルな白いウエアをフィーチャーする試みの中で普遍的な日常の服作りへの思いが固まっていく。
出典：『感性時代』「西武ファッションボードポスター 1983」

印良品の家」を販売、有楽町の店舗にモデルハウスを設置した。２０１９年に銀座にMUJI HOTELが開業。現在も国内外に約１０００店を構え、生活者や生産者に配慮した商品・サービスを具体化し、世界の人々に「感じ良いくらし」を提案する。

となしには、充足感もあり得ないだろうと、生活者の視点と思想を基にしたプライベートブランドを立ち上げることを考えていた。

　国内外の大手流通が手掛けるプライベートブランドは以前から存在はしていたが、安価な粗悪品もしくは模倣品といったイメージが先行し、継続した成功例を見てはいない。西友のプライベートブランドとして展開を考えていた堤は、全く新たな視点から商品を開発することを試みるのである。

「たとえば、日本のものの美しさって、どんな感じだろう？」

　アートディレクターの田中一光、コピーライターの小池、日暮真三[*2]、グラフィックデザイナーの麹谷宏[*3]ら、堤が信頼するクリエイターが招集されて、生活の中にすでにある大切な事象に注目して、感覚的に話し合うことからはじめていった。衣・食・住を正そうと、小池がまさに生活の原点に立ち返る思索をかさねていたことと同じ行為であった。これが無印良品の出発点となるのである。

　ブレインストーミングをかさねていくと、自然の中で収穫する旬の野菜や果物が持つ価値、簡素さを尊重する日本独特の美学についてなど、小池と田中らが考える生活への正しさや美意識のほとんどが一致を見て、方向性は自然と定まっていく。欧米ブランドのカタカナのロゴを付けるだけで商品の価値を高めていた当時の市場へ抗う気持ちから、ロゴなどなしに、もの本来の資質を装飾なく打ち出して、生活に必要なものをまずとりあげるという、基本理念が生まれたのである。

　実質本位の商品構成を表わす名称は欧文翻訳のカタカナではなく、和名で展開したいという気分も、スタッフの皆が共有していたものだ。ノーブランドを日本語にたとえると、「無印」。品質のよいモノという意味では、「良い品」。大きな紙に、文字をそれぞれに書き

*2 **日暮真三**（１９４４年〜）
コピーライター、作詞家。千葉県生まれ。明治大学在学中に久保田宣伝研究所（現・宣伝会議）コピーライター養成講座を受講し、そのときの出会いにより大学を中退、電通嘱託社員として入社。その後、１９６９年にライトパブリシティに入社。１９７４年に独立し、日暮真三事務所を設立。ＮＨＫ「おかあさんといっしょ」のアニメ「こんなこいるかな」などの作詞家としても知られる。

*3 **麹谷宏**（１９３７年〜）
グラフィックデザイナー、クリエイティブ・ディレクター。奈良県生まれ。デザインを学んだ後、銀座松屋宣伝部に入社。１９６７年、パリのデルピール・ステュディオに在籍、パリ国立銀行などのデザインを担当。１９７２年の帰国後は「自然はおいしい・農協牛乳」の開発計画への参画や『週刊朝日』の表紙などを担当。１９９３年、ケイプラスを設立。

出して、ふたつの言葉を合わせてみると、日本ならではの四文字熟語のように、「無印良品」という名前ができあがった。品質への自信を素直に言葉で表わすと、自然にしっくりくるものとなったのである。

「商品というのは、生まれるときに幸せだと、勢いがつくのです」

モノそのものの価値を問う。ただ率直に内容を伝えれば、この企画はきっと多くの共感を得られるはずである。無印良品のありかたに意気を感じた小池は、徹夜を厭(いと)うことなくその礎(いしずえ)づくりにとりかかったのである。

無印良品が扱う商品開発の基本は、日常生活に本当に必要なものを、適したかたちでつくること。そのために、素材の選択、工程の点検、包装の簡略化の3つの柱を掲げている。

おいしくて安心できる食品、肌への思いやりのある衣服や、使いやすさを第一に考えた生活の道具であるために、安全で品質のよい素材を選択する。かたち、大きさを選りわけるような、商品本来の質に影響しない作業を省き、素材を無駄なく活かしたものづくりをするために、工程の点検をする。パッケージは商品名と商品の成り立ちのわけを記しただけのあっさりとした簡易包装にして、一括包装や共通容器に入れるなど、過剰な包装にしない。

これらを実現することで、品質の良いものを内容に合

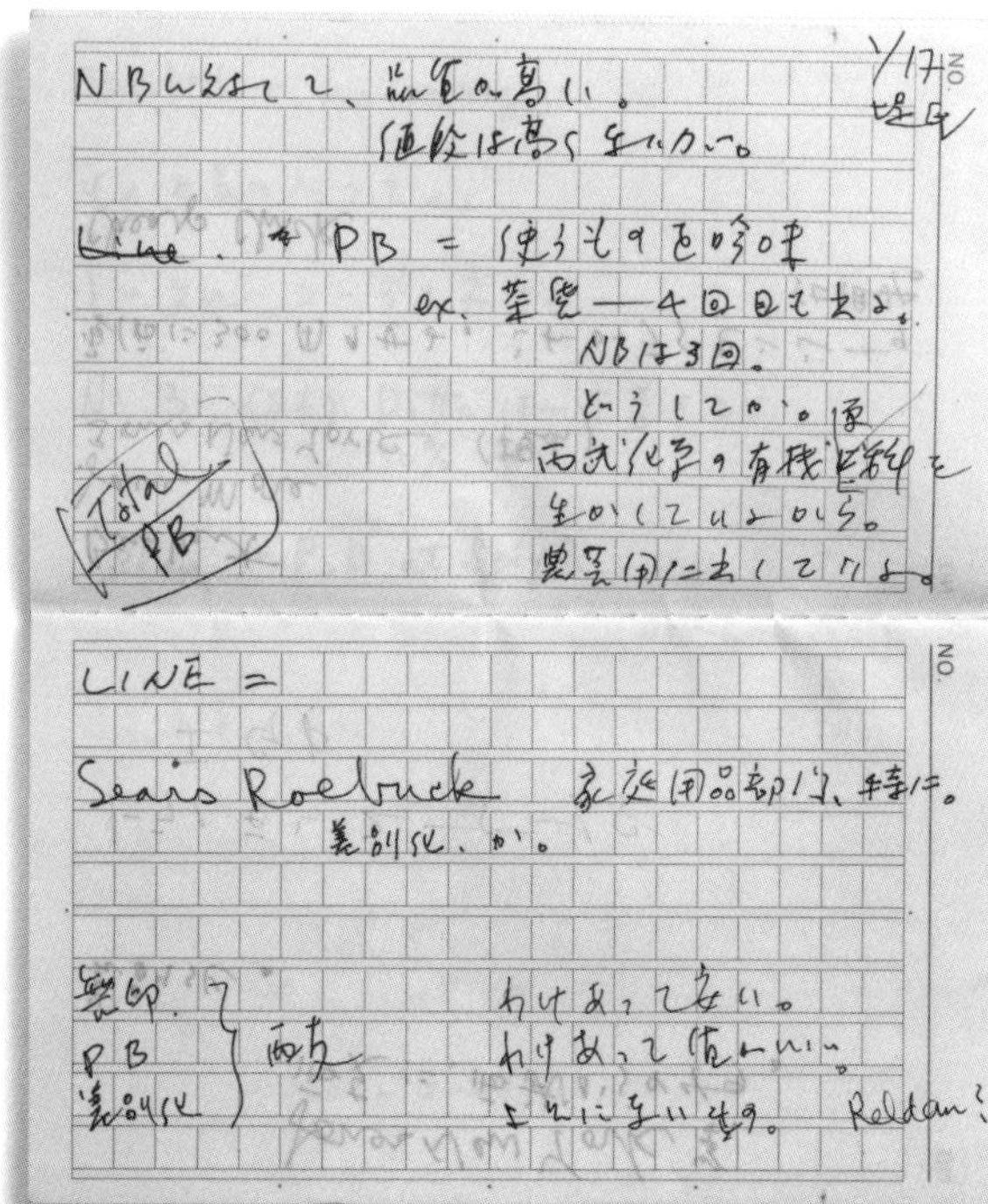

1979年、無印良品立ち上げにあたっての打ち合わせ時のメモ。

った適切な価格で提案していくことが可能になるはずである。「安い」という言葉の使い方は難しく、そのものの価値以下の値段になってしまってはいけない。重要なことは、ほかのものより安いかどうかという比較ではなく、正当にものの評価をすることにある。

たとえば、干し椎茸は不揃いで割れたものでも味や栄養価に変わりはない。そこで、堂々と「われ椎茸」という商品名にして、「大小いろいろ、割れもありますが風味十分。煮ものや五目寿司など、家庭料理にたっぷり使えます」と、安さの理由を明記して、市価の3〜4割安に設定した。こうして生活者の視点を第一に、最初に40品目を揃えて、1980年、無印良品は登場するのである。

「わけあって、安い。」

小池のコピーとともに、「無印良品」の名前が刻銘されて、その内容を知らせる新聞広告、ポスターが生まれた。アートディレクターの田中のアイデアに端を発し、まるで水戸黄門が印籠をかざすように札を持つ手を描いたのは、視覚や錯覚を用いたイラストレーションでユニークな作品を制作するアーティスト、福田繁雄[*4]である。テレビドラマでおなじみの正義のスタイルと大衆性を表わしたとも捉えられるだろうか。

「無じるしで、登場します。良さと安さをかねそなえた品々。これが実現したわけを、知っておいていただけますか？」と、ささやきながら、安価に提供できる「わけ」を、商品ひとつひとつについて記してある。たとえば、

〈フレーク鮭水煮〉サケ科のからふとますを使用。ふぞろいですが、おいしさ十分。

〈セイロン紅茶 ティーバック〉粉状にする工程を省きました。煎出は遅くなりますが風味は上々。

*4 **福田繁雄**（ふくだしげお）（1932年〜2009年）
グラフィックデザイナー。東京都生まれ。学生時代を母の故郷・岩手で過ごした後、東京藝術大学を卒業。味の素の広告部制作室に入社するが、1959年よりフリーランスに。国際グラフィックデザイン・ビエンナーレ展をはじめ国内外の多数の公募展、企画展へ出品。芸術選奨、通産大臣デザイン功労賞など受賞も多く、著書も多数ある。

〈マッシュルーム〉茸のかさや石付部分もつかえます。

小池と事務所のスタッフらが作成し、パッケージにも記されているこれらの言葉は、商品の良い点をことさらに強調することはせず、内容を素直に伝えている。品質に自信があるからこその実直な姿勢は、消費者からの信頼を大きく得るのである。

「ホッ、うまい。エッ、安い。」

第二弾の広告のコピーを選定するにあたり、小池はこの言葉のほかに20案ほどを用意してプレゼンテーションに臨んでいた。しかし田中は迷うことなくこの素直な表現を選んですぐにデザインを組み、堤からも即座に決済されたものである。マーチャンダイザーが集めた顧客の反応に実感して制作したコピーでもあり、小池も自信はあったけれど、単純ともとれる表現ではあったから、あっさりと承認されるとは思わず拍子抜けしたほどであった。このおおらかで率直なコピーが二人の知恵者に即決されたことはたいへんに意味のあることで、コピーライターとしての小池にとっても大きな学びと喜びをもたらすものとなった。ポスターは無印良品のコーポレートカラーであるえんじ色単色でクラフト紙に印刷し、贅を排した無印良品の心意気を田中はここでも示している。

「こういうものですが、どうぞ。という、飾らない姿勢がそこにあるのです。田中さんとどこかで一致していたのが、本物志向というか、〝そのまま〟とか、〝原点〟とか、〝飾らない〟こと。そこに、欧米軸の美学に傾かなかった理由もあるわけです。無印良品は、もうひとつのもの、オルタナティブといえるものでしょう」

アートディレクション：田中一光、イラストレーション：福田繁雄、コピーライト：小池一子。

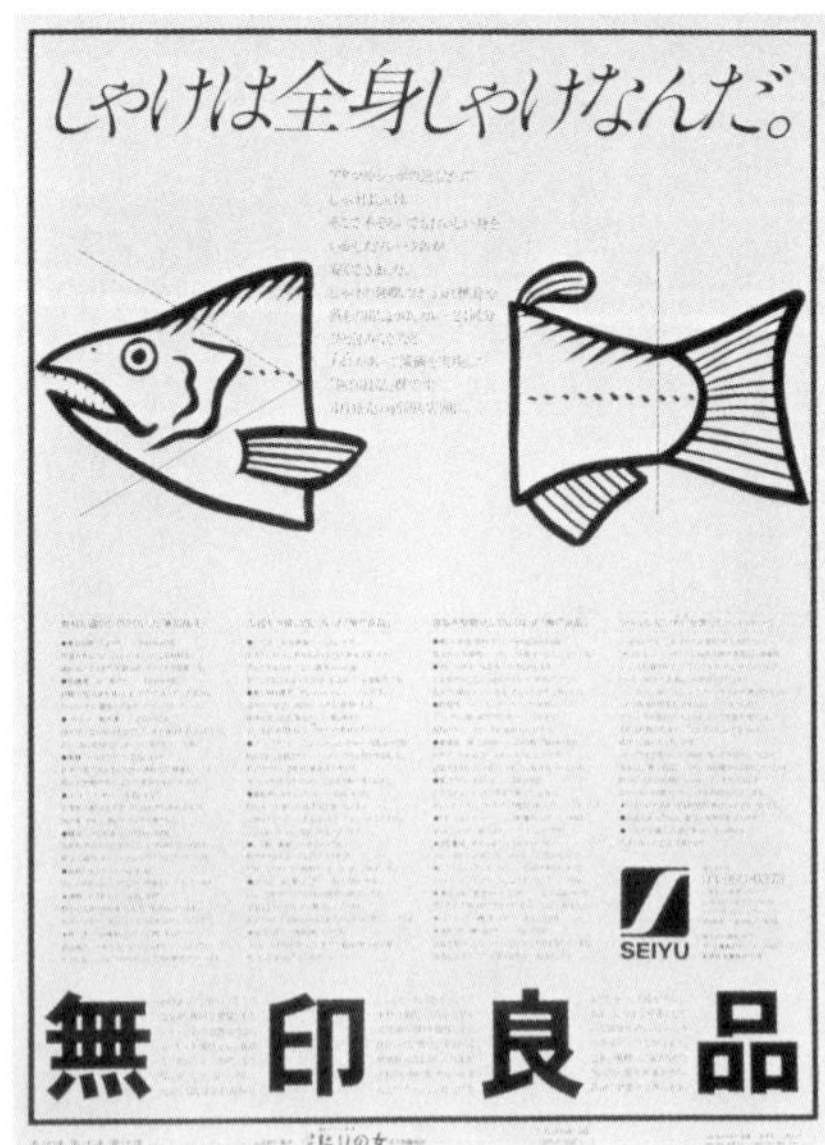

アートディレクション：田中一光、イラストレーション：山下勇三、コピーライト：小池一子。

アートディレクション：田中一光、イラストレーション：山下勇三、コピーライト：小池一子。

アートディレクション：田中一光、イラストレーション：和田誠、コピーライト：小池一子。

アートディレクション：田中一光、イラストレーション：福田繁雄、コピーライト：小池一子。

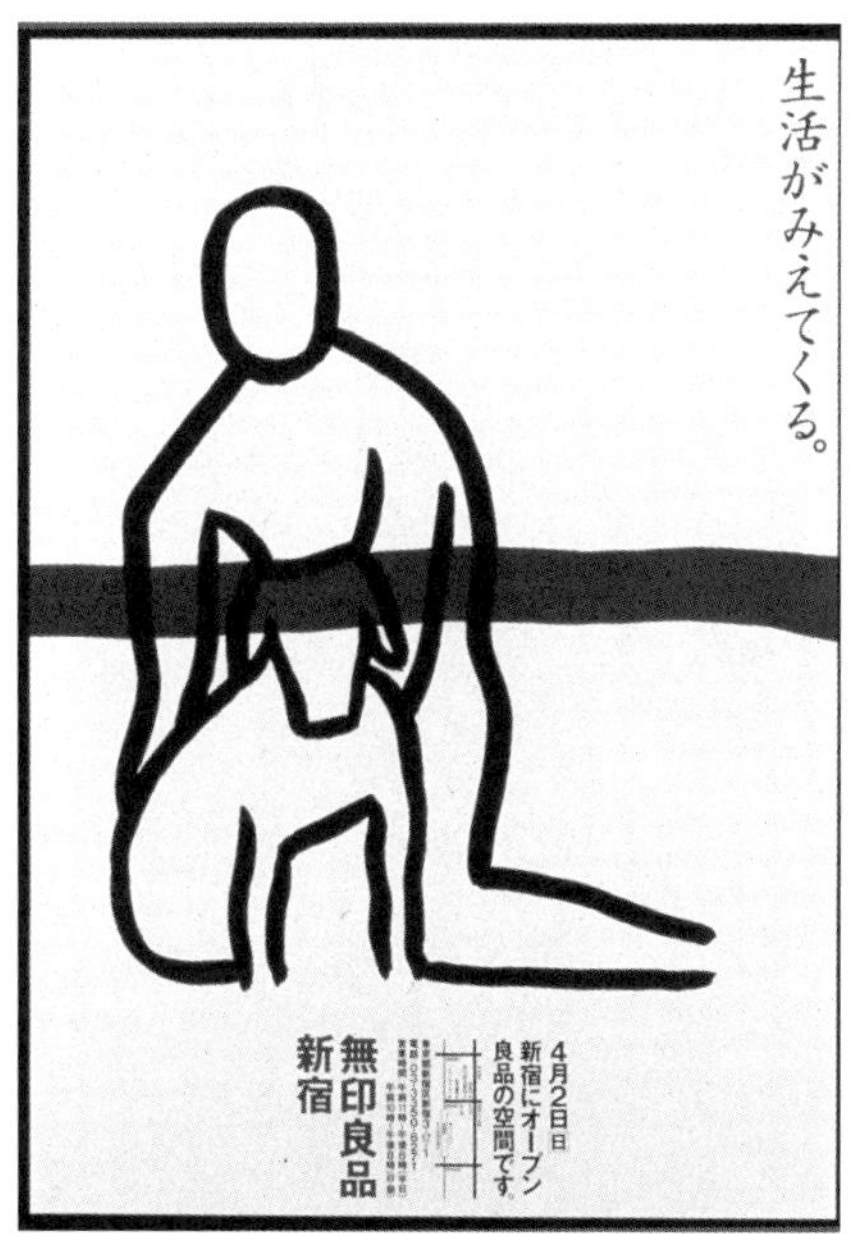

アートディレクション：田中一光、イラストレーション：山下勇三、コピーライト：小池一子。

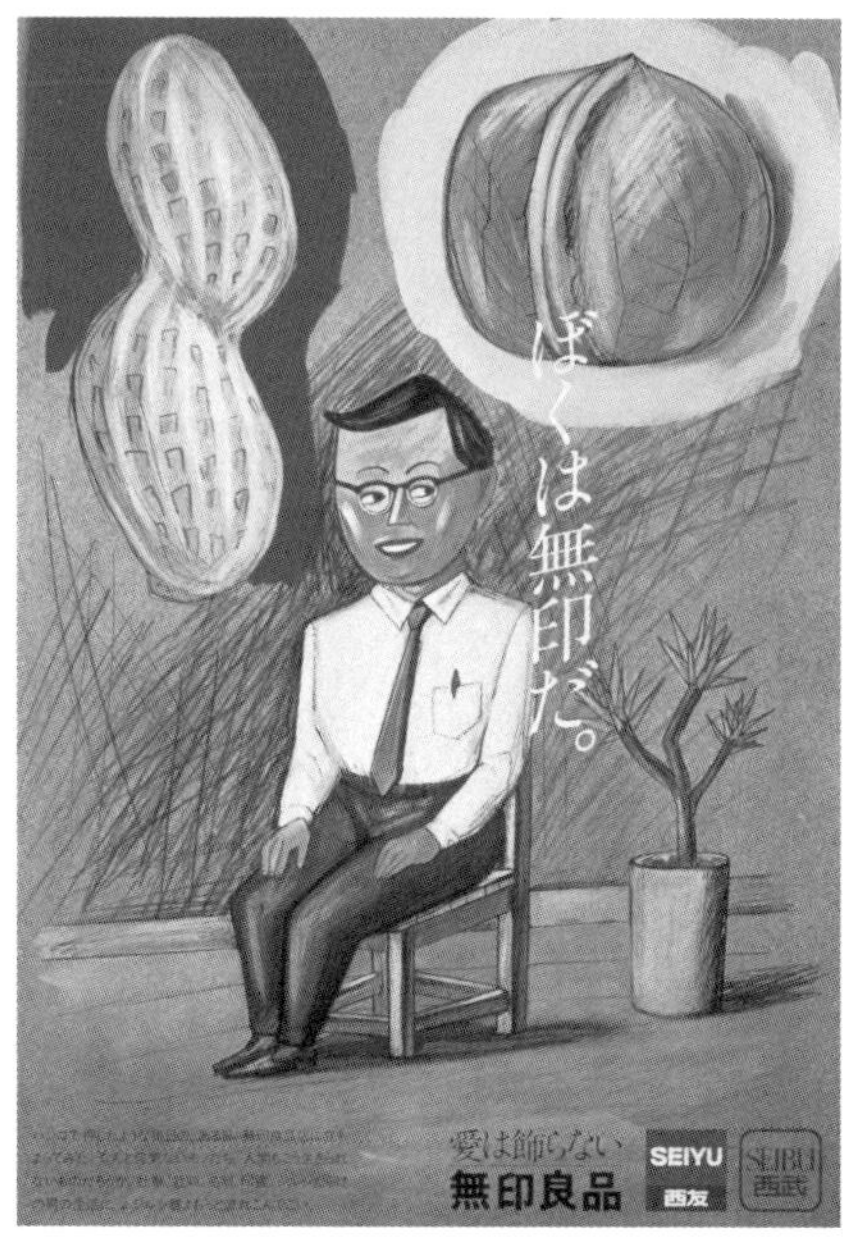

アートディレクション：田中一光、イラストレーション：河村要助、コピーライト：小池一子。

池袋で無印良品の打ち合わせが終わったある日、アートディレクターの田中と小池は青山の事務所に戻るためにタクシーに乗り込んだ。車中でも、終えたばかりの打ち合わせについてのアイデアを交換していたが、ここで田中は無印良品のアイデンティティを広告内にわかりやすく示す方法について、次のように提案していた。

「〝無　印　良　品〟の四文字のあいだの三カ所のあきスペースに、3つの基本姿勢〈素材の選択〉〈工程の点検〉〈包装の簡略化〉を入れるのはどうだろう」

ほどなく青山に到着してタクシーを降りて別れ、小池が事務所に戻るとそこには、三か所のあきスペースにきっちりと文字組された広告のレイアウトがファックスで届いていたのである。田中のあまりの仕事の早さに驚きつつも、小池はこれに応えて早速原稿づくりにとりかかった。無印良品の黎明期はこのスピード感で疾走を続けていたのである。

小池が手掛ける無印良品のコピーのなかでも自身のお気に入りといえば、商品部の調査メモをヒントに生まれたものである。

「しゃけは全身しゃけなんだ。」

しゃけは頭もしっぽもおいしいから全部食べてね、という気持ちがあふれた小池のコピーは、これまでは胴体の輪切りだけを利用されていた鮭水煮缶について、かたちが悪くて捨てられていた部分もすべて利用してあることを伝えている。リサーチを記した紙片には、「全身食べてもらいたいのに、なかなか食べてもらえない」という言葉とともに、頭部としっぽが描かれたしゃけの絵が添えられていた。この絵の真実味に打たれ、小池と田中の親しい友人でもあったイラストレーターの山下勇三[*5]に、メモを再現したようなイラストレーションに仕上げてもらう。無印良品が届ける商品内容の正直さは、スーパーマーケット

*5 **山下勇三**（やましたゆうぞう）（1936年〜2008年）
イラストレーター、グラフィックデザイナー。広島県生まれ。1960年、多摩美術大学図案科卒業後、ライトパブリシティに入社。1963年、山下勇三事務所を、1984年に山下デザインスタジオを設立。無印良品での仕事のほかに、キユーピーのパッケージや広告、赤川次郎、清水義範などの本の挿絵や装幀がある。

の商品部の知識とたゆまぬ調査によるところが大きい。こうして、これまで見過ごされてきたものや、たとえば、基準から外れていたものなどを見直して商品計画に反映し、生活の基本に立ち返ることを続けていくのである。

真摯なものづくりへの追求から、無印良品の姿勢を語る決定打ともいえる名作ポスターが生まれる。

「愛は飾らない。」

赤ちゃんのために、肌にやさしい素材を選ぶ、お母さんの愛情。飾りたてるよりも、からだのための心地よさを追求していくと、素材にたどり着く。ハイハイする赤ちゃんはイラストレーターの山下勇三が墨一色で描いた。ひと筆でひとつの思想を表わす、という田中一光のアートディレクションである。素のままの思いこそ「愛」ではないか、という心緒を込めた小池による名コピーは、無印良品の理念を伝えるメッセージのなかでも、その心意気を代表するものである。このポスターはまた、赤ちゃんにすすめる安心な素材として綿をはじめとする天然素材を扱うことや、これから衣服の領域を充実させるという宣言でもあったのだ。

「自然、当然、無印。」

80年代はイラストレーターの人気が沸騰した時代で、広告の仕事においてもイラストレーションが席巻していた。稀代のクリエイターであり、気心の知れた友人でもある和田誠に対して小池は、「自然はそのままでおもしろい。葉っぱはブランドのロゴがついてなんて生まれてこない。あたりまえのことを見ようということを伝えたい」という意向を告げて、イラストレーションを依頼した。和田から届いたのは、ひとも皆、宇宙とともにあることを描いた、ユーモラスな作品である。これを受けて、小池はコピー「自然、当然、無印。」を綴った。2015年には同じコピーを用いて、原研哉（はらけんや）によるアートディレクションのポスターが制作されている。歳月を経ても無印良品の理念がぶれていないことがわかる。

「僕は無印だ。」

劇的な要素を描くことが得意なイラストレーター、河村要助[*6]へは、安部公房的観察眼で、つまり社会へのアイロニーを込めた作品をと、小池は狙いを伝える。画一的なサラリーマン社会の弊害を憂い、「自分は無印だ」と、レッテルにとらわれない姿をメッセージに仕立て上げた。猛烈に働くサラリーマンが話題となっていた80〜90年代、規範に縛られた会社員の声がにじんで、時代の気分を伝えている。

無印良品を展開するにあたり、商品が良いものであることはもちろんのこと、無印良品のスピリットを表現する情報と環境を合わせて、わかりやすく提示したい。そこで無印良品の立ち上げから3年後、展開している衣・食・住の各アイテムを集めて、無印良品が考える感じの良いくらしについて、ライフスタイルをまるごと見せる場として、青山に無印良品の第一号店[*7]がオープンした。

内装の壁面はコンクリートの打ちっぱなしで、先鋭的なブティックのようである。しかし、空間内はかつて使用されていた古材や鉄で構成され、商品は農家などで長年使われてきた籠や古い味噌樽に並べられている。外装に用いた力強くもまろみを帯びた煉瓦（レンガ）は九州の炭鉱の溶鉱炉で使われてきたもので、時間を飲み込んできた素材を用いた空間には、た

*6 **河村要助（かわむらようすけ）（1944年〜2019年）**
イラストレーター。東京都生まれ。東京藝術大学卒業後、広告デザイン会社を経て、1971年よりフリーランスとなり『話の特集』『MUSIC MAGAZINE』などの表紙・挿画を担当。1989年には音楽雑誌『Bad News』創刊に携わり、アートディレクションとイラストレーションを手掛ける。音楽好き、特にサルサ好きが高じて評論やエッセイも執筆、著書もある。

*7 **無印良品・第一号店**
1983年6月、路面一号店として「無印良品　青山」が開店。当時最も活発に商業活動が見え始めた街として青山を選び、杉本貴志に店舗デザインを依頼。外壁は使用済み煉瓦、内装や什器も古材を使用。ブティックの立ち並ぶ青山の街で、無印良品スタートから3年後の品目は200アイテム程度。その大半が食品やティッシュ・ペーパーなどの日用品で、クラフト紙の茶色がデザイン・ポリシーとして注目を集めた。

くましさと安堵感が漂う。「現代衣服の源流」展にはじまり、佐賀町エキジビット・スペースに至るまで、小池が勝負どころとする現場には欠かせないチームメイトである杉本貴志が今回も設計を手掛けた。インテリアデザイナーとして1973年に事務所「スーパーポテト」を設立し、手掛ける空間デザインは時代を表わす新しさを称賛される前衛のイメージが強いが、杉本は素材の年輪を尊ぶ感性も際立っている。小池と杉本、そして田中一光にも共通するのは、古いものにも新しいものにも等しく価値を見いだして慈しみ、現在に統合していく力なのである。

ファッションを中心とした国内外のブランドが軒を連ねる街で、ノーブランドの無印良品をあえて打ち出した。青山界隈は、デザイン業界をはじめ、ものづくりを生業とする人々の街でもあったから、ファッション・ブランドのメゾンのような佇まいでありながら、モノの価値を見直して活かされた店舗は話題となり、生活美学を謳う無印良品の意識は高感度なクリエイターらに支持されて、海外の目利きからも注目を集めることになる。青山での挑戦は、田中、小池、堤らの確信犯的計画だったのである。

・・

「わけあって、安い。」の、その「わけ」がニュースの核となり、商品ラインづくりがメッセージとなっていく。ある種のイデオロギーを含んでいるから、商品というよりライフスタイルを売っている。堤清二は無印良品を「反体制商品」と呼んでいたという。流通業界、消費社会、生活環境における固定観念へのアンチ。時代に流されることなく、その本質を見極めた商品づくりと理念において、堤の表現は言い得て妙である。

無印良品の成功の秘訣を論じる経済評論家は数多いるけれど、小池の言を借りれば、「こうあったらいいな」という生活のなかの願望を素直に商品化した結果、消費者からも支持されるものになったのだという。その正直さが正しい商品を世に送り出した証であるし、小池らクリエイターの曇りのない審美眼に任せた堤清二の英断は、詩人である辻井喬としての感性の由縁だろう。信頼し合う関係から生まれた幸福な授かりものが無印良品なのである。

　無印良品の存在が浸透し、「いままでも、これからも。」のコピーと、父と子が揃いのタンクトップを着たポスターが登場したのと同じ年、英国皇太子夫妻の来日を迎える。大使館主催のパーティが開催されて、無印良品の代表として小池も招かれていた。大勢の招待客でにぎわう広間の中で、じっと一点をみつめて、まっすぐ小池に歩み寄る女性こそ、ダイアナ妃であった。大きな瞳がとらえた小池の胸元は、姉夫妻のモスクワ土産である琥珀のブローチで飾られていた。

「これはなに？」

「〃地球の涙〃です」

　咄嗟に応えたコピーライターの機知を微笑むダイアナ妃。黄金色の熟成が招いた出会いである。

　日本における無印良品の動向を注視していたのが、小池がかつて夢中になっていた街、ロンドンであった。老舗デパート、リバティ百貨店[*8]から一通のエアメールが届く。

「創立110周年を迎える私たちリバティ百貨店は、常に東洋の叡智を取り入れてきました。創立を記念した展開として、現在、東洋で最も重要なものをロンドンに導入したいと考え、それには無印良品しかないと思うのです。現代の東洋を無印良品から学びたい」

チェロ奏者の義兄・井上頼豊（よりとよ）がチャイコフスキー・コンクール審査員の折に姉・井上仰子（ぎょうこ）とソビエト時代のモスクワからのお土産としてくれた逸品。

*8 **リバティ百貨店　Liberty**
ロンドンのリージェント・ストリートに位置する老舗百貨店。1875年5月15日、アーサー・ラセンビィ・リバティ（Arthur Lasenby Liberty）が、日本や東洋の装飾品、織物などを取り扱う店舗として、従業員3人ほどでオープン。現在のチューダー様式の建物は1927年に建てられたもの。有名なリバティ・プリントは歴代のデザイン・ディレクターの監修になるもので、小花のモチーフには常に人気が集まる。ウイリアム・モリスの工芸運動で生まれたプリントなども復刻されている。

そうしたためられていた手紙には、リバティ百貨店の商品計画担当の女性幹部が青山の無印良品の店舗に通って5年間のリサーチをかさねていたことが記されており、無印良品の海外第1号店をロンドンの地に、と誘われたのである。

リバティ百貨店は創業時から、中国の繻子(しゅす)の織物や中近東のカーペットなど、東洋の貴重な文物を扱う歴史があった。また、長きにわたって称賛されてきたのは、ウイリアム・モーリスをはじめとする、アーツ・アンド・クラフツ運動に積極的にかかわる系譜を持ってきたように、ただ消費のために商品を扱うというよりも、文化を往来させることに長けてきたことにある。学者や専門家による価値の位置付け以前に、美術工芸品をはじめ生活雑貨に至るまでをロンドンに運び入れてきたのだ。こうして文化を伝播する役目を受け継ぎながら、この時代でもまた、東洋で生まれた新たな動きをめざとくキャッチしていたのである。

リバティ社といえばまた、小花や鳥や風景模様のリバティ・プリントが今も人気を誇るが、60年代のスウィンギング・ロンドンを訪れていた小池も、リバティ・プリントが街を彩る様子をよく覚えている。その頃、小池がよく通っていた店といえば、ハロッズ百貨店のなかにあった「ウエイ・イン」であった。このブティックは、ファッションを中心にインテリアから空間構成まで、そのすべてが時代の先端を伝える刺激的な存在で、カウンターカルチャーの象徴でもあった。そのウエイ・インを企画していたかつての辣腕ディレクターは時を経て、リバティ社のウェブリン会長として小池の前に現れたのだから驚いた。無印良品とリバティ社がジョイントベンチャーとして手を結ぶにあたり、無印良品の意識や哲学を確認、提示するために、小池がロンドンに赴いたときのことである。

日本の気質から生み出された生活美学に共鳴したリバティ社は、ロンドンの表通りから一本入ったカーナビー・ストリートに、無印良品を展開することを決めた。ここはロンドンのファッションの拠点であり、サブカルチャーが発祥した地でもあり、常に時代の前衛が何かを仕掛けてきた場所である。ウェブリン会長はＭＵＪＩを、ニューウェーブとして見立てて、ロンドンに迎え入れたのだ。

「あらゆることは、カーナビー・ストリートからはじまる。ＭＵＪＩもそうだ」

こうして、ムーブメントが生まれるウエスト・ソーホーの地に、１９９１年、リバティ社とのパートナーシップ契約による無印良品の海外第1号店がお目見えしたのである。

英国では現地のスタッフが、「ムジルシリョウヒン」と発音できずに、「ＭＵＪＩ（ムジ）」と略して呼んでいたことに小池は気がついた。ムジとは、「無地＝プレーン」である。「まんまの色」として、無印良品では素材の色そのままを表わす言葉として展開しているし、簡素な美に通じるではないか。無印良品の特徴そのものを表わすという、うれしい偶然を田中一光に報告すると、「いいですねえ」と、田中はすぐに「ＭＵＪＩ」というロゴを作成した。

これを受けて、海外に向けて展開する名称は、彼らの呼称をそのまま用いて、「ＭＵＪＩ」を使用することに決定したのである。無印良品をそのまま翻訳するのではなく、その国独自の美学として無印良品の理念を継承していくという意気にも通じる。ロンドンにはじまり、パリ、ミラノと欧州をわたり、中国やシンガポールなどアジアへと店舗は広がり、現在、ＭＵＪＩの海外の店舗数は５００を超えている。グローバルという言葉がまだ一般

無印良品ロンドン店の開店記念ノベルティ。茶・緑・紺の歌舞伎的色彩で染めた風呂敷。デザインは田中一光で、小池の選んだ漢字に英語ルビで無印の精神を伝えるコピーが配置されている。撮影：木奥恵三

いまでも国内外に無印良品の新店舗ができると講演に呼ばれる。
自称「語り部」。上は上海（シャンハイ）、下はニューヨーク５番街。

的ではない頃に、世界各国で必要とされて成長を遂げてきた。無印良品が提案する生活美学は、国境を越えて理解される普遍的なものとして認められたようである。

「わけ」ある安さをうたうノーブランドとしてはじまった無印良品は、チープさをまったく感じさせないどころか、特別な「なにか」、価値や美意識を漂わせて生活のなかに浸透していることを、無印良品を手にとる人々は感じている。その感覚を吹き込んだのは小池や田中、杉本ら初期のアドバイザリー・ボード*9のメンバーである。

「スタッフが練りあげた、という意味では、とてもぜいたくなもの。この商品に豊かさを感じるなら、目に見えないぜいたくな部分があるからだと思います」

江戸時代の市民社会の生活美学が好きだった田中一光は、「日常性」と「粋」の感性を無印良品に意識した。生活のなかに美学を掲げた無印良品は、現代のアーツ・アンド・クラフツ運動と捉えることもできるだろう。小池はそれに応えて感覚のバックグラウンドを明かす。

「『無印良品はコンセプチャルアートだ』と称した人がいました。モノは時間とともに風化し、時代遅れとなるかもしれませんが、『誇り』や『意気』は必ずしもそうではありません。無印良品は、優れた音楽、絵画、文学がそうであるように、社会に対する『捧げもの』といった精神を背景としているからだと思います」

日本人の精神性は風化しない。14世紀に書かれた、兼好法師の『徒然草』から引いて、日本人の生活美学について触れられた箇所について、小池は指摘する。

「花は盛りに、月は隈なきをのみ見るものかは。」

*9 **アドバイザリー・ボード**
企業とクリエーターの協働によって開発、展開されてきた無印良品は、デザイン、コンセプト構築などに意見と指導を求めるアドバイザリー・ボードを設けている。初期のボードに、田中一光、麹谷宏、天野勝、杉本貴志、小池。現在のボード・メンバーは原研哉、深澤直人、須藤玲子、小池一子。小池は2009年に立ち上げられた「くらしの良品研究所」所長でもある。

満開になった花や、満月だけがすばらしいというのではなく、花も緑も散りしおれた庭や、雲が掛かり傾いた月も美しい、これが日本人の自然観である。

吉田兼好は神道家としても知られており、神道は日本人のくらしのなかから生まれた信仰であるから、くらしのなかに尊さを見いだす。社会に対する「捧げもの」である無印良品がくらしのなかに浸透しているのは、これもまた自然ななりゆきのようである。

「こうあったらいいな」という気持ちが、無印良品をつくったことは先に触れたとおり。『徒然草』では、「あらまほし」という言葉が、こうあってほしい、という希望を意味する感覚の表現として登場する。無印良品の「あらまほし」が世界に羽ばたいて、世界においてもその存在を受け入れられているということは、シンプルで気持ちのよい生活を求める感覚は万国共通なのだといえる。

これを証明するためには、またロンドンに立ち戻る。サイエンス・フィクションの作家、ウィリアム・ギブソンが英国の新聞に寄せていたコラムを、良品計画の役員で小池の敬愛する生明弘好（あざみひろよし）が発見してくれたのである。

「ＭＵＪＩは、私が考えているところの、実際には存在しない素晴らしい日本を思い起こさせる例として完璧だ。その日本とは、精神的なもので、爪切りからプラスティックのコートハンガーまでもが禅の純粋性を備えており、機能的でミニマルで、価格が適正なのである。私は、ＭＵＪＩが生まれ出る日本に行ってみたいと切に思う。そこで休日を過ごしたら、なめらかで透き通った静けさが、天然繊維と無漂白の段ボール素材の見事な組み合わせによって、私のものになるだろう。私の浴室用品は、そのもの以上の何物でもなく見えてくるだろうし、私だって、ありのままの私で居続けるだろう。もしＭＵＪＩＬＡＮＤというものが存在するなら、それは日本ではない。どこかといえば、それはここロンドンにあるのではないだろうか。」

（Copyright Guardian News & Media Ltd 2016　小池一子・訳）

小池はこのウィリアム・ギブソンの言葉を、上海、ニューヨーク、京都など、国内外の無印良品のトークイベントの場でくりかえし引用している。無印良品のアイデンティティのなかには、「時代とともに変化すること」も含まれている。サイバーパンク小説の旗手が描くような未来に存在するＭＵＪＩは、どんなユニークな姿で展開されているのだろう。

小池と田中らが無印良品を生みだしてから40年を迎えた今、はじめた頃を振り返ると時代や環境も大きく変化している。無印良品はこれまで、顧客の声や時代の気分を反映しながら育ててきた。その姿勢は変えることなく、より自然なかたちで無印良品のこれからを考えていくために生まれたのが、「くらしの良品研究所」である。この研究所は、より良いものづくりに向かっていくための仕組みであり、顧客とインタラクティブな交流をする場でもある。良品計画の現会長である金井政明が社長時代に開設し、無印良品の思想を未来に向けて継承していくためにメンバーが集められた。立ち上げからかかわる小池と中田哲夫（せつお）（マーチャンダイザー）に加えて、徳永美由紀（コピーライター）と、社内で構成されたスタッフにより、無印良品のウェブサイトや出版物で、これからのくらしを提案するための活動を展開している。

たとえば、くらしのなかで気づいたものごと、もののなりたちについての考察や、ものへの思いをコラムにして発信を続けている。その内容は、自然界のこと、社会で抱える問題、故事からの学び、日常の些末なことから宇宙に至るまで、あらゆることをテーマに現代に向けて綴られており、無印良品の思想の源、視線の行方、を感じることができる。

無印良品の特徴は、抽象的な概念が伴うことにある。世界規模で商業展開をしている企業のなかに、芸術的ともいえるこうした感覚を備えたところはほかにあるだろうか。

白い木綿のシャツやお椀ならばどこにでもあるけれど、無印良品ではそれらのものをくくる、「なにか」があるから文化であるとも認識されてきた。その「なにか」を見失わないために、ライフスタイルの起点を確認しながら、ひとつひとつのものに無印良品のアイデンティティを行き渡らせる。そのために「くらしの良品研究所」を拠点として、過去に生まれた根幹を今に守り、未来に向けて時代に応じた良いものを提供することを考えていく。

たとえば、赤ちゃんにとって最良の素材は何かと、くりかえし考える。

無印良品は初期から特に綿素材への探求を熱心に続けており、常に現在提供できる最良の綿を選んで届けているけれど、未来においては、天然素材に優るような安心できる繊維が生まれていることだってあるのかもしれない。テクノロジーの変化に対応しながら、未来のマテリアルとともに、より快適なくらしをつくっていく。未来に向けて歩む「くらしの良品研究所」のスローガンとして小池が綴ったこの言葉が、常に無印良品の今である。

くりかえし原点、くりかえし未来。

手放せないもの　身近で尊い石

『明日の友』２０１７年春号（婦人之友社）

いつの頃からか石を身近に感じて暮らしてきた。庭の石ころなどほんとに何の変哲もないのだが、なぜこの大きさでここにあるのだろうと子供心に考えあぐねたりした。仕事で旅を多くするようになってからは行き先の石を拾って自分への土産とするようになった。仕事机の上もトイレの飾り棚（トイレに好きなものを置くのが大好きで）も世界中の石で埋まってしまうようになったが、それは自分が持ち帰るためだけでなく友だちが珍しいところに行くと聞くと「そこの石ころ一つ持って帰って」などと頼むので増えてしまったという次第でもある。

　石の彫刻を世界各地で制作し、そこでシンポジュームを仕掛け、名誉も富も望まず作品を残して逝った友人三上浩も石をいつも土産に持参してくれた。ある時あなたの名前が付いた石、とくれたのがグレイに白の一文字のもの。彼の住む伊豆の海からと言っていた。

　書の研究家、クリエイター、アートディレクターの浅葉克己さんは毎日書く人だ。墨と硯のコレクションは数知れず、貴重なものばかりなのだが一つの旅から戻り、とても重い硯をくださった。ブラジルの鉱石と記憶するがこれで習字しなさいの戒めか。

　最も私が大切に思うのはインドのガンガー（ガンジス川）のある地域で見つかるという丸い石。二つの穴が開いていて、激しい水流が穴を穿つのだという。奇跡のように二つの穴をスフィア（丸石）の腹に抱く石はインドの私のメンター（師）から頂いた。国の文化の中心的リーダーであったジャイアカル夫人の清廉な生活を思い居ずまいを正す私。

撮影：有賀傑

7

2020年

美術／中間子

「『佐賀町エキジビット・スペース』というのは、美術現場を作るという運動でもありました。運動は必ず風化していきます。そして活動も惰性化していきます。そうなる前に次の行動へ。アートには『永久革命』という言葉がふさわしい。」

「佐賀町疾走　オルタナティヴ・スペースの先駆者が駆け抜けた17年間」
（『おとなぴあ』２０００年12月号）小池一子インタビューより

社会や時代に対して表現するアーティストを輩出してきた佐賀町エキジビット・スペースは、美術界だけでなく、アートのパワーに感応する町の人々を惹きつけ、誰もが集える場として親しまれていた。しかし２０００年を目の前にして活動の幕引きを迫られる状況が訪れる。コンテンポラリー・アートのコンプレックスとして話題を集めていた食糧ビルは、建物の老朽化に伴い売却されることが決定し、オーナーの手を離れたその後は解体されてしまうという。

アート愛好家たちでにぎわう佐賀町ではあったが、実のところ、活動を続けるには経済的に苦しい状況で、頼りにしたい公的な支援や民間による基金も望む内容ではなかった。オルタナティブなアート活動を成立させるには、まだ土壌が未成熟なことを示す事象ばかりが多かった。

諸々の事情が降りかかり、今後について考えあぐねていた小池の前に、アートの新しい動きを起こしていた「スタジオ食堂[*1]」の若手作家たちがあらわれる。立川のミシン工場跡地の食堂をアトリエにして活動をはじめたアーティストやデザイナーから生まれたグループで、アトリエの近隣を巻き込むイベントを開催して社会とアートの接点を探り、ボランティア・スタッフを組織立て、人々を協働へと駆り立てる活動は周囲の関心を集めていた。コミュニケーションの新たな手段を示す彼らに小池も注目し、これからのアートを培う希望を感じていたのである。

スタジオ食堂のメンバーの菊地敦己[*2]は、武蔵野美術大学在学中から佐賀町の活動に興味を示し、小池のもとをたびたび訪れていたが、佐賀町の今後を案じる小池の心中にスペースを閉じるという意向があることを知ると、それにはかなりのエネルギーがいる、と手助けを申しでてくれる。先見の明ある若手のサポートを得て小池は、「これまでの活動の精神というものを若い世代に引き渡して、今の佐賀町は仕舞う。けれど、佐賀町の遺伝子は風化させずに守っていくべき」と、佐賀町の未来についての思いを定めていったのである。

*1 **スタジオ食堂**
１９９４年にスタートしたグループは、須田悦弘、中村哲也、中山ダイスケ、菊地敦己、小金沢健人、眞島竜男、荻野僚介、木村太陽、宮永甲太郎等からなる。アーティストのみならず、デザイナーやプロデューサーが加わり、社会とアートとの接点を探ることで、より広い活動を目指した。またアトリエとしてのスペースは、のちに展覧会や講演、イベントなどが開催され、新しいコミュニケーションの場となった。２０００年に解散。

*2 **菊地敦己**（きくちあつき）（１９７４年〜）
グラフィックデザイナー、アートディレクター。東京都生まれ。武蔵野美術大学彫刻学科中退。２０００年ブルーマーク設立。２０１１年に菊地敦己事務所設立。アートブックなど多数のエディトリアルデザインのほか、青森県立美術館サイン計画や、２０２０年開館の複合文化施設「PLAY!」のアートディレクション、「亀の子スポンジ」のパッケージデザインなど、その仕事は多岐にわたる。講談社出版文化賞、亀倉雄策賞、ＡＤＣ賞、ＪＡＧＤＡ賞など受賞多数。

次なる現場への移行を見据えた小池は菊地らとともに、ＮＰＯ法人「アート・ミーティング・ポイント（ＡＭＰ）」を設立し、アーティストが活動しやすい環境を整える土台づくりにとりかかった。ＡＭＰの最初の活動は、佐賀町エキジビット・スペースの幕引きをつとめる展覧会の開催と、現代美術を支える人材を育成するための講座の開設である。アートのインフラについて説く講座の受講者には熱意のある人材が集い、なかでも蜷川敦子はTake Ninagawaを、鈴野浩一はトラフ建築設計事務所を、原田麻魚はマウントフジアーキテクツスタジオをと、のちにそれぞれが現場を興し、アート、建築の世界で頭角をあらわしていくのである。

佐賀町のキュレーションはこれまで小池が手掛けてきたが、佐賀町の活動に終止符を打つ展覧会「佐賀町２０００　希望の光」[*3]では、これからのアート活動を継ぐものとして菊地敦己と新川貴詩にキュレーションを託し、スタジオ食堂の作家たちにその舞台を引き渡した。佐賀町17年の活動を若い力が締めたこの展覧会は、佐賀町のこれまでをみつめてきた人や作家の卵ら訪れた多くの人々の心に、終わりというよりはじまりを予感させるものとして刻み込まれて、大団円を迎えていた。この展覧会を送りだした２０００年11月、小池は安堵とともに江東区の現場、佐賀町エキジビット・スペースをあとにするのである。

食糧ビルの部屋を使って活動していた小山登美夫ギャラリー、TARO NASU GALLERY、RICE GALLERY by G2は、佐賀町がスペースを閉じたあとの2年間、小池の意志を継ぎその場で活動を続けていたが、いよいよビルの解体が迫る頃にはすべてのテナントが退去することとなる。その年、佐賀町エキジビット・スペースを中心に、食糧ビルにかかわったアーティストと活動をともにした四つのギャラリーが共同し、空になったビル全体を展示室として、これまでの仕事を振りかえるアート・プロジェクト、「エモーショナル・サイ

*3 **「佐賀町２０００　希望の光」**
佐賀町エキジビット・スペース最後の展覧会として開催された本展は、菊地敦己と新川貴詩のキュレーションでスタジオ食堂のアーティストによるグループ展「希望の光」（会期：２０００年11月17日〜12月3日）のほかに、17年間で開催された全１０６の展覧会の集積を林雅之の写真と坂崎隆一の空間で見せた「ドキュメント佐賀町・定点観測　１９８３―２０００」（会期：２０００年12月8日〜12月21日）と、その空間そのものを体感する展覧会「佐賀町エキジビット・スペース」（会期：２０００年12月23日〜12月30日）の3部構成で開催された。

ト」[*4]で空間を解き放った。これをもって、食糧ビルにおけるアート活動のすべては終焉を迎えるのである。

パティオを囲む回廊に人があふれる。その様子は、おそらく、１９２７年の食糧ビル竣工の日の賑わいに通じるものがあったのではないだろうか。食糧ビルは２００２年をもって解体されるのだから、始まりの華やぎに対して終わりが浮き立つわけもないのだが、その空間に立ちつくす人々は何かを感じようとして集まっていた。

その何か、は〝昭和のビルのたたずまい〟という建築物自体の魅力と、ここ約20年のアート発信の活動とに根ざしている。そしてその建築は老朽化が目立つレトロスペクティブなもの、一方、アートは先端をめざすコンテンポラリーな方向。いわばハードとソフトのミスマッチあるいは、ふしぎな融合が「エモーショナル・サイト」に期待された何かだったのだ。（中略）

プロジェクトとしての「エモーショナル・サイト」成立の内側には、学生・市民のボランティアの活躍があった。作品展示、設置に関連する準備の裏方や開催中の観客誘導、監視、清掃などあらゆる作業がボランティアの手に委ねられたが、いわば美術展のインフラストラクチュアともいえる仕事の支え手が育ちつつあることが実証された。これはひょっとしたら１９９０年代以降の日本のアートシーンで静かに育ってきた未来への芽であり、過去の活動との差を示すものかもしれない。また、多くの近隣の住民を含む、年齢、職種、国籍をこえた観客の層の厚さは、プロジェクト成立の外的要因であった。

*4 「エモーショナル・サイト」
会期：２００２年11月16日～11月24日。森村泰昌、杉本博司、戸谷成雄、トーマス・ルフ、小林正人、村上隆、廣瀬智央、落合多武、森万里子、ヤン・ファーブル、杉戸洋、三宅信太郎、奈良美智、ポール・マッカーシー、松江泰治、須田悦弘、野口里佳など、世界で活躍する36組のアーティストが、食糧ビルの階段や更衣室、トイレをも含むあらゆるスペースに作品を展示。２００３年には実行委員会によって公式カタログが出版された。

建築空間と作品と、内と外からの自発的な参加者たち。「エモーショナル・サイト」が顕在化したのは、これからの日本のアートシーンへの希望の兆しであると思いたい。

「エモーショナル・サイト——美術館の土壌としての」小池一子
『エモーショナル・サイト』（エモーショナル・サイト実行委員会）

空間の幕引きを惜しむアート・ファンがエモーショナル・サイトに押し寄せて、東京の下町の様子を眺めてきた食糧ビルは、独特の磁力をたたえた空間を形成して現代美術の一部となった歴史を晩節に刻み、75年の幕を閉じたのである。

立ち去りがたいと人々が佇むエモーショナル・サイトの最終日、小池は黒姫に居り、白い世界に包まれて、山を舞う雪をただ眺めていた。姉・矢川澄子の住まいを片付けるために訪れていた、身震いするような冬の日。振り返ればこの２００２年という年は、年初から暗雲が立ちこめていた。１月は盟友・田中一光、５月は姉・矢川澄子と、心の拠りどころとなる大切な人との相次ぐ別れが小池を見舞う。そして師走（しわす）を目前に、食糧ビルでのアート活動の終幕。幾重もの喪失感を抱えたまま、〝今〟の一点をみつめるしかない。時間という鎮痛剤が効果をもたらすには、まだしばらくの辛抱が必要だった。

向井良吉からの誘いでつとめていた武蔵野美術大学の教授職についても２００６年をもって退任し、以降は名誉教授として武蔵野美術大学とかかわっていくことになる。空間演出学科のファッションデザイン・コースで教鞭をとってきた小池は、課題をドレスメイキングに限定せず、広い視野でのものづくりができるようにと指導してきた。時代と直面しながら制作する若いアーティストと交流してきた佐賀町での経験から、コンテンポラリー・アートとファッションデザインは近い領域であると再認識して、ファッションデザインにおいても、現代美術のような時代とともにある創造性を表現できるということを学生に伝えていた。テーマのもち方や表現において、アートとデザインはどちらも社会へ影響を与えることができる。小池の仕事像の原点である。

さらに小池自身が〝衣服〟についての領域をどこまで広げることができたか、それを検証するための展覧会、「衣服の領域―On Conceptual Clothing：概念としての衣服―」を、2004年に大学内の美術資料図書館で開催する。コンセプチュアルなデザイナーやアーティストを集めた同展で、ファッションという表現が社会への行動方法になり得ると、学生らに示して託した。小池門下の卒業生らが取り組む独自の活動を見れば、小池イズムの継承がなされていることがあきらかである。

おわりは、はじまりのためにある。

食糧ビルでの活動を仕舞い、アートのこれからをつなぐために小池が仕込んでおいたNPO法人・AMPが、いよいよ活動を再開する。佐賀町エキジビット・スペースの遺伝子を伝達する場、「佐賀町アーカイブ」を2011年に開設するのである。

佐賀町アーカイブは、アーティストの中村政人[*5]が立ち上げた組織が運営する「アーツ千代田 3331」[*6]を活動の場に選んだ。藝大院生時代に佐賀町の活動に興味をもった中村が、美術教育に関するビデオプログラムを製作するにあたり小池の協力を仰いだ縁で、二人は出会っている。アーツ千代田3331は、閉校した公立中学校を再利用した千代田区の文化施設で、クリエイターらが教室跡をアトリエとして使用することはもちろん、多摩美術大学や京都工芸繊維大学など美術教育機関が作品発表やシンポジウムの場として利用し、

*5 **中村政人**（なかむらまさと）（1963年〜）
美術家。秋田県生まれ。1987年東京藝術大学美術学部絵画科油画専攻卒業。1992年大韓民国政府招待奨学生として、韓国へ留学、弘益大学大学院西洋画科修士課程を修了。「美術と社会」「美術と教育」との関わりをテーマにアート・プロジェクトを進行し、90年代前半より活動を広げる。2010年アートセンター「アーツ千代田3331」を立ち上げ統括ディレクターを務める。その業績により2010年度芸術選奨を受賞。

*6 **「アーツ千代田 3331」**
旧千代田区立練成中学校を改修して2010年6月に開館。地下1階地上3階建ての館内は、アートギャラリーやスタジオをはじめ、オフィスやコミュニティ・スペースとして多種多様な利用者が共存する。またアート・プロジェクトの実地としてアートフェアや企画展、イベントなども開催。

キドプレス、アイランドら現代美術ギャラリーがテナントとして場を構えるほか、アート関係だけでなく、さまざまな分野の起業家らも教室跡で事業を興す複合施設である。中村が興したこの現場は〝つくる〟ための意欲にあふれ、新しいことを仕掛けたい人々が集う、小池が求めるオルタナティブな立脚点を具現化している場所なのである。

　佐賀町アーカイブの空間を手掛けたのは、マウントフジアーキテクツスタジオの原田真宏（まさひろ）と原田麻魚で、彼らは「トムの空間／ジェリーの居場所」をイメージのもとにして、建築でいう仕上げの裏側にあたる、構造体や下地がむきだしの部分を展示室に、つまり通常は空隙（すきま）となる裏側をメインの展示スペースとなるようにととのえた。トム＆ジェリーとは、あのお人好しのネコと賢いネズミのこと。ジェリーが謳歌する裏世界を快適な居場所のまま大きくこしらえ、仕上げの表側となる次の展示スペース、トムの空間にも自由に往来できるよう、カトゥーンさながらの仕掛けを施している。佐賀町のスピリットにぴったりの遊び心だ。

　佐賀町エキジビット・スペースが独自の空間（現場）を保持して作家とともに歩んできた経緯は日本の現代美術を育み、定点観測を可能にしてきたことを示している。その継続のために佐賀町アーカイブはあり、アーツ千代田３３３１という新たなオルタナティブ空間を舞台に、佐賀町エキジビット・スペースで活動したアーティストの作品を再展示、検証していく。かつての作品をひもとく佐賀町アーカイブでの展覧会のために作家と打ち合わせをすると、新たなプロジェクトがはじまることも多く、小池がアーティストと伴走する道は、まだまだ続いていくのである。

「国内外、自薦他薦は関係なく、自ら作家を選ぶ。それはキュレーターの矜持だと思う」

　佐賀町時代から、共感する相手との仕事を大切にしてきた。今もなお現役で活動を続け

ジェリー・カミタキ「WINDOWS 2002 PEACE」展
会期：2019 年 11 月 8 日〜 2020 年 1 月 19 日。会場：佐賀町アーカイブ。
展示風景　撮影：木奥恵三

洗って気持ちの良いシーツみたいな布に針でステッチのスケッチが美しい、
アナ・ジョッタ作品。ハンギング、2 点とも。
「TOUCHING ポルトガル・日本現代美術展」会期：1997 年 10 月 14 日〜
11 月 14 日。会場：佐賀町エキジビット・スペース。
展示風景　撮影：林雅之

る小池は、それを使命として休むことがない。信頼を置く作家との交流は織りなす綾となって、かつての佐賀町と現在を結ぶエピソードが日々生まれているのである。

ミニマル・アートが人気を集める１９８４年、佐賀町エキジビット・スペースでは、ジェリー・カミタキの個展を開催し、ミニマリズムを追求するジェリーの姿は若いアーティストらに影響を与えていた。それから35年を経た２０１９年の年末、佐賀町アーカイブにて再び、ジェリー・カミタキの個展「WINDOWS 2002 PEACE」の発表を迎えるのである。

第二次世界大戦下、米大統領令により日系アメリカ人が収監されたカリフォルニア州マンザナー日系米人強制収容所で、ジェリー・カミタキは生を受けている。奇しくも佐賀町アーカイブで個展開催時のアメリカの指導者は、移民に対する強硬姿勢が注目される大統領である。タイトルにうたわれている「WINDOWS（窓）」は、良い機会に向かって開くこともあれば、不快な状況に向かうこともある。目の前にある窓は果たして「PEACE」に向かって開かれるのだろうか。ジェリーの作品を今日に掲げる、めぐりあわせの不思議が漂う。そして希望はいつも、未来をつくるのは〝今〟ということだ。

かつてのポルトガルでの出合いは食糧ビルの佐賀町での展開を経て、今また人々を動かしていた。佐賀町エキジビット・スペースが現代美術でとりあげられることの少なかったポルトガルの美術に焦点をあてたのは、１９９７年に行った「TOUCHING ポルトガル・日本現代美術」展でのこと。若手アーティストを集めたグループ展を構成するために小池がポルトガルに赴くと、「みんなが尊敬しているアーティストがいるから」と紹介されたのが、シニア世代のアーティスト、アナ・ジョッタであった。

糸で描くステッチの技法を用いた作品から、作家の繊細な感情が伝わってくる。糸と布が奏でるイメージはセザンヌへのオマージュにあふれつつも、美術界のシステムが構築してきた権威の構造への反発とも感じられる、女の手仕事のゆるやかさと気迫が盛られている。その姿勢と作品に心を奪われて、小池はアナにグループ展の参加を依頼したのである。サント・ヴィクトワール山を糸で描き起こして小池を虜にした作品は購入され、小池の自邸へと落ち着いていた。

それから時を経た２０１８年、キュレーターの遠藤水城（みずき）を経由してドイツのブレーメン美術館から受けた連絡は、小池が所有するアナの作品を展示したいという依頼であった。ポルトガルの作家、アナ・ジョッタの個展がドイツで行われ、作品が顕彰されるというニュースに小池は歓喜し、美術に辺境はないという思いは高まるのだった。

「美術が生んだ縁で、佐賀町の展覧会から21年経って実現した欧州での展覧会にとても感激しました。ステッチで描く作家は今ではめずらしくありませんが、アナの仕事はずっと早い。私が大事にする人たちは、必ずしも芸術市場で評価されている人ばかりではないのです」

佐賀町エキジビット・スペースからはじまった活動が現在に結びつき、いつのまにか〝今〟に集約されている不思議。

「私が手掛けてきた時代のくせ、なのかもしれません。〝アートの贈り物〟というのは、こうした人との出会い、人間がつながることです。現場があるから、人間関係が育っていくのです」

作品だけをみるのではなく、作品を生みだす〝人〟とともにあること。小池が現場を持ち続けることに心を注ぐ理由はここにある。

現在の美術界へも連綿と影響を与え続けている佐賀町エキジビット・スペースでの17年にわたる活動が再評価され、その軌跡を追った展覧会「佐賀町エキジビット・スペース　1983―2000　現代美術の定点観測」[*7]が、2020年秋、群馬県立近代美術館で開催された。小池が作家と伴走しながらつくってきた時代のアーカイブを、あらためて確認できる展覧会である。コロナ禍で規制が厳しいにもかかわらず、東京をはじめ国内各地から多くの来館者が訪れた。

「文化的な活動は、人とのつながりそのもののような気がします」

小池のこれまでの仕事のなかでも、生涯を掛けた同志としての結びつきをもつのが、田中一光と三宅一生である。

小池一子と一光と一生。三つの「一」がそろって、三人でなければ成し得なかった仕事がいくつも残されている。なかでも、1975年の「現代衣服の源流」展、三宅一生が1976年度の毎日デザイン賞を受賞したことを受け、記念展として1977年に西武美術館で開催した「三宅一生。一枚の布」展、また同展を経て1978年にまとめた三宅の作品集『三宅一生の発想と展開：ISSEY MIYAKE East Meets West』は、社会や時代を意識した、ものづくりの新しい視点を示して、日本文化の転換点を表すものである。

これら三人による仕事をはじめ、田中一光がこれまで手掛けた仕事や作品を集めた回顧展「田中一光とデザインの前後左右」[*8]は、三宅が興したデザインのための拠点、21_21（トゥーワントゥーワン）DESIGN SIGHTにおいて、2012年に開催された。企画、総合ディレクションを任されたのはもちろん小池であり、かつてのデザイナー仲間や田中一光事務所のメンバーなど、ともに時代をつくってきた多くのクリエイターの協力を得て、田中一光の美学と粋を集め

*7 **「佐賀町エキジビット・スペース　1983―2000　現代美術の定点観測」展**
会期：2020年9月12日～12月13日。会場：群馬県立近代美術館。日本で初めてのオルタナティブ・スペースの17年間の軌跡を、当時の展示風景（撮影：林雅之ほか）と、25アーティスト、52作品で紹介。

*8 **「田中一光とデザインの前後左右」**
会期：2012年9月21日～2013年1月20日。会場：21_21 DESIGN SIGHT。展覧会ディレクター：小池一子、会場構成・グラフィックデザイン：廣村正彰。グラフィックデザイナー田中一光の伝統の継承と未来への洞察を軸に、その仕事を紹介した展覧会。会期中はクリエイターによるトークイベントも連日開催された。

た。三宅はここで、「田中一光の色」を主題にして、132 5. ISSEY MIYAKE シリーズの新作を発表している。

この田中一光展を終えると小池は、『Issey Miyake 三宅一生』(タッシェン刊)で三宅のこれまでの仕事をまとめる本の執筆に取り掛かり、三宅の意識の高さを傍らで知る小池ならではの観察眼と愛情をもって、ファッションの創造性を独自に進化させてきた偉業を書き綴った。この本は欧米版のみの刊行だったため、国内に向けて再編集した本では、横尾忠則が ISSEY MIYAKE のショーのために継続して手掛けてきたアートワークをふんだんに盛り込み、『イッセイさんはどこから来たの? 三宅一生の人と仕事』(ＨｅＨｅ刊)と改編して２０１７年に刊行する。

クリエイティブ・ディレクターとして、田中と三宅とともに活動してきた小池だが、この二人の間にいる自分の立場を、「うまく説明できないのよねえ」と笑う。では何だろうと考えあぐねるうちに、中間子、という存在に至る。近代物理学の中間子理論において、物質同士をつなぎ留める大事な役割を果たすのが中間子である。

振り返ると、小池がこれまで生みだしてきたものも、中間子といえる第三の存在だった。佐賀町エキジビット・スペースという第三の美術の現場をつくり、弾けそうなエネルギーをつなぎ留めて活かす空間をしつらえ、アーティストの活動を支えるインフラストラクチャーとしての人間の働きが場を維持していた。小池が第三の存在を必要だと感じた背景には、アートやアーティストへの思いやりや尊重があった。世の中を輝かせるヒントが、ここにありはしないだろうか。

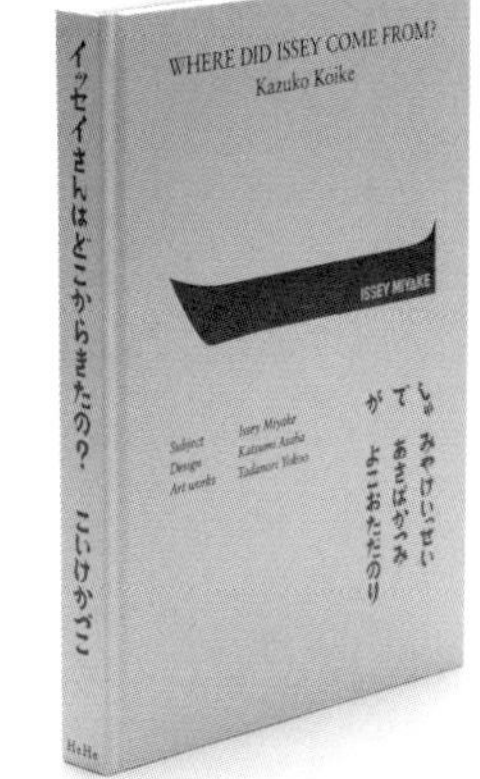

小池一子・著『イッセイさんはどこから来たの? 三宅一生の人と仕事』企画:北村みどり、装幀:浅葉克己、扉絵:横尾忠則、翻訳:木幡和枝ほか、出版社:HeHe。

美術界で長くつきあいのある友人であり、当時、森美術館館長であった南條史生から、「十和田市現代美術館の館長を引き受けないか」という話があったのは、小池が80歳を目前にした2016年のこと。2008年開館の十和田市現代美術館設立準備の段階から企画委員としてかかわってきた小池は、足掛け10年にわたって十和田の地で美術を育む土台作りに尽力していた。

「そのときに考えたのは、地域社会で生きる文化の場、ということです」

美術の仕事を長く続けてきた小池は、それまでの多くの時間を東京で費やしていた。日本ではほとんど認知されていなかった〝現代美術〟というものを周囲に紹介することを当時の仕事の大前提として邁進していたのだから。

「これまでは美術の中側に向かって、現代美術の顕在化や女性のアーティストの活路をみいだしてきましたが、今度は町の地域社会の人たちとそれを支えていくことを考えました。美術の現場に身を置き続けてきた活動が役に立てれば、ということです。年齢については周りがどう思うかというのはあるのだけれど、エネルギーの赴くままに、自分としては大きなためらいもなく責任をとってみるということで、十和田の館長職を受けたのです」

青森の環境に身を染めて文化を知ることを心底楽しんでいた小池は、地域の人々の話によく耳を傾けた。交流を深めるうちに、たいせつに扱いたいと思う地元の優れた美術家の作品との出合いもある。アートの多様な価値観にふれる心豊かな経験は、幾重にもなり味わい深い。

「美術の市場価値だけが芸術の価値ではないということ。そしてその地域の観察ができるというのが嬉しい。十和田で自分の財産となったものといえば、人間に出会えたこと。ここで出会ったみなさんは本当に美術が好きなんだなあという、実感みたいなことです」

アートへの純粋な想いを交換し、アートにふれる人々の心が、十和田でも感動と喜びのうねりを起こす。十和田市現代美術館という舞台と環境を歌で讃えてくれた地元の小学校の子どもたちのまっすぐな思いが、何より小池の心に響いていた。

「（十和田市の三本木小学校から）全校生がつくった歌を聞かせたいので来てください、と言われたのです。それは子どもたちが自発的に書いてくれた歌ということでした。十和田市現代美術館はまもなく10年を迎えるのですが、その間に起きた出来事なのだと、とても感慨深く感じました。『アートでまちづくり』と言います。だけれど、私はいまの子どもたちが自発的に歌をつくってくれたことが、アートの仕事が子どもの心の原風景に残っていくことをお手伝いできたのだという思いを感じています」

エイボン女性年度賞２０１７　小池による大賞受賞の言葉より

三本木小学校からうれしい招待を受けて、子どもたちに美術館の様子をみてもらおうと、チェ・ジョンファや奈良美智などの作品画像を選んでいた小池のもとに、社会に貢献する女性のための賞が与えられるという一報が届いた。

「アートのインフラ側の受賞をうれしく思っています」

化粧品会社の主宰による、女性の功労を讃える年度賞の選考委員に名を連ねていた作家の原田マハ[*9]は、小池が大賞を受賞した喜びを、開口一番そう言祝（ことほ）いだ。キュレーターやマネジメント、プロデューサーなど、芸術活動を支える裏方は影の存在として賞賛される立場になかったが、こうした働きがあってこそ芸術家は活躍することができる。アーティス

*9 **原田（はらだ）マハ（1962年〜）**
作家。東京都生まれ。関西学院大学文学部日本文学科、早稲田大学第二文学部美術史科卒業。伊藤忠商事、森美術館設立準備室、ニューヨーク近代美術館での勤務の後、２００２年よりフリーランスのキュレーターとなる。２００５年はじめての小説『カフーを待ちわびて』で第1回日本ラブストーリー大賞を受賞し、２００６年に作家デビュー。芸術作品やアーティストを題材とした小説やエッセイなど著書多数。２０１２年『楽園のカンヴァス』で第25回山本周五郎賞を、２０１７年『リーチ先生』で第36回新田次郎文学賞を受賞。

トを支える側に立つ人間を評価することが、より優れた芸術を生み、文化を育むことになる、と大賞授与への理由が述べられていた。

小池が興した現代美術のオルタナティブな空間、佐賀町エキジビット・スペースでは、小池を慕ってアートの仕事を志す若い女性が集まっていたが、原田マハもそのひとりで、彼女が24歳の頃、佐賀町に併設したカフェで週末にアルバイトをしながら小池の仕事を追っていた。その後は森美術館の設立準備に携わるなど、作家になる以前にはアートを支える現場で汗を流していた経験から、裏方の重要性をよく理解する人物なのである。

「現場をしっかりと固めているのは、日本のアートの現場で働く女性たちで、その人たちの数は多いのです。男性の下で仕事をしているような人でも、力を持っている女性たちがたくさんいることを、私は今までの仕事、デザインの世界でも実感しております。この賞をいただいたということは、私はその方たちの代表で、ということなのです」

エイボン女性年度賞２０１７　小池による大賞受賞の言葉より

アートの現場はもちろんのこと、小池は日本のクリエイティブの現場の黎明期を支え、新たな状況を生みだし、現場を支える女性たちが活躍できるような土台づくりに励んできたが、その仕事の背中を追っていた多くは、次世代のクリエイティブを先導する現場のアーティストたちであった。都市デザインやメディア・アートでデザインの領域を広げているクリエイティブ・ディレクターの齋藤精一は、小池がこれまで挑戦してきたものづくりへの姿勢に注目していたひとりである。

「文化とは何なのか？　文化とはどのようにして創造され、どのように進化するのか？　あたかも大きなムーブメントとして捉えられる『文化』は、たどっていくと実は数名の活動から始まっている。小池一子氏はまさに広告・ブランド・ファッション・ものづくりをはじめ、たくさんのデザイン・クリエイティブ分野の日本のあり方を創世記からつくった人である。高度経済成長時の日本で日本のデザインを哲学し、実行し、実装した功労を、広告やブランドが時代とともに役割を変えた今だからこそ称賛すべきだと考える」

２０１１年に文化庁メディア芸術祭[*10]でアーティストとして優秀賞を受賞した齋藤が２０１９年には審査員となり、小池に功労賞を授与したときの言葉である。齋藤からの賛辞を有り難く受けとった小池は、十和田市現代美術館での経験を経た今、新たな思いが湧き立つのを感じて、次の舞台をととのえることを意識していた。

「自分が過ごす社会の魅力としての文化みたいなもの。そういうものを思って、今度はまた東京での活動につとめることで、それをもっと掘り起こしたい」

小池が佐賀町アーカイブを東京・千代田区にあるアーツ千代田 ３３３１に置いたのは、オルタナティブな活動を展開するためにこの施設を開設した、中村政人への共感からでもある。小池の盟友ともいえる中村には、かつて東京を舞台に行われていたアート・プロジェクト、「東京ビエンナーレ」を再び東京で展開したいという想いがあった。

東京ビエンナーレとは、戦後の復興期である１９５２年より開催されていた国際的な美術展である。なかでも１９７０年の第10回展は「人間と物質」をテーマに表現の多様性を示して美術史に残るものと評価されているが、この回以降の開催は見送られたままとなっている。

*10
文化庁メディア芸術祭
１９９７年に開設された文化庁が主催の芸術祭で、アート、エンターテインメント、アニメーション、マンガの４部門において優れた作品を顕彰し、受賞作品が鑑賞できる展覧会を開催。４部門の他に功労賞、２０２０年（第23回）からはフェスティバル・プラットフォーム賞も増設。

それから半世紀を経た今、芸術のあり方やアートをめぐる環境が大きく様変わりした東京で、アートの国際展を開催するために中村政人は立ち上がった。小池はもちろん中村を応援しようと話をするうちに、また、生まれ育った東京への恩義に報いる気持ちも後押しして、中村とともに代表を請けおうことになる。

「佐賀町エキジビット・スペースは、とても寛容な場所だった。寛容であると同時に批評性のある場所。なんでも受けとめてくれる一方、この場所で何を表現するのかを問われ、批評されているような空間でもあった」

かつての佐賀町をこう評する中村は、佐賀町が示したような寛容性と批評性を備えた場を東京ビエンナーレでも展開したい意向があり、そのためには、作家と運営側双方で取り組む必要があると構想を続けていたのである。

現在の東京でビエンナーレをするならば、町の中にどのくらいアートが浸透できるだろうか。東京の中の〝町〟を舞台とすることを最初の起点にして、そこでどんな活動ができるか、社会にどのような影響を与えるかということを、小池は一から考えはじめた。ここで小池は、市民の国際芸術祭をつくるという思いを、〝市民委員会〟という言葉に託す。東京ビエンナーレの母体となる団体名は、「東京ビエンナーレ市民委員会」として、作家や評論家など企画を担うアート関係者からなる企画ディレクターと、商店、住民など地域をまとめる人々からなるエリアディレクターで構成された。地域の声を集めた意見交換を含めて市民委員会は会議をかさね、企画構成案を練り上げていく。

「結局、私が親から受け継いできたのは、〝市民として生きる〟ということのような気がします。〝グラスルーツ＝草の根〟。草の根からすべてがはじまらないと、私がなんとなくしっくりしないというくせもあって。だから東京ビエンナーレ市民委員会として動けるということが、喜びのひとつなのです」

構想中の東京ビエンナーレでは、東京都心北東部の千代田区、中央区、文京区、台東区を中心エリアとし、現代美術、デザイン、建築、ファッション、批評など、さまざまなジャンルの参加作家が作品やプロジェクトを発表する。東京の下町での開催は、地域への思いが深い町の人々による下支えからなり、これがなんとも頼もしい。佐賀町エキジビット・スペースも下町エリアではあったが、当時の活動は現代美術の存在を知らせるのが第一義で、美術業界内部へ向かざるを得なかった。

「そこがあきらかに違うのです。今回は町に開かれたものでないといけない。町の中にとけこんでしまうくらいでいいのです」

佐賀町をはじめた1980年代と現在を比べると現代美術をめぐる環境は一変し、専門ギャラリーは数多あり、現代美術館は国内でもめずらしい存在ではない。それなのに、どういうことだろう。〝現代美術〟には依然として閉塞感が漂っていることを感じざるを得ない。

「ヨーゼフ・ボイスあたりからはじまっていますよね。社会において現代美術はどうあるべきかと模索することは」

社会とのかかわりを芸術作品で示したヨーゼフ・ボイスは、作品を発表するたびにさまざまな問い掛けを残した現代美術のアーティストである。1982年に行われたドイツの国際的なアートイベント、ドクメンタ7では、街中に樫の木と石柱を配するプロジェクトを行っている。樫の木を毎月植え続け、5年間で7000本を植樹して環境緑化につなげるという循環的な取り組みにより、現在のカッセルの街は立派に成長した木々で彩られている。時とともに自然を育み、作品が社会の環境にとけこんでいる様子は、樫の木陰で人々が憩うふだんの街の姿からあきらかである。

環境の問題を提示したり、社会の見え方を変える存在であったり、必要なことや疑問点やどんなことでも、現代美術は生活の中や社会において行動を起こせる手段なのだということを小池は伝える。

「すでに存在している都市の町並みに思わぬ仕掛けを突きつけて、あ、この景色の変化は何だ？　と思わせるのはアーティストの仕事。また意識もせずに馴染んできた通り道に違和感を感じたら、それがアートの仕業だった、ということも起きるでしょう。日常の空間や景色を新しい目で見て未来へつなぐ、今からやり直せることを発見する」

東京の町の中で何かが起こること、それを起こすのはアートだ、ということを告知するキャッチ・フレーズ、「見なれぬ景色へ」を小池は掲げて、東京ビエンナーレは動きだしたのである。

東京ビエンナーレに携わるにあたり東京を振り返る小池には、ずっと心に留めていることがあった。東京で生まれ育った小池だが、戦争がはじまった幼少期は静岡の函南での疎開を経て目白に戻っている。戦時下、東京を離れていたことに対して慚愧の感情を持ち続けていた小池は、当時の同世代を今も忘れずに思いを寄せる。

「東京の、千代田、台東、中央、文京というところで美術活動をするとなったときにまず、当時の東京人への鎮魂をちゃんとやりたいと思ったのです」

一夜に約10万人の命が奪われた東京大空襲から75年の月日が流れた3月10日、犠牲者を弔う法要が都内各所で営まれていた。雨に鎮まるその朝、蔵前にある長応院の集団墓地に花を手向ける小池の姿があった。

時間の軸を縦にとれば、東京の過去から未来への流れがあり、
横を見まわせば人や空間のつながりという軸がある。
その交差点に立って我々は混乱の現在を実感する。
過去の悲劇を忘れないこと、今から未来へできることは何か。
まずは祈ることから私たちは始めよう、アートで。

Praying for Tokyo「東京に祈る」東京ビエンナーレ 2020/2021
小池一子キュレーションによるアートプロジェクトより

東京の、とりわけ下町を襲った悲劇を顧みて、小池が東京ビエンナーレにかける思いは、〝祈る〟ことそのものであった。

「現在から振り返る過去の町と人を思うとき、私たちは真の意味での鎮魂を祈念します。すなわち、惨劇を繰り返すことのない現在を確保し続けること。内藤礼の空間創造と祈りの場への導きから実感していきます」

長応院で祈りの空間をしつらえる内藤礼のほか、宮永愛子、柳井信乃（しの）という女性作家が、都内各所で過去を鎮魂し、未来への祈りを捧げるアートプロジェクト、〝Praying for Tokyo「東京に祈る」〟で、小池は東京を慰霊する。東京ビエンナーレの総合ディレクターの任をおいながら自らキュレーションするこの企画には、小池の深い思いがこめられており、表現方法の異なる作家各人には、今回のテーマにあてはまる明確な核がある。

「三人の作家の共通項は〝祈ることが、つくること〟。これは女の直感といってもいい」

かつて小池が次のように語っていた「作家を選ぶときの基準」を振り返ると、小池が語

る〝直感〟の深遠さにふれることだろう。

「それは直感というか、共感なのでしょう。どんなことを感じたりしているか、その人が何をめざして表現者としているのか。大きな言葉でいえば、〝世界をどう観ているか〟ということなのです」

東京ビエンナーレの公募アートプロジェクト「ソーシャルダイブ」では、東京に潜り込むように社会と深くかかわることをミッションとして、時代を読み解き、新たな価値を見いだすアーティストを募っていた。集まった作品には、町の姿を変えるほどの突きあげる勢いがあり、一般の人々が〝見たこともない〟東京の姿を表わすだろうと予感させた。東京ビエンナーレのキャッチフレーズ、「見なれぬ景色へ」という言葉が活きることはまちがいないとスタッフらが期待を高めていた頃、〝横を見まわした人や空間のつながりという軸〟が意に反するようにずらされて、町の景色が突然に変わってしまうのである。

2020年を迎えてまもなく、新型コロナウィルスという目に見えぬ感染症に世界は襲われた。感染防止のために誰もが移動を制限される状況が訪れ、緊急事態宣言が発動されると、外出自粛や休業要請で路上から人の姿が消え、街を彩るネオンも消え失せた。東京はおろか世界の光景が変わってしまったのである。小池は驚きながらも予兆をとらえていた意味を探ろうと、思索のレイヤーをひとまず束ね置き、自らの心の奥に寄り添ってみる。

「『見なれぬ景色へ』という言葉を選んだ直感を振り返り、人々が見る風景を先に見たようで、我ながらぞっとしたのです。アートという創造活動の真髄を考察すれば、意識が導く現象として、予言的にもなるということかもしれません」

創造することの深遠さは時に巫女（みこ）的な神託にふれることもある。東京に祈りの空間を置

印象的な青いドーナツ型のロゴマークは、クリエイティブディレクターの佐藤直樹による。

く小池に課されたつとめは、想像以上に大きなものであるらしい。東京ビエンナーレの開催年度を翌年に改めて、「東京ビエンナーレ 2020/2021」[*11]とタイトルを打ち直し、新たな景色と共生しながら立ち止まらずに前を向いていくことを心に決める。

佐賀町アーカイブを擁するアーツ千代田３３３１内に小池はもうひと部屋を借りて、佐賀町作家の作品の保管や事務所として使用している。時にはここをギャラリー空間として開放し、立花文穂の作品展でにぎわったこともある。その部屋に今度は、天井まで届く立派な本棚を準備していた。小池の姪で建築家の森下芯子（しんこ）が無印良品の素材を駆使したこの書棚は、小池の姉、矢川澄子の蔵書を収めるためのものである。

物心ついた頃から本に囲まれて過ごした小池の幼少期は、姉・澄子をはじめ姉妹と共有したかけがえのない時間である。澄子も一子も、本の世界のなかで暮らすように活字を追うことに心酔し、本の魅力にとりつかれた姉妹はそれぞれのなりゆきで、言葉にかかわる仕事へと導かれた。長野県黒姫の矢川の住まいにあった蔵書の一部はアーツ千代田３３３１へ運び込まれて、思想の深淵を示す書架を見上げながら小池は、矢川澄子の蔵書を生かすための企画を考えている。

アーティストのことを思いはじめると、無数の企画があふれてきて、おさまりがつかない。進行中のプロジェクトの渦中において多忙であっても、依頼されたらまた新たな仕事を引き受けてしまうような流れに、いつもなぜだか傾いてしまう。この積みかさねが小池の日常となっている。

「有漏路（うろじ）より無漏路（むろじ）へ帰る一休み　雨ふらば降れ　風ふかば吹け」

*11 **「東京ビエンナーレ 2020/2021」** 会期：２０２１年7月〜9月（予定）。主催：一般社団法人東京ビエンナーレ、後援：台東区、千代田区、文京区、一般社団法人千代田区観光協会、駐日アイスランド大使館、総合ディレクター：小池一子、中村政人。テーマ「見なれぬ景色へ―純粋×切実×逸脱―」を掲げ、「アート×コミュニティ×産業」をキーワードに、地域住民とともに作り上げていく2年に1度の国際芸術祭。作家やクリエイターが企画する「アートプロジェクト」、公募プロジェクト「ソーシャルダイブ」、アートを介し継続的にコミュニティと関わる「ソーシャルプロジェクト」を軸に、鑑賞型の展覧会のみならず、観客の参加するインスタレーションやイベントなども企画。

だから仕方ないのよ、と小池は笑いながら、一休さんの歌に自らをなぞらえる。

惑いの現世から本来居る悟りの境地に戻る途中が今である。そんな一瞬の今生、難儀もまた一瞬のことで、たいしたことはない――一休宗純が師から「一休」という道号を授かるきっかけとなった歌である。権力を嫌い、人間の本質のありのままを見ようとしたことでも知られる、一休さん。一休宗純の姿勢と小池一子の気骨とが、かさなって一つになる。


「一」といえば、小池一子の「一」を的確に示しているような言葉が、仏教の経典、華厳経のなかにある。

「一即多（いっしょくた）　多即一（たすなわちいち）」

ひとつではあるが、たくさん。たくさんだけれど、全体でひとつ、という意味である。この「一」に倣うごとく、一子の「一」は、はるかなる、ひとつであるものだ。

小池が最初に、一人で言葉を発する。そのはじまりは、アートやものづくりのために、いつも小池が抱いていた〝表現者〟への敬意があった。そして彼らが表現するための場を生みだすことに専念する。小池が行動を起こすと、それに賛同する才能に囲まれて、いつのまにか大きなひとつのムーブメントになっている。その繰り返しで、日本の文化を興してきた。こうしてとめどなく広がる世界は、網の目のように構成された複雑な縁起をおこし、どの時代の誰が欠けても成立し得なかったものになっていった。そして小池がもつ視点の大きさは、全体をひとつとして、俯瞰してみる意識から生じているものである。

小池の今日の発言を聞けば、小池がふくらませ続けている創造の喜びは、今このときも、まだまだ大きく発展途上だということがわかるだろう。クリエイティブの世界を先導する立場である現在においても、仕事に対する精査の姿勢を緩めることなく、挑戦を続けている。どれもこれも、創造を司る〝表現者〟のための言葉と行動なのである。

「美術批評という行為が非常に難しい。とても苦手だと思う。言語化という作業がまだまだ足りないと思っています。ここまできたら、子供の頃から感じている情感的なものや直感的なもの、つまり自分なりの生き方に基づいて発言していくしかない。美術の批評は、アーティストに伴走するものであってほしい、ということがあるのです」

若者たちへ

今は見えない才能が存在していて　その中での
お互いの力の見つけあいというのかな
そういうことが　大事なのかなと思います
それとね　おもしろい大人に会ってほしいのよね

第22回文化庁メディア芸術祭功労賞受賞時の小池一子の言葉より

COLUMN－3

snapshots

小池一子のオルタナティブな活動を支え彩るのは、同じ未来を描く仲間たち。時代を動かす舞台裏から相好を崩す乾杯の時まで、小池のとなりには信頼を寄せる人間がいる。現場で起こっていたこと、語られていたこと……カメラがとらえた背景を、小池一子が綴る。

パルコの広告制作打ち合わせを山口はるみさんと。エアブラシ、ドローイングなんでもスーパーにこなす彼女には頭があがらない。その時々のファッション感覚も見上げたものだ。

メトロポリタン美術館衣装研究所のキュレーター、ステラ・ブラムには文字通り手取り足取りの薫陶を受けた。

大塚末子さん。着物に特化した衣服文化研究の先達だが個人的に大好きで身近に置いていただいた。

青山の事務所にて。杉本貴志さんがデザインしたガラスと金具の大きなデスクを夫ケン・フランケルと愛用した。

『East Meets West　三宅一生の発想と展開』出版企画の会議はまずヴェニスで始まった。田中一光さんとゴンドラに乗って息抜き。

和田誠さん。映画のポスターで受賞された青年時代から憧れ続け、ブルース、ジャズ、何でも教わった。お互い事務所が近く、パーティには気軽に立ち寄ってくれた。

『ピーナッツ』の作者シュルツ氏にハガブル(ぬいぐるみ)スヌーピーのアイデアを提案し世界中の市場を制覇したアメリカ女性コニー・ブシェーを寺崎百合子（アーティスト）から紹介される。意気投合して「Snoopy in Fashion」企画を成功させ無二の親友に。コニー一族との旅、京都駅にて。

元スタッフ、現親友の小柳敦子と「ヴィスコンティの映画衣装」展制作でローマ出張。マルチェロ・マストロヤンニも住む館での仕事場から毎夜美食の街へ繰り出した。

塚本幸一氏（ワコール創設者）は公私ともに近い存在として私を遇してくれた。「君や三宅君のように運の強い人間との仕事がいいんだよ」と言われたのが記憶に残った。

杉本博司、小柳敦子とデクストラ・フランケルとLAのレストランにて。デクストラは南カリフォルニア大学のギャラリー・ディレクターで夫ケンの母。

「Snoopy in Fashion」の東京展に出品者コシノジュンコさんが駆けつけてくれる。各国のデザイナーがスヌーピーのための衣装をデザインするという企画はカタログと共に知的遊戯の満載と評された。

勅使河原宏さんの映画に強い影響を受けた20代の私には、氏とトシ子さん夫妻と近く話せる機会が夢のように思われた。

仕事仲間と言うには重い、敬愛する友だち。左から杉本貴志さん、粟辻博さん、田中一光さんたちと「ギャラリー間」にて杉本貴志個展オープンを祝う。

1980年頃のお正月の家族写真。右のケン・フランケルはミュージカル「足長おじさん」の役のため頭の毛を剃り上げている。私を挟んで母・元子、左端に母の長年にわたるアシスタント、斉藤みどりさん。撮影：林雅之

1991年、ギンザ・グラフィック・ギャラリー（ggg）で「トランスアート」と題する展覧会のキュレーションを担当。現代美術とデザインの領域を超える企画の実現の一つ。出品者の森村泰昌（右から2人目）、野又穫と世津子さん。

建築家の安藤忠雄さんの仕事は「住吉の長屋」(1976 年) を拝見して以来ずっとフォローし、1988 年には唐十郎さんとの企画「下町唐座」プロジェクトと個展などをお願いしている。

文化関係者の一人として招待されたアメリカ大使館のディナーにて。ブッシュ政権の時代、1991 年のことだがバーバラ・ブッシュには共和党嫌いの私も好感を持った。

テキスタイルデザイナー、ジャック・ラーセンは世界中のテキスタイルを熟知している。旅を重ね、食を楽しみ、美しいインテリア素材を生み出す人の生活の楽園ロングハウス（イーストハンプトン）に訪ねて歓待される。

1994年、フランソワーズ・モレシャンさん（右）と神近義邦さんとの珍しいショット。神近さんはハウステンボス創設者で夢の多い人だった。モレシャンさんとは社会への批判的な目を常に共有してきた。

横尾忠則さんは年賀状に「同い年だからお互い体を大事にしましょう」といった言葉をこのところ書いてきてくださる。付かず離れずで数十年の交流。突如、個展をすぐして欲しいと直訴しても受けて立ってくれる心の広さに感激している私。

国際展を身近に感じるようになったのは南條史生さんのような先導者がいてのこと。写真は1993年、ミラノのリストランテでヴェニス帰りの旅の打ち上げ。さまざまな機会を共有させていただいている。

草間彌生さんがソロアーティストとなった1993年のヴェネチア・ビエンナーレ日本館。
草間さんの作品は海外の思わぬところで巡り合わせることが多い。

㐂の字は7を重ねた字。77歳になったことを祝って騒ぐという会を友人たちが企画してくれた。仕事仲間、卒業生たちが会の内容と進行すべてを企て、まとめてくれた。集まってくれたすべての人たちが居て私があることをあらためて実感。感謝。撮影：広川泰士

田中一光さんの作品に関わる創作､美しい羽織スタイルの三宅一生さんの服が誕生した。
IKKO TANAKA ISSEY MIYAKE のシリーズが見事に完成。一番喜んだのは私と言わせていただく。敬愛する二人の作品の結実、一のつく名の縁。撮影：広川泰士

写真家の広川泰士さんと。友人の着物作家、丸山正さんの長野県大岡のスタジオ周辺で野菜の収穫に興奮した。

2009 年夏のロンドン、人気のシェフの店でポテトサラダのワークショップに参加。White Conduit Projects の三宅ユキさんと大いに楽しんだ。

ミラノの NABA 芸術大学にて 2008 年から 2010 年の間に 2 回特別講師としてクラスを持つ。多国籍の学生たちと意見交換するだけでもワクワクする時間を過ごした。

イサムノグチの作品は触りたい衝動をかきたてる。2018年ロサンジェルス、コスタメサにある彫刻庭園「カリフォルニア・シナリオ」にて。

喜寿からもう7年もたった。2019年には様々な祝い事が重なり、内輪の食事会をつくっていただく。加藤リサ、和井内京子ら料理好きの仕込みで味わい深い。デザートは大文字で。

2019年5月。武蔵美卒業生の澤田石和寛（大きい人）の展覧会にて、デザイナーの原耕一さん（右）、写真家・与田弘志さん（左）と。在学中には見えなかった才能の展開が現れることには新鮮な驚きがある。

十和田市現代美術館で2016年10月から翌年2月まで、「ヨーガンレール 海からのメッセージ」展を開催した。環境汚染の中でもプラスチックごみの問題に対するヨーガンの思いが明かりの作品に結晶している。東京からも大勢の友人が駆けつけ、居酒屋での乾杯が続く。

大竹伸朗さんが画業の初期作品《ミスター・ピーナッツ》に対面するというショット。

2018年秋、「マリアノフォルチュニー」展が三菱ミュージアムにて開催され、ヴェニスの同館館長のダニエラ・フェレッティさんと三嶋りつ惠さんとMUJI ginzaで夜がふけるまで話し込む。

初めは人のいない街を見てSFみたいと言っていたのが現実となったコロナの毎日。横尾忠則さんからマスクを送っていただいた。マスク評論家みたいな人も現れておかしい。

コロナ禍の中で元気な大竹彩子さん（中央）の個展が始まりパルコへ。公開制作の場に立つ彩子さんと、左から竹下都、中村水絵、右に保田園佳。二度とこういう感じはないだろうとマスクをかけたままスナップショット。

年譜

1936
父・矢川徳光、母・民子の間に、五人姉妹の四番目として東京に生まれる。

1943　7歳
小池四郎、元子伯父伯母の養子となる。

1944　8歳
小学3、4年時、静岡県田方郡函南村へ疎開。

1948　12歳
恵泉女学園中等部に入学。高等学校まで同学校で学ぶ。

1954　18歳
早稲田大学文学部演劇科に入学。2年時、英文科2年へ転科。

1959　23歳
同大学卒業。
アド・センターに入社。
編集、執筆　雑誌『週刊平凡』創刊号より、連載「ウィークリー・ファッション」にて、はじめて編集、執筆を担当。

1960 24歳
ファッション、デザインを中心に、執筆、編集の仕事が本格化。

1961 25歳
アド・センターを退職、フリーランスに。
高野勇、江島任（たもつ）と「コマート・ハウス」を設立。

1962 26歳
編集、執筆 広報誌『プリンティングインク』創刊。アートディレクター（以下AD）に田中一光を迎える。
三宅一生との出会いも同年。

1965 29歳
アメリカ（サンフランシスコ、ロサンゼルス、ニューヨーク）〜ヨーロッパ（ロンドン、パリ、ミラノ）へ初めての外遊。

1966 30歳
編集、執筆 タブロイド版『流行通信』創刊号から担当。AD：江島任。

1967 31歳
パリにいる三宅一生、ヨーガン・レールを石岡瑛子と訪欧の間に訪ねる。

1968 32歳
コピーライティング 石岡瑛子のデザインによるポスター「Power Now」のコピーライトを担当（展覧会「反戦と解放」のために制作）。京都国立近代美術館開催の「近代デザインの展望」展出品ポスター「Yes, No」もコピーライトを担当。
連載執筆 雑誌『カメラ毎日』

1969 33歳
企画、コピーライティング 池袋パルコ立ち上げに参画。以降、西武グループの広告活動に様々な提案を行う。
翻訳 ミュージカル『ファンタスティックス』訳詞。東宝芸術座初演。

1970 34歳
旭化成の研究室に通いはじめ、テレビコマーシャルの仕事にも携わる。

1971　35歳
ニューヨークのジャパン・ソサエティーで行われた三宅一生のデビューとなるファッション・ショーにボランティアで参加。

1973　37歳
冬休みに三宅一生と皆川魔鬼子(まきこ)とロサンゼルスへ。
ニューヨークで開催の「インベンティヴ・クローズ」展（後に京都に導入）に出合う。

1974　38歳
編集『art parco '69–'74 アール・パルコ 女の誕生』編集：小池一子、監修：草刈順、対談：浅井慎平＋山口はるみ、倉俣史朗＋石岡瑛子、文：日向あき子、山口洋子、白石かずこ、朝倉摂（パルコ出版）
連載執筆　雑誌『エレクトーン』でファッション・コラム。
赤塚不二夫から猫を一匹もらう。赤塚家「菊千代」の孫。名前はバーボン。

1975　39歳
企画、実施、図録編集「現代衣服の源流」展。主催：京都国立近代美術館、京都商工会議所。会期：3月25日〜5月25日。会場：京都国立近代美術館。AD：田中一光、空間：杉本貴志、マネキン製作：向井良吉。
コマート・ハウスを退職。
米国・ハワイ大学所属機関「東西文化研究所」へ美術館学の研修で半年間の留学。

1976　40歳
連載執筆　雑誌『流行通信』にて連載「パームツリーの育て方　小池一子の公開私信」。

「世界クラフト会議」参加でメキシコへ。

ハワイ帰国後、西武美術館のアソシエート・キュレーターに。

有限会社オフィス小池設立。

編集　西武渋谷のバイリンガルの情報新聞（カレンダー）を担当（月刊）。

企画、協力　田中一光の呼びかけによる、東京デザイナーズ・スペース（TDS）に発起人の一人として参加。

株式会社キチン設立。

1977　41歳
キュレーション「三宅一生。一枚の布」展。会期：

2月19日、20日。会場：西武美術館。
キチンの事務所、北青山へ引っ越し。

1978　42歳

編集　『三宅一生の発想と展開：ISSEY MIYAKE East Meets West』AD、構成：田中一光、写真：横須賀功光、操上和美ほか（平凡社）

1979　43歳

キュレーション、図録編集　「マッキントッシュのデザイン展：現代に問う先駆者の造形　家具・建築・装飾」会期：3月9日〜3月27日。会場：西武美術館。

「無印良品」の企画・監修に参画（販売開始：1980年）。

エジプト調査行。1980年の西武百貨店の広告「不思議、大好き。」（コピーライト：糸井重里）キャンペーンの一環として訪問。

翻訳　ジュディ・シカゴ・著『花もつ女――ウエストコーストに花開いたフェミニズム・アートの旗手、ジュディ・シカゴ自伝』（パルコ出版）

1980　44歳

編集　「浪漫衣裳」展（会期：4月5日〜6月1日。会場：京都国立近代美術館）の図録を担当。

キチンの事務所、北青山内で引っ越し。

1981　45歳

監修、翻訳　ダイアナ・ヴリーランド・著『ALLURE アルール 美しく生きて』（パルコ出版）

講演　アムステルダムADC主催「Japan Day」でパネル・トーク。

キュレーション　「ヴィスコンティとその芸術」展。会期：9月11日〜10月4日。会場：パルコスペース・パート3。

受賞　1980年度ファッション・エディターズ・クラブFEC受賞。

1982　46歳

翻訳　ミュージカル「キャバレー」訳詞：小池一子、訳・演出：渡辺浩子。開催日：2月3日〜2月21日。会場：博品館劇場ほか。

連載執筆　雑誌『ハイファッション』にて連載「LIVING MUSEUM」（全6回）。

編集　『Japanese Coloring 日本の色彩』AD、構成：

田中一光（リブロポート）

1983 47歳

佐賀町エキジビット・スペース設立、主宰（以下、佐賀町エキジビット・スペース、佐賀町アーカイブ開催は◎で記す）。

キュレーション 「大阪国際デザイン・フェスティバル」において、協会のテーマ展示「モダンデザイン」を担当。パリ広告美術館の「マグリットと広告」を招致。佐賀町エキジビット・スペース最初の展覧会「マグリットと広告」（会期：11月15日～12月5日）開催。

編集アドバイス 『三宅一生ボディワークス』（小学館）

企画、図録編集 「アンダーカバー・ストーリー」主催：日本ボディファッション協会、京都服飾文化研究財団。会期：10月3日～10月23日。会場：ラフォーレミュージアム原宿。巡回展 会期：11月10日～11月20日。会場：京都烏丸ホール。

編集 『Péro 伊坂芳太良作品集成（Parco view 17）』AD、構成：田中一光（パルコ出版）

1984 48歳

企画、実施 「日本のデザイン 伝統と現代」展。主催：西武流通グループ、日本対文化協会、ソ連文化省。会場：ソ連邦美術家同盟中央作家会館。

編集 『Japan Design 日本の四季とデザイン』AD、構成：田中一光、監修：吉田光邦（リブロポート）

キュレーション、図録編集 「SNOOPY in FASHION」会期：12月15日～12月27日。会場：西武アート・フォーラム。

◎戸村浩「1st with TOM」（2月4日～4月3日）

◎森孝行「ウォーミング・アップ」（3月17日～4月15日）

◎「建築家21人のドローイング」（4月20日～5月20日）

◎「Plantation + MOMIX」（5月28日）

◎「A MESSAGE FROM EASTASIA ジョージ・オーウェル記念『1984年』シェルターの縁日」（6月1日～6月10日）

◎「ジェリー・カミタキ展」（6月16日～7月8日）

◎新井淳一「布空間・布人間」（7月14日～7月29日）

◎「2100海里の舞踏会」（9月5日～9月16日）

◎端聡「Solid Black」（9月23日～10月14日）

◎シュウゾウ・ガリバー・アヅチ「肉体契約」（11月

2日～11月18日)

◎高畑早苗「幸福な場所」(12月7日～12月23日)

1985 49歳

企画協力、図録編集　「Fortuny展」主催：京都服飾文化研究財団、ワコールアートセンター。会場：スパイラルホール。

執筆　『交感スルデザイン』(六耀社)

編集　『ファッション・ワード・コレクション』共著：深井晃子、装丁：廣村正彰(講談社)

キュレーション　北海道東川町が開催する写真の町構想、写真賞「東川賞」の企画、創設に協力。

◎「駒形克哉 #1, 1985, SAGACHO」(2月4日～2月10日)

◎「Clear Garden」(3月30日～4月5日)

◎「三一致 TROIS UNITÉS」(4月17日～4月30日)

◎三上浩「EVOLUTION: Work in No.11. Project 砦 Quau No. 6」(5月7日～6月6日)

◎「駒形克哉 #2」(7月12日～7月28日)

◎樋口正一郎「遊動都市」(9月3日～9月23日)

◎脇田愛二郎「錆」(11月12日～11月30日)

1986 50歳

受賞　「〝交感スルデザイン〟に集まった5人のデザイナーの活動と小池一子」として毎日デザイン賞を受賞。3月28日、東京・日比谷の帝国ホテルで贈呈式。

企画協力　「HAATH インドの手」会場：有楽町西武各階。「HAATH ハート展 インド手織りと三宅一生」展。会場：有楽町アート・フォーラム。ともに会期：5月2日～5月13日。主催：西武美術館。

編集　図録『HAATH』AD：田中一光、デザイン：廣村正彰、写真：広川泰士(西武美術館)

キュレーション　「コメディア・デラルテ」展。会場：シードホール。

企画、編集　『関口隆史写真集 UZURA』(リブロポート)

◎みねおあやまぐち「Outer Inner Colour」(1月14日～1月20日)

◎椎原保「風景の建築 1986 #1」(2月18日～3月8日)

◎「ニキ・ド・サンファル展」(4月1日～4月24日)

◎今村幸生「ゼノン・飛翔 Vol. 86」(5月9日～6月1日)

◎「6 at work（奏でる実）」（6月17日〜7月10日）
◎岡部昌生「STRIKE-STRUCK-STROKE」（9月2日〜9月27日）
◎野又穫「Still 静かな庭園」（10月7日〜10月26日）
◎「剣持和夫展」（11月11日〜12月5日）
◎関口隆史「ＵＺＵＲＡ」（12月10日〜12月25日）

1987　51歳
武蔵野美術大学造形学部空間演出デザイン学科教授に着任。
キュレーション　「田中一光：デザインのクロスロード」展。会期：1月2日〜1月21日。会場：西武美術館。
キュレーション　マドレーヌ・ヴィオネ、クレア・マッカーデル、川久保玲「THREE WOMEN 20世紀の女性デザイナー3人」展。主催・会場：ニューヨークファッション工科大学。
キュレーション　「リチ・上野＝リックス」展。会期：10月18日〜11月3日。会場：比燕荘（京都）（建築：村野藤吾）。
◎「ARTIST'S NETWORK 1987 アーティスト・ネットワーク——福岡＋群馬＋北海道」（1月13日〜1月30日）
◎「何もかも踊れ Dance From Outer Space」（2月19日〜2月25日）
◎「吉田真一郎展」（3月10日〜3月29日）
◎ミシェル・ブランジェ「INVERSION–DIVERSION」（4月21日〜5月14日）
◎「ミンモ・パラディーノ展」（6月6日〜6月27日）
◎「YESART DELUXE」（7月7日〜7月25日）
◎「吉澤美香展」（9月2日〜9月26日）
◎「樫村鋭一展」（10月7日〜10月29日）
◎「大竹伸朗 １９８４−１９８７」（11月11日〜12月20日）

1988　52歳
キュレーション、図録編集　「Earth & Sky：ナガの民族芸術」展。主催：西武美術館。会期：7月29日〜8月16日。会場：有楽町アート・フォーラム。
企画、編集　『無印の本』ＡＤ：田中一光（リブロポート）
◎「シェラ・キーリー展」（2月4日〜2月28日）
◎「下町唐座展 安藤忠雄の劇場建築」（4月8日〜4月30日）
◎世古富保「樹幹」（5月10日〜5月25日）
◎シャンタル・タルボー「Wall panels」（6月1日〜

6月24日)

◎特別企画「KAWAMATA・比燕荘(ひえんそう)・京都」(7月1日〜7月31日)

◎「辻耕治/LIVE EXHIBITION HONORING KOJI TSUJI」(7月7日〜7月28日)

◎古郡弘「QUATTRO FIUMI」(9月1日〜9月22日)

◎杉本博司「Sugimoto」(9月28日〜10月30日)

◎野又穫(みのる)「Arcadia 永遠の風景」(11月4日〜11月25日)

◎「Clay Art '88」(12月2日〜12月22日)

1989　53歳

図録編集　「華麗な革命　ロココと新古典と衣装」展。会期:4月4日〜5月28日。会場:京都国立近代美術館。

キュレーション、図録編集　「フリーダ・カーロ展　愛と生、性と死の身体風景」主催:西武美術館。会期:8月11日〜8月29日。会場:有楽町アート・フォーラム。巡回展　会期:9月8日〜10月2日。会場:大津西武ホール。

連載執筆　『朝日新聞』朝刊にてテレビ時評(8月6日、9月3日、10月1日、10月29日。全4回)。

◎剣持和夫「KENMOCHI February, 1989」(2月4日〜3月4日)

◎「ヨッヘン・ゲルツ展」(3月25日〜4月28日)

◎片山雅史「風のなる日のために」(5月16日〜6月16日)

◎「隅田川　夏の能」(8月1日〜2日)

◎元慶煥(ウォンキョンファン)「Inside of Earth」(9月1日〜9月30日)

◎「椎原保展」(10月17日〜11月17日)

◎スティーブン・ポラック「LUNA PARK」(11月28日〜12月23日)

1990　54歳

執筆　「Pleats Please」展(会場:東高美術館)図録。

キュレーション、図録編集　「イヴ・サンローラン展　モードの革新と栄光」会期:11月14日〜12月26日。会場:セゾン美術館。

◎森村泰昌「美術史の娘」(2月13日〜3月16日)

◎「EIGHT INDIVIDUALS FROM EAST」(3月30日〜4月27日)

◎ナディム・カラム「オベリスクの寺院」(5月11日〜5月27日)

◎「田中米吉展」(6月12日〜7月13日)

◎「堂本右美展」(9月10日〜10月13日)

◎「空間とドローイング」(10月22日〜11月10日)

◎古井智「ICONOSCOPES 1990」(11月26日〜12月22

日）

1991 55歳

キュレーション、図録編集　「トランス・アート'91」伊東順二との共同キュレーション。会期：10月4日～11月22日。会場：ギンザ・グラフィック・ギャラリー。

翻訳　ピーター・アダム・著『アイリーン・グレイ——建築家・デザイナー』（リブロポート）。２０１７年にみすず書房から再版。

企画、編集　杉本博司写真集『TIME EXPOSED』（京都書院）

◎横尾忠則「TEARS 瀧」（2月8日～3月9日）

◎「滝口和男展」（3月18日～4月13日）

◎ヨルク・ガイスマール「Clothes Make People」（4月25日～5月31日）

◎内藤礼「地上にひとつの場所を」（9月2日～10月12日）

◎杉本博司「TIME EXPOSED」（10月30日～12月21日）

1992 56歳

著書　『空間のアウラ』（白水社）

企画、編集　秋野不矩（ふく）『ＩＮＤＩＡ』（京都書院）

◎デュイ・シイド「肉体と社会」（2月12日～3月21日）

◎クロード・ヴィアラ「Works 1977–91」（4月2日～4月28日）

◎内田繁、森豪男（ひでお）「HORIZONTAL + VERTICAL」（5月6日～5月29日）

◎白川昌生「円環—世界」（6月3日～6月27日）

◎「ヒルベルト・アセヴェス展」（7月4日～7月31日）

◎「駒形克哉展」（9月4日～10月3日）

◎秋野不矩「ＩＮＤＩＡ」（11月11日～12月19日）

1993 57歳

執筆　「メランコリア 知の翼 アンゼルム・キーファー」展図録（セゾン美術館）

『空間のアウラ』出版記念として「小池一子さんの'93年3月3日を祝う会」開催。会場：スパイラルカフェ。

キュレーション　東京オペラシティのパブリックスペースのアートワーク選定に携わる。

執筆　『劇場都市東京オペラシティ　誕生までの記録』（東京オペラシティ街区開発記録編纂委員会）

◎「00-Collaboration 詩と美術」（4月5日～5月7日）

◎アンゼルム・キーファー「メランコリア 知の翼」

(6月3日~7月19日)
◎「アンドレアス M・カウフマン展」(9月3日~9月19日)
◎「THE MORPHOLOGY OF EXPERIENCE 経験の形態学 OPEN HOUSE Art and Life」(11月30日~12月18日)

1994　58歳
キュレーション　東京国際フォーラム・アートワーク選定委員長に。建築家はラファエル・ヴィニオリ(開館：1997年1月10日)。
◎エドガー・ホーネットシュレーガー「SCHUHWERK」(1月11日~1月24日)
◎島剛「我は〝泉〟に立つ」(2月19日~3月23日)
◎白川昌生「SHIRAKAWA '94 日本人ですか」(6月4日~7月7日)
◎「倉智久美子展」(9月15日~10月16日)
◎「未来の記憶 イスラエル現代美術展」(11月16日~12月18日)

1995　59歳
「日本デザイン会議95群馬 日本文化デザイン賞」授賞委員長。

◎草野貴世、坂崎隆一「10 MAR 1945 B29s OVER TOKYO」(3月9日~4月16日)
◎立花文穂(ふみお)「MADE IN U.S.A.」(6月6日~6月25日)
◎鳴海暢平「INDIRECT MEDICINE」(7月14日~8月13日)
◎「出光真子・中辻悦子展」(9月12日~10月10日)
◎高畑早苗「INTIMATE REFLECTIONS 1991–1995 生まれ出た自画像たち」(10月20日~11月30日)

1996　60歳
受賞　佐賀町エキジビット・スペースの活動が賞され、第3回日本現代藝術振興賞を受賞。主催：財団法人日本文化藝術財団(京都)。
◎ティナ・シュヴィヒテンベルグ「Repetition ボスニアの麻の布」(2月13日~2月28日)
◎タマール・ゲッター「TOKYO PROJECT」(4月19日~5月19日)
◎「SOSIE」(5月27日~7月21日)
◎ダニ・カラヴァン「シャマイム 空 水はそこに」(9月30日~10月27日)
◎マーゴ・ソイヤー「エリジウムの野」(11月22日~12月15日)

1997　61歳

キュレーション　大竹伸朗展「Printing / Painting」会期：10月4日～11月30日。会場：現代グラフィック・アートセンター。

企画、司会　シンポジウム「ヤン・ファーブル＋イリヤ・カバコフ　偶然を指揮する者」会場：東京オペラシティアートギャラリー。

◎ハーフィス・ベルティンガー「颱風ハーフィスの日本列島」（4月4日～5月5日）

◎「The Other Architecture 北方住宅プロジェクト」（6月4日～7月13日）

◎楡木令子「魂の宿るところ」（9月5日～9月28日）

◎「TOUCHING ポルトガル・日本現代美術展」（10月14日～11月14日）

◎「凌飛（リンフェイ）のフォトグラフィ」（11月21日～12月21日）

1998　62歳

キュレーション協力、図録編集　「日本のライフ・スタイル50年」展。会期：11月22日～1999年1月10日。会場：宇都宮美術館。巡回展　会期：6月12日～7月24日。広島市現代美術館。

◎「余韻。オーストラリアに響いた日本。」（1月29日～3月15日）

◎「岡村桂三郎展」（4月10日～5月15日）

◎「Series Duo(1) 西雅秋＋古郡弘展『御破算』」（6月9日～7月19日）

◎「Series Duo(2) 鈴木隆＋フランク・フーアマン展『Kommunikation』」（9月1日～9月27日）

◎トレイシー・エミン「SobaseX 私は怖くて濡れている。」（10月10日～11月14日）

◎「Series Duo(3) 椎原保＋藤枝守展『劇場の連鎖領域と浸透性』」（11月27日～12月23日）

1999

母・元子の「クララ洋裁研究所」の小屋建物の解体前日に、立花文穂が一日の展覧会。

◎フウラ S.「SUGAR MOUNTAIN 龍安寺のピエタ」（1月11日～2月14日）

◎「プロジェクト A.P.O. 廣瀬智央（さとし）個展／廣瀬智央＋植田曉（さとし）」（3月2日～3月28日）

◎「日高理恵子展」（5月21日～6月12日）

◎「多田正美 サウンド・エンカウンター 990619」（6月19日）

2000　64歳

特定非営利活動法人ＡＭＰ（Art Meeting Point）設立。

キュレーション　ヴェネチア・ビエンナーレ第7回

国際建築展日本館「少女都市」主催：国際交流基金。
現住居完成（設計：内藤廣）。
◎「佐賀町２０００『希望の光』『ドキュメント佐賀町・定点観測　１９８３-２０００』『佐賀町エキジビット・スペース』」（11月17日〜12月30日）

２００１　65歳
連載執筆　雑誌『おとなぴあ』にて連載「東京アート散策」（8月号〜２００２年1月号。全6回）。
講演　「ＹＡＢＡＩ：日本ファッション　新しさの追求」会場：アジアハウス（ロンドン）、主催：SOAS アジアハウス。

２００２　66歳
キュレーション、図録編集　「エモーショナル・サイト展」実行委員。会期：11月16日〜11月24日。会場：食糧ビルディング。
編集　『20世紀の良品――新世紀へのメッセージ』（良品計画）

２００３　67歳
連載　雑誌『ブレーン』連載「ONE TEN GALLERY TALK」聞き手。
講演　ヨルク・ガイスマール展にて作家と対談。会場：リリヴァレック市美術館（ストックホルム）。

２００４　68歳
キュレーション、図録編集　「衣服の領域 ―― On Conceptual Clothing：概念としての衣服」展。会期：11月8日〜12月13日。会場：武蔵野美術大学 美術資料図書館。巡回展　会期：２００５年7月21日〜9月4日。会場：鹿児島県霧島アートの森。
著書、編集　『Fashion――多面体としてのファッション』（武蔵野美術大学出版局）
講演　「第55国際小売会議」（チューリヒ）ゲスト・スピーカー。
キュレーション　「do it ジブンデ」展。会期：11月〜12月。会場：無印良品有楽町店内・アトリエＭＵＪＩ。

２００６　70歳
武蔵野美術大学退任、名誉教授に。
キュレーション　「do it ジブンデ2」展。会期：8月〜9月。会場：無印良品有楽町店内・アトリエＭＵＪＩ。
企画　石岡瑛子・著『I DESIGN, 石岡瑛子の仕事像』

出版記念講演会を企画。司会、進行。開催日：4月16日。会場：森ヒルズクラブ（森ビル内）。

キュレーション　鹿児島県霧島彫刻ふれあいの森、作品・作家選定委員。

2007　71歳

キュレーション　「伝承織柄　バスクのストライプ」展。会期：4月25日～5月21日。会場：無印良品有楽町店内・アトリエＭＵＪＩ。

2008　72歳

キュレーション　「INTERVALLO 幕間展　アート／ファッション／デザインのまくあいで。」出品デザイナー：コロンバ・レッディ、クリスティーネ・ビルクレ、和井内京子。会期：6月26日～8月2日。会場：BankART studio NYK。

ロンドンで研修。2009年まで東京との行き来が続く。

2011　75歳

アーツ千代田3331内に「佐賀町アーカイブ」を設ける。

◎「佐賀町アーカイブ COLLECTION plus, 1　大竹伸朗展」（4月22日～7月4日）

◎「佐賀町アーカイブ COLLECTION plus, 2　内藤礼展」（9月16日～12月4日）

2012　76歳

キュレーション　「田中一光とデザインの前後左右」展。会期：9月21日～2013年1月20日。会場：21_21 DESIGN SIGHT。

企画、編集　『田中一光とデザインの前後左右』（FOIL）

◎「佐賀町アーカイブ COLLECTION plus, 3　野又穫『blue construction』」（1月19日～4月29日）

◎「佐賀町アーカイブ COLLECTION plus, 4　森村泰昌『アーカイブ、それから』」（11月3日～2013年2月11日）

2013　77歳

喜寿の会。会場：ＣＡＹ。

◎立花文穂「第Ⅰ期『MADE IN U.S.A.』第Ⅱ期『クララ洋裁研究所』」（5月24日～7月28日）

2014　78歳

参加、執筆　「反戦 来るべき戦争に抗うために」小池一子立花文穂名義で《球体號外・クララと戦争》（紙にインキ、オフセット印刷）を展示。会期：9月25日〜9月29日。会場：SNOW Contemporary。

企画、実行委員　「THE MIRROR Hold the Mirror up to nature　いまアートの鏡が真実を映す。」会期：10月16日〜11月9日。会場：銀座４丁目ＴＨＥ ＭＩＲＲＯＲ館（名古屋商工会館）。

◎荻野僚介、木村太陽、眞島竜男「灰色 Gray」（4月25日〜6月15日）

２０１５　79歳

第68回全国美術館会議総会、理事（〜２０２０年）。

編集、執筆　『素手時然』企画：良品計画、ＡＤ：原研哉（平凡社）

◎三上浩「砒グリフ "QUAUGLYPH"」（9月18日〜11月15日）

◎高畑早苗「妄想中世　パーソナルオブジェ」（12月10日〜12月23日）

２０１６　80歳

十和田市現代美術館館長に就任。

執筆　『Issey Miyake 三宅一生』（タッシェン）長編エッセイを執筆。

執筆　『辻井喬＝堤清二　文化を創造する文学者』（平凡社）

◎「倉智久美子展」（2月18日〜4月10日）

◎立花文穂「Leaves Fumio Tachibana　立花文穂の紙々」（5月20日〜7月3日）

２０１７　81歳

連載執筆　『朝日新聞』にて連載「めぐる——時間・空間・私」（題字：立花文穂。7月1日、8月5日、9月9日、10月7日、11月4日、12月2日、２０１８年1月13日、2月10日、3月10日。全9回）。

著書　『イッセイさんはどこから来たの？　三宅一生の人と仕事』（ＨｅＨｅ）

◎佐藤直樹「NAOKI drawings @ sagacho archives」（4月30日〜6月11日）

◎「MAROBAYA の衣服と布」（12月1日〜12月10日）

２０１８　82歳

受賞　エイボン女性年度賞２０１７大賞受賞。

講演　「IN TEXTILE, WE TRUST」香港のアートセンターＣＨＡＴ（Centre for Heritage Arts and Textile）にて。

執筆　展覧会「山口はるみ」のカタログに寄稿

（DNPアートコミュニケーションズ）。

執筆　展覧会「秋野不矩　あふれる生命の輝き」のカタログに寄稿（浜松市秋野不矩美術館）。

◎野又穫「ascending descending」（3月7日〜5月27日）

2019　83歳

受賞　第22回文化庁メディア芸術祭功労賞受賞。

◎柳井信乃「The Deep End」（2月8日〜3月10日）

◎ジェリー・カミタキ「WINDOWS 2002 PEACE」（11月8日〜2020年1月19日）

2020　84歳

十和田市現代美術館館長を退任。

企画、キュレーション　「佐賀町エキジビット・スペース　1983-2000　現代美術の定点観測」会期：9月12日〜12月13日。会場：群馬県立近代美術館。

編集、執筆　『佐賀町エキジビット・スペース　1983-2000　現代美術の定点観測』（HeHe）

編集、執筆　『MUJI IS』（良品計画）

著書　『美術／中間子　小池一子の現場』（平凡社）

連載インタビュー　『朝日新聞』文化欄「人生の贈りもの」（10月20日より全12回）。

2021　85歳

（予定）

著書　『のこす言葉　小池一子』（平凡社）

ディレクション、キュレーション　「東京ビエンナーレ2020／2021」総合ディレクター。企画展〝Praying for Tokyo「東京に祈る」〟（参加作家：内藤礼、宮永愛子、柳井信乃）をキュレーション。

あとがきにかえて

どういう時代に、どこに生まれ落ちるかということは全く「神のみぞ知る」の言葉通りであって、そこには選択の余地がありません。この世に生き始めてからは選択の連続であるにもかかわらず、これは厳しい話と気づいたのは、私が少女の頃でした。

日本は戦争を起こして負け、戦後とその復興期があり、経済上昇から好況があり、バブル到来と崩壊があり、社会主義も資本主義も変質し、デジタル・コミュニケーションが定着し、２０２０年にはコロナ・ウイルスが世界を覆っています。私と私の同時代人の社会経済的環境は、このようなものです。

そこで文化芸術的環境はどうだったかと言いますと、１９３６年から現在の２０２０年まで私が棲息し、なんとか選択し続けてきた状況から推し測っていただきたいと思う次第です。

この１９３６年はパリでガートルード・スタインが『みんなの自伝（Everybody's Autobiography）』を書いた年であり、私がこの世に生を受けた年です。

それは単なる偶然にすぎませんが、「エブリバディズ オートバイオグラフィー」という言葉には、私はぎくっとします。私がいるのは、みんなの中。みんなが生きている時代、すなわちコンテンポラリー＝同時代の人間の有り様を記すことが、みんなの自伝となるのです。

ガートルード・スタインの同時代人はピカソを筆頭にあの賑やかなパリの芸術爛熟期をつくった人たちです。それが、〝みんな〟。僭越にも私は２０２０年の「みんなの自伝」を書きたかったのかもしれません。私は狂言回しの黒子で、私が選んだ世界はこうだったという記録と言ってもいいのです。

この本の成り立ちからしてそうなのです。仕事仲間の一人、編集出版人の中村水絵さんが提案してくれて、保田園佳さんがライターとして立ってくれて、有山達也さんがデザインをしてくれた。そういうことが自然に起こっていって、この「みんなの自伝」が生まれています。私という素材はまな板の上の鯉のように、写真選びも何もかもお任せしたのが快感でした。

みなさま、ほんとうにありがとうございます。

小池一子

小池一子　こいけ・かずこ

1936年、東京都生まれ。クリエイティブ・ディレクター、佐賀町アーカイブ主宰。武蔵野美術大学名誉教授。1980年の「無印良品」の創設に携わり、以来アドバイザリー・ボードを務める。ヴェネチア・ビエンナーレ国際建築展日本館「少女都市」（2000年）、「田中一光とデザインの前後左右」（2012年、21_21 DESIGN SIGHT）他多数の展覧会の企画、ディレクションを手掛ける。1983年にオルタナティブ・スペース「佐賀町エキジビット・スペース」を創設・主宰し、多くの現代美術家を国内外に紹介（～2000年）。現在、この活動は「佐賀町アーカイブ」（2011年～）に引き継がれている。著書に『イッセイさんはどこから来たの？　三宅一生の人と仕事』（2017年、HeHe）、訳書に『アイリーン・グレイ――建築家・デザイナー』（2017年、みすず書房）など。2019年文化庁メディア芸術祭功労賞受賞。

掲載の許諾などを得るにあたり、連絡がつかなかった方・会社がございます。お気づきになられた場合には平凡社編集部までご一報ください。

美術／中間子　小池一子の現場

2020年12月9日　初版第1刷発行

著者　小池一子
発行者　下中美都
発行所　株式会社平凡社
〒101-0051
東京都千代田区神田神保町3-29
電話　03-3230-6593（編集）
03-3230-6573（営業）
振替　00180-0-29639
平凡社ホームページ　https://www.heibonsha.co.jp/

デザイン　有山達也
岩渕恵子、中本ちはる（アリヤマデザインストア）
執筆　保田園佳
編集　中村水絵（HeHe）
複写撮影　野村知也
制作　吉田真美（平凡社）
印刷・製本　図書印刷株式会社

ISBN 978-4-582-62071-9　NDC分類番号674
A5判（21.0cm）　総ページ256

乱丁・落丁本のお取替えは直接小社読者サービス係までお送りください（送料は小社で負担します）。